La France
de la IVe République

1. L'ardeur et la nécessité
1944-1952

Du même auteur

La Révolution industrielle, 1780-1880
Seuil, coll. « Points Histoire », 1971

Révolutionnaires du Front populaire
UGE, coll. « 10-18 », 1973

Nationalisme et Conservatisme
La ligue de la Patrie française (1899-1904)
Beauchesne, 1977

La France de la IVᵉ République
2. L'expansion et l'impuissance, 1952-1958
Seuil, coll. « Points Histoire », 1983
« Nouvelle histoire de la France contemporaine », t. 16

Jean-Pierre Rioux

Nouvelle histoire
de la France contemporaine

15

La France
de la IVe République

1. L'ardeur et la nécessité

1944-1952

Édition revue et mise à jour

Éditions du Seuil

En couverture :
Vincent Auriol, 1948. Photo Roger Viollet.

ISBN 2-02-005216-4 (éd. complète)
ISBN 2-02-005659-3 (tome 15)

© ÉDITIONS DU SEUIL, 1980

Avant-propos

L'auteur de ces lignes confesse qu'en 1944, à cinq ans, il rêvait volontiers devant les bocaux vides des confiseries mais qu'en 1958, étudiant à Paris, il croyait avoir son mot à dire contre cette guerre d'Algérie qui a douloureusement marqué l'entrée en politique de sa génération. Des comptes divers à régler, des souvenirs heureux aussi l'ont donc agité. Il n'importunera plus son lecteur avec eux, mais ce halo d'émotions lui interdit de prétendre à une objectivité dont la pratique de l'histoire lui a depuis longtemps au reste révélé la vanité et l'équivoque.

Comme tous ceux qui l'ont précédé dans cette collection, ce volume ne prétend être en fait qu'une mise au point honnête et aussi précise que le permet l'état des recherches sur une période trop proche de nous pour que toutes les sources soient accessibles. Il tente d'argumenter et de conclure mais prend acte des premiers acquis comme des lacunes à combler. Vient-il à son heure? Le lecteur en jugera. Il nous a semblé pourtant que plus de vingt ans après le 13 Mai, quand se rouillent un peu les vieilles armes oratoires des nostalgiques et des procureurs, la IVe République, cet imputrescible cadavre dans le placard de la vie politique française, pouvait être examinée d'un œil plus frais. La qualité des premiers travaux donne dans le même temps quelque consistance à l'entreprise. Après les plaidoyers et les catalogues d'invectives, les essais talentueux et les radiographies parlementaires qui ont nourri son historiographie, une histoire plus large et plus ambitieuse de la période peut être mise en chantier, sur une hypothèse de travail trop simple pour n'être pas un peu vraie : la vie de la France et des Français de 1944 à 1958 ne se réduit pas à ces jeux politiques et institutionnels si souvent décrits.

Toutefois, ce livre porte la trace des déséquilibres actuels du travail des historiens. La période 1944-1946 est la mieux connue :

il était donc légitime de lui accorder une large place, que sa richesse au demeurant justifiait pleinement. Le jeu social des acteurs est moins clairement établi que celui des organisations partisanes et de quelques forces économiques : il a fallu l'enregistrer à regret. Le cadre de l'Hexagone, très scrupuleusement respecté dans les volumes précédents d'Henri Dubief et de Jean-Pierre Azéma, vole en éclats dans un contexte mondial qui écartèle la France entre Washington, Moscou et Diên Biên Phu : pourquoi n'en pas tenir compte délibérément, quitte à prendre le risque de bousculer des perspectives familières et d'avancer en terrain moins balisé? Enfin, la lecture de ce volume ne doit pas être séparée de celle du tome 16 qui le suit, *l'Expansion et l'Impuissance (1952-1958)* : on trouvera en particulier dans ce second volet des analyses religieuses, culturelles, démographiques, sociales et régionales que l' « abondance de l'actualité », comme disent les journalistes, nous a fait volontairement négliger ici.

Cette actualité si pressante, pourquoi ne pas s'y replonger un moment avant de suivre le flot de cette histoire difficile et chargée de passions? Voici que remontent, en exergue, quelques heures d'affrontement et d'unanimité joyeuse qui ne manquent pas de grandeur et où le temps est transpercé d'éclairs, de détails et de gestes qui annoncent les difficultés à venir.

Le vendredi 25 août 1944 vers 15 heures, Rol-Tanguy et Leclerc signent avec von Choltitz la convention de reddition des Allemands: Paris, couvert de barricades et toujours menacé par les raids aériens, est libéré par l'insurrection populaire et la 2e DB. A 16 heures, le général de Gaulle débarque à la gare Montparnasse et fait aussitôt reproche à Leclerc d'avoir laissé un colonel de FFI[1] apposer sa signature sur la convention encore fraîche : le chef de guerre et le politique ne font qu'un. A 17 heures, il occupe le ministère de la Guerre : l'État, d'un acte longtemps prémédité, s'installe dans ses meubles sans solution de continuité depuis ce 10 juin 1940

---

1. Voir, avant la chronologie, la liste qui recense les principaux sigles. Le lecteur voudra bien s'y reporter désormais au fil des pages.

où de Gaulle avait quitté les lieux. A 19 heures 30, après une halte à la préfecture de police drapée dans son héroïsme tout neuf, il consent à rencontrer en cet Hôtel de Ville où furent accueillies tant de révolutions les membres du CNR et du Comité parisien de Libération. Dans l'émotion générale, le président du Gouvernement provisoire annonce ses objectifs, poursuivre la guerre et exiger l'union nationale. L'ordre républicain encadre l'ardeur des foules libérées. La Résistance, avec ou sans uniforme, assure la pérennité des institutions. Au balcon, devant les Parisiens en liesse, son chef ne proclamera pas une République qui n'a jamais cessé d'exister à travers la France combattante. Vichy s'évanouit. Son souvenir sera vivement balayé.

Le lendemain, dans l'après-midi d'un samedi de soleil, avant le Magnificat et les fusillades de Notre-Dame, c'est la confirmation, une de ces journées jacobines qui comptent dans la vie d'un peuple. De l'Arc de Triomphe à la Concorde, précédant Bidault, Leclerc et les FFI dès que les mouvements de foule le lui permettent, de Gaulle s'enfonce dans un hommage populaire qui légitime le 18 juin 1940 et les combattants de l'ombre. Mais le dimanche 27, dès 10 heures, le chef d'une France qui se libère reçoit discrètement le général Eisenhower : la guerre continue, et les Alliés n'ont toujours pas reconnu le Gouvernement provisoire.

Le théâtre des Mathurins a momentanément retiré de l'affiche pour cause de commotion nationale une pièce d'un jeune auteur nommé Albert Camus que les Parisiens apprennent à connaître dans la rue par ses éditoriaux qui claquent dans *Combat*. Son titre était pourtant prémonitoire : *le Malentendu*.

1

Les impératifs du provisoire
1944 - 1946

1

Vaincre

La libération de Paris n'est qu'un épisode dans la course des Alliés vers les frontières du Reich. Partout, ils progressent à vive allure, dans l'élan donné par la percée d'Avranches et le débarquement de Provence. Jusqu'à l'automne, le front s'étire, la libération du territoire s'accélère. Sous les ordres de Montgomery, Anglais et Canadiens balaient le long de la Manche et sur l'axe Rouen-Lille : les garnisons allemandes de Boulogne, Calais et Dunkerque s'enferment dans une résistance acharnée, mais Ostende est prise le 8 septembre, la Iʳᵉ armée américaine, en flanc-garde, atteint Liège, la Belgique est libérée. Plus à l'est, Patton a franchi la Meuse dès le 4 et pris Nancy le 15. Au sud, après le beau succès du débarquement du 15 août, la VIIᵉ armée américaine et les FFI ratissent les Alpes, tandis que les hommes de l'armée B sous les ordres de De Lattre de Tassigny [1], renforcés en cours de route par des unités de FFI, brûlent les étapes. Toulon est prise le 27 août, Marseille et Montpellier, libérées déjà par la Résistance, les 28 et 29. Le 3 septembre, prise en tenaille par les Américains qui ont dépassé Grenoble, les FFI qui ont libéré les alentours et de Lattre qui fonce le long du Rhône, Lyon est libre. Le 12, après de rudes accrochages en Bourgogne, les troupes d'*Overlord* et d'*Anvil* font leur jonction à proximité de Montbard. Et il n'est pas indifférent que ce soient des Français de la 2ᵉ DB et de la Iʳᵉ armée qui soient les premiers à s'y donner l'accolade ni que, au même moment, la dernière des forces allemandes organisées

1. Elle reçoit son autonomie tactique, à égalité avec l'armée américaine, et prend le nom de Iʳᵉ armée française sur décision du général Revers le 19 septembre, ratifiée par de Gaulle le 24. Réorganisation « bureaucratique », sans doute. Mais l'ardeur des Français l'a largement imposée.

Les étapes de la libération

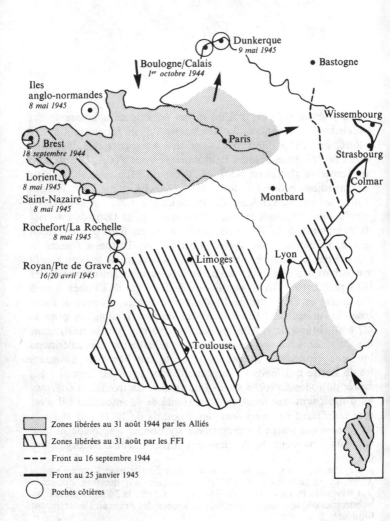

Dunkerque
9 mai 1945

Bastogne

Boulogne/Calais
1er octobre 1944

Iles
anglo-normandes
8 mai 1945

Wissembourg

Paris

Brest
18 septembre 1944

Strasbourg

Lorient
8 mai 1945

Colmar

Saint-Nazaire
8 mai 1945

Montbard

Rochefort/La Rochelle
8 mai 1945

Royan/Pte de Grave
16/20 avril 1945

Limoges

Lyon

Toulouse

Zones libérées au 31 août 1944 par les Alliés

Zones libérées au 31 août par les FFI

Front au 16 septembre 1944

Front au 25 janvier 1945

Poches côtières

prises dans la nasse, la colonne Elster, harcelée depuis Bordeaux, soit prise près d'Issoudun par des FFI. A la fin de septembre, la France est pratiquement libérée jusqu'au pied des Vosges. Mieux encore, ses soldats en uniforme ont couru de succès en succès, ses FFI ont considérablement aidé les Alliés à nettoyer les zones difficiles et donc à gagner du temps. Tous les planificateurs du succès sont pris de vitesse, les arrières du front sont sûrs : Eisenhower doit reconnaître le rôle militaire de la France au combat. Après nettoyage de la Bretagne — avec prise de Brest écrasée sous les bombes —, des pays de la Loire, du Sud-Ouest, des Alpes et du Jura par des actions combinées des troupes régulières et des FFI, seules subsistent les « poches » des ports de l'Atlantique et Dunkerque, surveillées, dangereuses, mais d'une utilité nulle pour l'Allemagne.

La victoire s'attarde.

Mais les Alliés doivent payer le prix de leur vitesse. La chevauchée devient piétinement dans la pluie, la boue et bientôt la neige d'un automne et d'un hiver particulièrement rudes. Un front trop étiré, des approvisionnements insuffisants (dès le 30 septembre, les chars de Patton sont bloqués faute d'essence) expliquent certes largement ce ralentissement. Mais, tout autant, les atermoiements d'Eisenhower, les désaccords tactiques et les assauts de vanité entre Montgomery et Patton ; et l'ardeur des troupes allemandes galvanisées par von Rundstedt, qui jouent leur va-tout, comptant sur les armes nouvelles et les dernières forces de leur nation que Hitler, froidement, accule au suicide. Faute de pouvoir ouvrir ce large front de la Ruhr à l'Alsace qui laminerait la Wehrmacht et partirait à la rencontre de l'Armée rouge, les Alliés bandent leurs forces, reconstituent les unités au sol, tout en conservant la maîtrise absolue de l'air quand les conditions atmosphériques le permettent. Au nord, Montgomery doit admettre l'échec de l'opération aéroportée sur Arnhem et se contenter de déblayer les bouches de l'Escaut. Les Américains ne prennent Aix-la-Chapelle que le 21 octobre, grignotent difficilement le terrain le long de la ligne Siegfried, ne nettoient la région messine qu'à la mi-décembre.

Dans cette grisaille, les troupes françaises font bonne figure. Après avoir regroupé ses forces entre Vosges et Suisse, amalgamé à tâtons les FFI, assurant ainsi la relève de ses troupes coloniales transies, de Lattre passe les Vosges, débouche hardiment en haute Alsace, prend à revers les Allemands, atteint le Rhin et délivre Mulhouse le 20 novembre, mais bute sur la poche de Colmar. D'un même élan, la 2e DB de Leclerc, détachée de la VIIe armée américaine, déboule des Vosges plus au nord et investit Strasbourg, qui tombe le 23 novembre : le serment de Koufra est tenu. Aux yeux des Français, la libération de la ville symbole parachève l'unité retrouvée, sonne comme un avant-goût de victoire et réhabilite enfin — pour un temps — une armée dont les plaies de 1940 n'étaient pas fermées. Mais le fracas glorieux des armes ne fait pas oublier que la guerre piétine. Le Gouvernement provisoire peut certes en tirer argument pour rassembler le pays sous sa seule autorité et parler plus haut aux Alliés. Ces longs mois d'attente et de durs sacrifices affaiblissent pourtant un peu plus la nation, compliquent à l'envi tous les problèmes économiques et humains et nourrissent l'indifférence ou l'illusion.

D'autant que les Allemands, au cœur de l'hiver, contre-attaquent. Leurs V1 et V2 menacent toujours, l'arme atomique n'est pas loin : en hâte, les Américains accélèrent leur programme nucléaire qui débouche sur Hiroshima, alourdissent encore l'aspect industriel de leur guerre, couvrent l'Allemagne d'un tapis de bombes. L'offensive allemande dans les Ardennes et en Alsace en décembre et en janvier surprend les Alliés, qui se cramponnent à Bastogne et entendent protéger à tout prix la route d'Anvers. Mais le « dernier coup de dé » de Hitler échoue, tandis que le sort de son peuple — et de quelques autres — est fixé à Yalta. Adossés à leurs frontières, les Allemands résistent encore. Au prix de durs combats, la Ire armée française et un corps d'armée américain réduisent la « poche » de Colmar le 9 février. Le 20 mars, la frontière est enfin dégagée de Lauterbourg à la Sarre et, par une singulière ironie du sort, les derniers combats pour la libération du sol national se déroulent sur l'ancienne ligne Maginot. Mais le 30, vivement poussé par de Gaulle, de Lattre a déjà passé le Rhin et marche sur Karlsruhe : la campagne d'Allemagne commence, qui s'achèvera à Berchtesgaden et sur le Danube. Et, le 8 mai 1945, Keitel doit subir une ultime humiliation : voir s'avancer un général français, de Lattre, pour recevoir, allié à part entière, la reddition du Reich. Rethondes et Montoire sont vengés. Dans les heures qui suivent, les garnisons des dernières « poches » de la façade maritime se rendent. La France entière est libérée. Elle a contribué largement à sa libération. Mieux encore, elle s'est hissée au rang des vainqueurs. Cette guerre plus longue que prévu a cependant alourdi le climat général et fait mesurer l'ampleur de l'illusion commune qui, aux beaux jours de l'été, portait à confondre libération et victoire. On chante et on danse certes beaucoup dans les rues et sur les places à l'annonce de la capitulation allemande, mais cette joie n'ouvre plus de nouveaux espoirs : « Cette fin ressemblait à une mort », note, mélancolique, Simone de Beauvoir [1]. Surajouté aux autres contraintes, le poids de la guerre a contribué à assommer l'opinion.

US at home.

On l'avait bien senti, et presque quotidiennement, à travers la presse et les déclarations gouvernementales, sur un point concret : la conduite des opérations et les rapports avec les Alliés, Américains surtout [2]. La France eut bien du mal à tenir son rang, et à chaque crise la décision pour l'y hisser dépendit pratiquement du seul général de Gaulle, sans que des volontés plus collectivement exprimées ou des politiques concertées aient loisir de s'afficher. Au fil des mois de guerre, dans un assentiment public un peu mou et autant sans doute par nécessité que par volonté délibérée, un pouvoir à visage plus solitaire que prévu se taille un domaine réservé. Car de Gaulle, président du Gouvernement provisoire, est aussi, aux termes de l'ordonnance du 4 avril 1944,

---

1. Dans *la Force des choses,* Gallimard *, coll. « Folio », 1963, t. 1, p. 51. Sur « cette immense joie pleine de larmes » (*Combat,* 8 mai 1945), voir J.-P. Rioux dans (92).
   * Sauf indication contraire, le lieu d'édition des ouvrages cités en note est Paris.
2. Voir Ch.-L. Foulon, « Les États-Unis et la France combattante, 1942-1945 », *Espoir,* n° 26, mars 1979, p. 62-78.

chef des armées : flanqué de Diethelm, commissaire à la Guerre, de Juin, chef d'état-major de la Défense nationale depuis août, il préside le Comité de Défense nationale et décide en dernier ressort.

Il sait fort bien que la dépendance militaire est lourde de conséquences politiques. Mais, à l'évidence, les forces françaises ne peuvent recevoir armes, équipements et vivres que des Américains. Toutes les unités sont inscrites sur la *Troop List*, et des inspecteurs vérifient au cantonnement que les normes sont respectées. Ce qui crée force incidents avec les coloniaux ou les maquisards qui n'ont pas encore adopté l'*American Way of Life* dans sa version militaire. De fait, malgré le gonflement de leurs effectifs, les Français ne reçurent pas d'aide supplémentaire : leur ardeur n'ayant pas été planifiée par le Pentagone, il fallut bien improviser et engager les forces du « système D ». Dès septembre, le gouvernement tient donc à remettre en marche une industrie d'armement nationale. La pénurie le contraint à attendre mai 1945 pour pouvoir doter d'équipements français une division par mois.

Sur le plan politique, le dénouement fut plus rapide. Avec les Britanniques, des accords, le 30 juin, ont liquidé tout contentieux : Churchill et Eden ont pratiqué de Gaulle de trop près depuis plusieurs années pour ne pas reconnaître sa volonté de vaincre et son aptitude à s'imposer. Les Soviétiques restent dans une prudente expectative, qui tranche avec leur attitude hardie de 1943 lorsqu'ils reconnurent les premiers le CFLN : à l'heure de l'assaut décisif et des grandes négociations sur le partage du monde libéré, ils ne veulent en rien provoquer l'allié américain. C'est donc avec Roosevelt et Eisenhower qu'eut lieu l'empoignade. Depuis plusieurs mois de Gaulle les a certes contraints à reculer. Eisenhower a dû admettre en échange du discours de De Gaulle au matin du jour J que les FFI sous les ordres de Kœnig pouvaient être un utile complément militaire. Au feu, les Américains ont pu apprécier ces combattants qui ignoraient West Point. Vichy s'effondre sans convulsions. Et d'étape en étape, de Bayeux à Paris, la légitimité gaullienne est en marche, les GI's trouvent souvent à leur arrivée les nouveaux pouvoirs en place. Les premiers heurts inévitables sont même efficacement adoucis par les officiers de la Mission militaire de liaison administrative de Boislambert :

le spectre de l'AMGOT est non seulement écarté, mais ces Français ont à cœur de démontrer qu'elle eût été nocive. Roosevelt doit donc céder et accueillir de Gaulle à Washington le 6 juillet comme un chef d'État. Jusqu'au 13, ce dernier se taille même son premier grand succès d'opinion publique aux États-Unis comme au Canada. Les Américains n'ont certes pas abandonné l'idée que seule la victoire finale permettra de clarifier la situation française, et Roosevelt se décharge sur Eisenhower pour décider si les territoires libérés « méritent » une administration civile. La pression des événements les convainc dès lors que l'obstination gaullienne a, décidément, un répondant en France. Le 25 août, des accords discrets sont passés sur l'administration civile, sur cette monnaie « française » dont les troupes américaines auraient pu inonder le pays, sur la censure de presse, sur le matériel de guerre pris aux Allemands. Eisenhower a su, en outre, donner suite à la demande de détachement de la 2e DB pour foncer sur Paris[1]. Un dernier round d'observation puis, le 23 septembre, rendus à l'évidence, les Alliés reconnaissent enfin officiellement le Gouvernement provisoire.

Mais le chemin peut être sinueux entre la Maison-Blanche, le Département d'État et Eisenhower. De son côté, de Gaulle, heureux vainqueur sur le plan politique, sait se plier sans rechigner aux impératifs de la guerre. Le 25 août ont aussi été conclus en conséquence des accords avec le Haut Commandement allié : les Américains peuvent interdire ou annuler des mouvements de troupes françaises, des FFI trop agités pourront être mis en réserve, et le matériel pris par des Français sur l'ennemi ne leur sera redistribué qu'après avis de l'intendance américaine. Qu'importe, puisque l'avantage politique reste du côté de la France ! Un échange de lettres les 6 et 13 septembre entre de Gaulle et Eisenhower laisse un ferme espoir de gages territoriaux en Allemagne pour les troupes françaises qui y pénétreront. Entre les deux gouvernements et les deux hommes, la règle du jeu est désormais fixée : matériellement et militairement, l'enjeu du combat vaut bien une discipline

---

1. Voir J.-P. Azéma (13 *), chap. 6.
* Le chiffre entre parenthèses renvoie à la bibliographie finale.

librement consentie; politiquement, la souveraineté française n'est plus négociable.

Il faut donc se contenter de pleurer dignement les 100 000 victimes des bombardements alliés, ne pas trop s'affecter, par exemple, quand Royan est rasée « par erreur » au retour d'un raid allié sur la Ruhr. Et subir sans rechigner les contraintes matérielles, les retards et les faiblesses du ravitaillement venu d'outre-Atlantique (220 000 tonnes pour les six premiers mois après le débarquement, contre les 700 000 tonnes promises) : priorité au matériel de guerre et à l'essence, puisque la guerre dure. Force est aussi d'abandonner la souveraineté sur les grands axes routiers qui mènent au front : place aux convois militaires. Pour apaiser les heurts inévitables avec les CDL qui n'ont pas été avertis à temps des accords, pour calmer des irascibles, des civils parlant anglais sont réquisitionnés à la hâte [1], et François Coulet, venu de Bayeux, reçoit la charge d'une délégation d'aide aux forces alliées qui règle au mieux, sans rien céder sur l'essentiel, les ordonnancements des vivres, du matériel et de la main-d'œuvre fournis ou réquisitionnés par les Américains. Tâche délicate, quand les officiers piaffent et que les pouvoirs civils voient le dénuement de leurs administrés. Sans parler des incidents sur le théâtre d'opérations et à l'arrière : phobie des espions, rationnements, prisonniers allemands « mal surveillés » ou « trop bien nourris », tapages, beuveries en souvenir de Pigalle, prostitution et délinquance inévitables sur l'arrière d'une immense armée. Les Français découvrent alors une Amérique qui ne se résume plus aux friandises et aux cigarettes. La nervosité gagne. On parle de « nouveaux occupants », des graffiti *US go home* surgissent, et, en retour, la presse américaine s'emplit de doléances sur l'ingratitude des Français au printemps 1945. Ces froissements quotidiens contribuent certes à brouiller un peu l'image des Américains. Mais il serait imprudent de conclure au malaise. Les Français restent en profondeur reconnaissants envers leurs libérateurs. Tout en

---

1. Ainsi, l'écrivain Louis Guilloux. Voir *Salido*, suivi de *O. K. Joe* (Gallimard, 1976), la seconde nouvelle de ce recueil portant témoignage sur ces questions trop peu connues.

retrouvant avec joie à travers la fermeté gaullienne le goût piquant de la souveraineté [1].

Néanmoins, imperturbable, le gouvernement français transmet à l'ambassade ses griefs : réquisitions mal dosées, désordres, empiètements sur le pouvoir civil local, faible empressement à détourner vers les poches de l'Atlantique les moyens nécessaires pour les liquider. Mais il sent bien que dans l'exaspération de la guerre ce terrain est peu solide et que les gémissements répétés peuvent paraître déplacés, eu égard à l'aide militaire fournie. Par contre, si la souveraineté est en jeu, la crise est délibérément provoquée et négociée par de Gaulle seul.

L'une, ponctuelle, intervient en juin 1945 à propos des frontières alpines. Car, au 2 mai, quand capitulent Allemands et Italiens, le détachement d'armée des Alpes du général Doyen, tout vibrant encore du souvenir du Vercors, a hardiment dévalé des cols, occupé le val d'Aoste et abordé Turin. Truman, qui a succédé à Roosevelt, peu au fait des vieux litiges franco-italiens sur les tracés frontaliers et fort inquiet devant la situation italienne, exige leur retrait en deçà de la frontière de 1939. Aussitôt de Gaulle fait consolider les gages sur le terrain tout en finassant par voie diplomatique. Tende, Brigue et les cols resteront français [2]. Mais il a dû renoncer à toutes autres prétentions en pays d'Aoste dès le 7 juin, car Truman, ulcéré, a fait suspendre toute livraison de munitions et d'équipement aux troupes françaises.

D'une tout autre ampleur fut l'affaire de Strasbourg [3]. Averti

---

1. Certains sondages révèlent que 44 % des Parisiens en novembre 1944 pensent que l'aide américaine est insuffisante, que 55 % des Français l'affirment plus haut encore en janvier 1945. Mais d'autres révèlent qu'au début de décembre 71 % d'entre eux sont satisfaits de la conduite des militaires américains. Certes, la France du Sud et celle des villes tempèrent ce *satisfecit*, et la liste des reproches s'alourdira. Le chiffre, nous semble-t-il, est sans équivoque. Voir *Bulletin de l'IFOP*, 10-25 janvier 1945, et *Sondages du Service de sondages et statistique (SSS)*, nᵒ 7, 1ᵉʳ janvier 1945.

2. L'affaire excite la plume du général (68), p. 181 *sq*. Le tracé définitif sera fixé au traité de paix avec l'Italie du 10 février 1947 et le val d'Aoste recevra du Parlement italien un statut de relative autonomie en février 1948.

3. Voir J.-M. d'Hoop, « De Gaulle et l'affaire de Strasbourg », dans (119), p. 286-293.

d'une attaque imminente des Allemands sur l'Alsace aux derniers jours de 1944, Eisenhower, distinguant strictement conduite de la guerre et politique, prévoit d'abandonner Strasbourg. Bien soutenu par Juin, de Gaulle donne ordre à de Lattre le 1er janvier 1945, quand se déclenche l'assaut allemand, d'assurer la défense de la ville sans en référer davantage à ses supérieurs américains. Convaincu que les Allemands seront cloués au sol dès que le beau temps revenu redonnera aux Alliés la maîtrise du ciel — ce qui, de fait, interviendra —, il joue Churchill contre Roosevelt et s'en tient à l'aspect strictement politique. Le 3, après une entrevue orageuse de leurs chefs d'état-major, il rencontre « Ike », lui remontre que « les armées sont faites pour servir la politique des États » et menace d'interdire toutes les routes aux convois alliés si la Ire armée n'est pas correctement ravitaillée. Eisenhower cède, mal soutenu par Washington, peu soucieux de prendre un risque supplémentaire en pleine bataille. Qu'elle doit lui sembler désuète sa déclaration de février 1944 à Churchill : « Après tout, la France est votre bébé et demandera beaucoup de soins afin de l'amener au point qu'elle puisse marcher toute seule [1] »!

Nul doute qu'au terme de ces mois d'épreuve les Français ne soient massivement satisfaits de retrouver l'usage de la marche. Et qu'ils portent largement au crédit du général cette victoire morale et politique qui renforce l'heureuse issue des combats. Ne pourrait-on pas soutenir qu'ils rêvent même un peu? En mars 1945, 67 % puis 70 % d'entre eux convoitent la rive gauche du Rhin et approuvent l'homme du 18 juin lorsqu'il refuse l'invitation que lui a faite Roosevelt de le rencontrer à Alger. Dès décembre 1944, quand rien n'était pourtant gagné, 64 % estimaient que leur pays avait retrouvé sa place de grande puissance. En janvier 1945, 87 % approuvent la mobilisation de nouvelles classes. Malgré sa lassitude physique et morale, c'est sans détour que le pays accepte de bander ses maigres forces pour soutenir la machine de guerre alliée dans l'assaut final, c'est avec constance qu'il remet à de Gaulle et à son gouvernement le soin d'arracher une

---

1. Voir D. D. Eisenhower, *Croisade en Europe*, Laffont, 1949, p. 415.

part de la victoire. La bataille diplomatique pour « le rang » est bien assurée sur ses arrières [1].

L'impossible armée nouvelle.

Il n'est pas évident que puissent être mesurés à la même aune les rapports entre la nation et son armée combattante puis victorieuse. En ce domaine, les méfaits d'une guerre prolongée se conjuguent avec l'éclatement et la lassitude du pays pour faire manquer un rendez-vous tant espéré par les résistants et par tous ceux qui gardaient au cœur de tristes images de juin 1940.

Le gros des troupes régulières, ne l'oublions pas, vient d'outre-mer, et l'opinion métropolitaine n'a pas toujours suivi avec précision les détours qui menèrent à leur rassemblement, à leur armement et à leur engagement, à Londres, à Alger et dans l'empire tout entier, Indochine exceptée, jusqu'au jour J. De fait, par obstination conjuguée de De Gaulle, de Giraud et de Jean Monnet à Washington, 8 divisions — soit environ 300 000 hommes — ont été équipées à partir de 1943 par les Alliés et ont débarqué avec eux. Ayant souvent donné durement sur de nombreux théâtres d'opérations, résolument engagées dès le débarquement, elles risquent l'épuisement et la fonte des effectifs. Il faut donc les étoffer et lever de nouvelles troupes par incorporation individuelle de jeunes Français métropolitains mobilisables (dès le 20 juin 1944, le Gouvernement provisoire a pris soin de préciser que l'ordre de mobilisation générale de 1939 est toujours en vigueur), ou par amalgame d'unités en armes de FFI. Ce qui ne déplaît pas à de Gaulle, qui sait bien qu'au bilan final la force d'un pays se comptera aussi en divisions, mais chagrine les experts américains soucieux de planification sans surprise.

Dès lors, le recours immédiat aux FFI était indispensable : la nécessité militaire recoupe leur ardeur propre. Pour la Résistance intérieure, il allait de soi que le combat de l'ombre s'achevât à visage découvert. Elle a en outre la ferme volonté de forger ainsi une armée nouvelle, républicaine et populaire, mieux encadrée

1. Voir *Sondages SSS*, nos 7, 9 et 12, 1er janvier, 1er février et 1er avril 1945. Voir le chapitre 6, *infra*.

par des officiers ouverts aux idées démocratiques, participant à l'éducation générale de la jeunesse, foyer ardent qui forgera sa part des nouvelles élites du pays. Sur ce consensus minimal, on pouvait certes arguer de la guerre populaire, exiger une épuration radicale des cadres anciens, chanter avec des accents dignes de Jaurès des milices patriotiques qui témoignent sur place de la volonté de transformation du pays : les communistes ne s'en privent pas, soucieux de préserver l'originalité des FFI et, en leur sein, des FTPF, de perpétuer le rôle du COMAC, de tenir en haleine les milices pour exercer une pression politique, de sauvegarder leurs zones d'influence. Mais pour un Guingouin refusant l'accès de Limoges au général désigné pour prendre le commandement de « sa » région, combien de communistes qui ne songent qu'à encadrer le flot des combattants volontaires de la onzième heure, qu'à orienter au plus tôt vers le front des maquisards qui brûlent d'en découdre encore?

Au reste, convient-il de parler d'une guerre patriotique dérivant vers la levée en masse, comme en l'an II? Sur les 400 000 hommes que les FFI auraient pu vraisemblablement rendre opérationnels en septembre 1944, 120 000 au maximum seront amalgamés aux troupes régulières débarquées. On peut leur ajouter les 20 000 combattants qui formeront la 27e division d'infanterie alpine et les unités FFI qui se lancent au contact des garnisons allemandes des « poches » de l'Atlantique et de la Manche. Chiffres à la fois faibles et forts. Faibles dans l'hypothèse d'une ruée populaire vers le front. Forts, car ces combattants sont jeunes, « trop jeunes » même notent certains officiers, autour de vingt ans pour la plupart, et appartiennent aux classes « creuses » de l'avant-guerre : qu'une part importante de la jeunesse se soit dressée est indéniable [1].

_____

1. On distingue trois parts grossièrement égales : engagements individuels — pour la durée de la guerre ou plus longs —, arrivées dans une unité FFI toute constituée et renforts FFI acheminés par l'administration centrale. Un classement par affinités politiques est très difficile dans l'état de notre documentation. Un seul fait est certain : toutes les familles politiques de la Résistance ont été présentes au front. Sur ces questions mal connues, voir les rapports des colonels Le Goyet et Michalon (64), p. 559-704.

Leur ordre de marche avait été promptement réglé, et d'en haut : une note du 26 août charge le général Juin et les chefs d'unités d'incorporer au plus vite tout volontaire et tout groupe FFI; les commandements FFI sont dissous par décret le 19 septembre; ces forces nouvelles sont partie intégrante de l'armée, et de Gaulle n'a pas manqué de le rappeler lors de sa première tournée en province. Mais il en est autrement sur le terrain. L'afflux de volontaires surprend le gouvernement et inquiète les Américains. Car si les enrôlements individuels ne posent guère de problème, les unités qui débarquent avec leurs chefs, leur flamme et leur mentalité trop « civile » provoquent surprise et grognements chez les officiers d'active de l'armée d'Afrique. Lesquels, coupés de la métropole depuis 1940 ou 1942, incapables de comprendre la guérilla, traversant à vive allure leur pays sans que les combats leur laissent le temps d'en découvrir autre chose que ce qu'ils nomment parfois volontiers désordre ou anarchie, sont brutalement confrontés à des gaillards dépenaillés et parfois activistes en politique. Il faut leur apprendre sans délai le combat de ligne qui les déroute. Les adjudants de caserne toisent donc les héros d'assez haut.

Voici au moins 289 formations hétéroclites qui déboulent, du commando à la division, qu'on reconstitue à la hâte en 113 unités du niveau bataillonnaire. Voici la brigade de Paris, les FFI du colonel Fabien, renforcée par des lycéens de Janson et des mineurs de Decazeville, qui s'acharne victorieusement, de Gravelotte au Rhin. Le régiment de l'Yonne de Jacques Adam qui prendra Sochaux, le groupement Bayard de Dunoyer de Segonzac sorti des maquis de l'ORA dans le Tarn; la brigade du Languedoc; les 9 500 hommes de la R 4 qui montent de Toulouse; la brigade Alsace-Lorraine d'André Malraux, de Jacquot et de Chamson qui mêle paysans du Sud-Ouest et Alsaciens, grossie à chaque étape [1]. Et tant d'autres. Il faut les nourrir, les vêtir, leur apprendre le maniement d'armes nouvelles, la discipline du feu frontal et la nécessité de l'appui logistique, éliminer les incapables et les

---

1. Sur cette dernière, assez bien connue cu égard à la personnalité de ses chefs, voir J. Lacouture, *André Malraux*, Éd. du Seuil, 1973, p. 290-303.

matamores, former les cadres subalternes. L'amalgame, avec ses impératifs militaires et ses sous-entendus politiques, est improvisation, brassage empirique et sans projet : comment lui donner des règles librement consenties, quand la guerre défie les plans, que les Américains marchandent les approvisionnements? Les états-majors, à Paris comme au front, sont réticents ou débordés. Seule la volonté commune de chasser l'ennemi scelle, au hasard des dialogues attentifs et des admirations partagées au feu, quelques mariages heureux [1]. Mais l'amalgame n'est jamais total, et l'espoir de faire naître une armée nouvelle s'effiloche chez les FFI. D'autant que l'opinion se lasse, que le patriotisme retombe dès que le Rhin est franchi : la guerre devient alors l'affaire de professionnels [2]. Le gouvernement tergiverse tant que la situation politique générale n'est pas clarifiée et ne favorise guère une intégration avantageuse des cadres de la Résistance armée dans la hiérarchie traditionnelle.

Au lendemain de la victoire, sur fond de déception, c'est plutôt la remise en ordre qui vient à l'ordre du jour. Car l'armée française est proliférante et macrocéphale. Ses 18 divisions satisfont certes l'impératif de grandeur nationale. Mais la seule armée de terre compte 38 500 officiers pour 1 300 000 hommes. Toutes les strates s'y juxtaposent, souvent rivales : anciens de 39-40, « Africains », Français libres, FFI, prisonniers qui rentrent, sans oublier les « naphtalinés » qui se sont retirés sur l'ordre de Pétain en 1942 mais qui lorgnent de nouveau le tableau d'avancement. Il faut de toute urgence « dégraisser ». Or l'épuration est clémente : 700 officiers environ rayés des cadres, des mises à la retraite de complaisance, des réintégrations discrètes dans les années à venir. Les officiers FFI font en réalité les frais de l'opération. Ils regagnent la vie civile, découragés par les tracasseries qui accompagnent leur demande d'intégration et les minces promesses de carrière : ils sont 25 000 à la Libération, 4 000 en 1946, moins de 2 000 en

---

1. Par exemple, de Lattre parvient à rassembler les dernières « grandes compagnies » de FFI dans la 14e division, que Salan commande avec doigté sur le front d'Alsace. Mais il est bien tard — février 1945 — et son état-major ne compte que des officiers de carrière. Voir R. Salan, *Mémoires*, t. 1, *la Fin d'un empire*, Presses de la Cité, 1970, p. 149.
2. Voir J. Chauvel (178), p. 73.

1947. Ainsi l'armée de terre, par exemple, réussit le « dégagement » de ses cadres : 22 000 officiers en 1946. Mais partout, faute d'avoir conservé le sang neuf venu des maquis, la langueur et la routine s'installent.

A l'évidence, la page est tournée. Il n'y aura pas de grand débat parlementaire sur l'armée, sauf en décembre 1945 [1]. Des responsables parlent certes d'une « force d'intervention immédiate » fort gaullienne et qu'on retrouvera dans la force de frappe de la Ve République; des héros exaltent dans les unités l'esprit « commando ». Mais rien n'est réglé au fond sur la nature du service militaire, sur la place de l'armée dans la nation. Par l'ordonnance du 4 janvier 1946, la voici servante muette de la politique extérieure, confortée dans ses structures anciennes. Les grandes unités de la victoire sont réduites, puis dissoutes, la démobilisation est rondement menée : l'armée de terre n'a plus que 610 000 hommes à la fin de 1945, moins de 460 000 l'année suivante, ses meilleures troupes prennent le chemin de l'Indochine ou des garnisons d'Allemagne [2]. La priorité n'est plus militaire, le potentiel économique d'un pays lancé dans la reconstruction est trop faible pour qu'on puisse en distraire une part importante vers l'armée. Toutes les forces politiques, pourtant favorables à une armée nouvelle, l'admettent. Soldes médiocres, budgets rognés, matériels bricolés, espoirs en berne : l'armée n'est plus un enjeu majeur, elle s'installe dans la somnolence. Après son rendez-vous manqué avec l'amalgame, l'armée subit une nouvelle séparation du corps de la nation. Les guerres coloniales et la médiocrité des moyens feront le reste.

Le retour des camps.

La guerre a un épilogue qui mêle joie et douleur : le retour des prisonniers et déportés en Allemagne que libèrent les Alliés jusqu'au 8 mai 1945, le rapatriement des réfugiés. La France parti-

---

1. Voir *infra*, p. 95-96.
2. Voir J. Vernet, *le Réarmement et la Réorganisation de l'armée de terre française (1943-1946)*, Château de Vincennes, Service historique de l'armée de terre, 1980.

cipe ainsi, sur une modeste échelle, aux tragiques et massifs déplacements de population qui bouleversent alors l'Europe. Cette histoire, souvent réduite au témoignage, est encore mal connue. Cette carence n'est-elle pas au reste significative? La vision, le souvenir de ces vaincus, de ces victimes et de ces martyrs troublent pour longtemps la conscience nationale, plus à l'aise avec des héros positifs. Sur l'heure, à la joie des rescapés et de leurs familles, s'oppose la stupeur de l'opinion.

Les chiffres, difficiles à établir, sont fort lourds. Le gouvernement évalue à 1 200 000 le nombre des prisonniers de guerre encore retenus dans les oflags et les stalags[1]. 200 000 déportés environ ont quitté la France : 75 000 « déportés raciaux », juifs en quasi-totalité, 63 000 politiques « non raciaux », parmi lesquels 41 000 au titre de la Résistance, plus de 50 000 pour délits de droit commun. Travaillent en outre dans les usines du Reich plus de 700 000 Français, requis du STO pour la plupart, mêlés aux volontaires et à ceux de la Relève. S'ajoute au monde des camps celui des combats : 200 000 Alsaciens et Lorrains incorporés de force dans la Wehrmacht. Et celui des réfugiés et déplacés : 2 500 000 environ, Alsaciens et Lorrains expulsés, évacués des zones interdites, sinistrés des « poches » de la côte, étrangers de 17 nationalités fuyant l'Ordre nouveau ou laissés sur place par l'organisation Todt, Soviétiques, Espagnols, tous les errants, combattants ou non, d'une décennie de cauchemar. Au total, environ 5 000 000 de personnes en quête d'un foyer ou d'un pays.

Leur prise en charge officielle, complétée par le bénévolat, des dons variés au titre de la solidarité nationale et l'action de la Croix-Rouge, revient au ministère des Prisonniers, Déportés et Réfugiés, confié à Henry Frenay, l'animateur de *Combat*, et qui s'installe cahin-caha à l'automne 1944. Il doit faire face à une situation complexe et mouvante. Si la guerre dure, il faut aider les uns à survivre, faire patienter les autres. Si elle s'abrège, faire face aux arrivées massives. Il faut recenser la détresse, classer les appels des familles, dépêcher sur l'arrière du front des missions

---

1. Chiffre sans doute trop fort. L'échec de la mission Scapini, le tournoiement des derniers combats, l'improvisation de la nouvelle administration, tout contribue à le rendre imprécis. Voir J.-P. Azéma (13), p. 174 et 212, qui s'en tient à 940 000.

officielles d'enquêtes et d'aide, réquisitionner des transports défaillants, des approvisionnements trop maigres; débloquer les crédits pour allouer au retour une prime d'accueil sans préjuger des pensions futures; négocier avec les Alliés; prévoir à l'arrivée l'accueil, le contrôle sanitaire, la distribution des papiers et le tri des éléments indésirables qui profitent de la confusion pour se refaire une virginité politique. Equation dramatique, aux multiples inconnues[1].

En Allemagne, ce fut très dur. Tension nerveuse dans l'attente de la liberté après le jour J, disette, replis précipités de nombreux camps devant l'avance des Alliés, bombardements massifs : les esclaves deviennent des otages ballottés par les dernières convulsions de la guerre. La plupart attendent l'irruption des Alliés, certains se libèrent, d'autres errent en bandes après la fuite de leurs gardiens, tentant de fuir vers l'Ouest, redoutant que les derniers nazis ou l'Armée rouge ne les évacuent vers les incertitudes de l'Est. Des milliers périrent en route. Dans les camps de concentration, ce fut pis. Dès février 1945, le retour des premiers libérés par les Soviétiques à Auschwitz-Birkenau, puis au début d'avril l'arrivée de rescapées de Ravensbrück par la Suisse révèlent qu'il faut réviser l'idée qu'on s'était faite en France de l'extermination[2]. Mais aucune opération de commando ne fut montée par les Alliés pour délivrer par surprise les derniers camps ou tendre la main à ceux qui tentent de s'y soulever. Fin avril, s'ouvrent Buchenwald, Dora, Dachau, Mauthausen et Bergen-Belsen :

1. Voir O. Wormser-Migot, *le Retour des déportés* (Complexe, 1985), sa communication dans (64), p. 721 *sq.*, et le témoignage d'H. Frenay lui-même dans *La nuit finira* (Laffont, 1973).
2. Les premiers témoignages de déportés ont valeur d'avertissement et présentent les camps comme le lieu géométrique de la décomposition de la société allemande nazifiée. L'un des plus importants, rédigé dès août 1945, est celui de D. Rousset (*l'Univers concentrationnaire*, Le Pavois, 1946). Il conclut que les déportés « sont séparés des autres par une expérience impossible à transmettre » et que le mal contamine encore « au-delà des décombres ». Il faudra ensuite s'interroger sur d'autres camps. Dès 1948, Rousset rassemble un dossier contre Vichy (*Le pitre ne rit pas*, rééd. Ch. Bourgois, 1979) et lance le débat sur les camps soviétiques.

l'inexprimable prend visage, environné par le typhus, les révoltes réprimées, les agonies sur place et les charniers. Pour les survivants — 3 % pour les juifs, 20 % pour les autres, semble-t-il, moins de 40 000 au total —, brisés, fragiles, il faut apprendre à faire revivre une âme et un corps à jamais marqués.

En France, aux frontières comme à Paris, 23 000 fonctionnaires et volontaires les accueillent dans une vingtaine de centres conçus pour « traiter » jusqu'à 40 000 rapatriés par jour. Les réfugiés ont été hébergés et nourris avec difficulté pendant l'hiver, mais la plupart ont regagné leurs foyers avant l'été. Prisonniers et déportés débarquent ensuite, en groupes de hasard, des trains ou des Dakotas américains. Dans l'ensemble, malgré quelques incidents montés en épingle et dus à l'irrégularité du « débit » des arrivées, ils sont pris en charge et acheminés sans injustices ou lenteurs trop voyantes. En juin est fêté le millionième prisonnier libéré. En décembre, mission accomplie, le ministère de Frenay disparaît. Les questions pendantes sont déjà prises en charge par d'actives associations de la défense et du souvenir et réglées — fort lentement — par le ministère des Anciens Combattants.

L'histoire de leur réinsertion sociale est à écrire [1]. L'opinion ne fut sensibilisée qu'à l'aspect politique du problème. De fait, cette masse de nouveaux électeurs constitue un enjeu considérable à la veille des échéances électorales : ainsi s'expliquent la dure campagne des communistes contre Frenay en mai-juin 1945 et, en retour, la dénonciation publique de la mauvaise volonté dont font preuve les Soviétiques pour libérer les prisonniers qu'ils ont recueillis à l'est de l'Elbe. Les rescapés, eux, un peu assourdis par ce tapage, entendent faire valoir leurs droits sans délai, mais seule une minorité d'entre eux interpelle à haute voix. Les grands noms

---

1. Les premières études (P. Gascar, *Histoire de la captivité des Français en Allemagne*, Gallimard, 1967 ; J. Evrard, *la Déportation des travailleurs français dans le IIIᵉ Reich*, Fayard, 1972) sont quasiment muettes sur le retour. Tout comme les deux plus célèbres romans sur les prisonniers, *les Grandes Vacances* de F. Ambrière et *le Caporal épinglé* de J. Perret. Par contre, le travail exhaustif d'Y. Durand, *la Captivité. Histoire des prisonniers de guerre français (1939-1945)* (Fédération nationale des combattants prisonniers de guerre, 1980) aborde clairement la question.

de la déportation politique se réintègrent assez vite. Tous les autres en revanche doivent apprendre à regarder une France pauvre qui a vécu sans eux une autre souffrance [1]. A leur misère on oppose celle de l'Occupation. A leurs espoirs si longtemps brisés, l'ardeur de la Résistance. A leurs années perdues et à leurs corps abattus, une jeunesse victorieuse qui lave leur défaite. L'avenir se bâtirait-il sans eux? En retard d'une République, désaccordés des sensibilités nouvelles : leur déception est grande, leurs éclairs de colère sont amers. Sans compter le retour dans un foyer qui a pu changer, le métier qu'il faut reprendre, le statut social qu'il faut retrouver. Mais l'addition de milliers de malheurs individuels, les larmes dans les familles qui n'ont pas connu le retour du captif, ne soudent pas une volonté socialement et politiquement exprimée. Le bonheur saura fort heureusement faire valoir le plus souvent ses droits. Mais qui pourrait croire qu'un malaise n'a pas subsisté? Tout ne fut certes pas négatif dans leur drame. Combien de regards neufs sur une réalité allemande si différente, de réflexions au fond des kommandos sur l'agriculture ou l'usine modernisées, d'enrichissements culturels et humains, d'éveils religieux? Respectons le silence des rescapés et saluons leurs efforts. Leur acharnement à reprendre la vie quotidienne révèle une obsession qui n'est pas sans grandeur : fermer la parenthèse, non pour oublier mais pour, simplement, revivre.

Ces milliers de témoins ont rendu enfin un ultime service au pays. Prisonniers aux uniformes démodés et pouilleux, squelettes de quarante kilos aux yeux démesurés sortant de l'hôtel Lutetia, ils bouleversent les Français, largement conviés par ailleurs, par la presse, les actualités, les expositions, à méditer sur leurs visages et leurs bourreaux. Grâce à eux, plusieurs générations de Français, au hasard des récits familiaux et des souvenirs des pyjamas rayés croisés en chemin, n'oublieront ni la guerre ni l'horreur nazie.

---

1. « Nous nous sentions vraiment comme des Martiens », rapporte Pierre Daix, au retour de Mauthausen, dans (231), p. 143. Sur l'attente et le retour, voir les témoignages bouleversants de Marguerite Duras, *la Douleur*, POL, 1985, et de Georges Hyvernaud, *la Peau et les Os*, Ramsay, 1985.

2

Survivre

« La marée, en se retirant, découvre donc soudain, d'un bout à l'autre, le corps bouleversé de la France », note de Gaulle [1] : meurtrie, appauvrie, la nation vainqueur subit une contrainte considérable. Le souci du lendemain, la nécessité de survivre, telle est l'obsession de l'heure pour les Français comme pour leur gouvernement.

Les pertes humaines.

Qui aurait l'impudeur d'évaluer à leur juste prix le sang et les larmes ? Statistiquement, pourtant, le bilan humain de la guerre, comme l'indique le tableau, ci-contre [2], est deux fois moins lourd que celui de la Grande Guerre et, aujourd'hui encore, un coup d'œil sur le plus humble des monuments aux morts le confirme. On peut même observer avec cynisme que, les civils ayant payé un tribut plus lourd que les militaires, les pertes ont été plus « également » réparties entre les sexes et les âges. Que les charges de la collectivité envers les victimes seront plus légères : 2 450 000 pensions de guerre aux invalides, veuves, orphelins et ascendants en 1934, 214 000 en 1950 [3]. Qu'enfin, le déficit des naissances aurait dépassé un million si la catastrophe avait frappé un pays prolon-

1. Ch. de Gaulle (68), p. 1.
2. D'après (11), p. 197. A. Sauvy propose des chiffres légèrement inférieurs dans *la Vie économique des Français de 1939 à 1945*, Flammarion, 1978, p. 195-196. Dans (68), p. 235, de Gaulle avance 635 000 tués. H. Michel, (89), p. 433, s'en tient à 600 000 disparus expliquant combien la part des civils et des transfuges rend toute statistique difficile.
3. P. Delouvrier et R. Nathan (30), p. 215.

geant sa stagnation démographique des années vingt et trente : la renaissance de la fécondité dès 1942, mal perçue encore après la Libération [1], a limité le déficit.

Militaires tués au combat ou morts de leurs blessures 92 000 en 1939-1940; 58 000 de 1940 à 1945; 20 000 FFI	170 000
Morts retenus par l'ennemi 40 000 prisonniers, 60 000 déportés politiques, 100 000 déportés raciaux, 40 000 travailleurs, 40 000 Alsaciens-Lorrains incorporés dans la Wehrmacht	280 000
Victimes civiles 60 000 par bombardements, 60 000 par opérations terrestres et massacres, 30 000 fusillés	150 000
Déficit de naissances sur les décès naturels dont 300 000 par surmortalité de guerre	530 000
Départs 300 000 étrangers, 20 000 Français	320 000
	———
	1 450 000

Néanmoins, même si le taux de renouvellement des générations n'est pratiquement plus déficitaire en 1943, cette lourde perte de 1,5 million de personnes accentue dans l'immédiat la tendance au piétinement depuis longtemps signalée. Avec 40 503 000 habitants en métropole recensés — à la hâte — dès mars 1946, la France régresse sur 1936 (41 600 000) et retrouve les chiffres des dernières années du xixe siècle. Pourtant, le gué est franchi : dès 1943, un léger excédent de naissances sur les décès a été enregistré. Cette poussée de la vie, qui fortifie les ardeurs politiques ou sociales, rend plus lourde et plus impérieuse la tâche du gouvernement :

1. Ainsi R. Debré et A. Sauvy, pourtant bons connaisseurs de la question, n'en parlent pas dans *Des Français pour la France* (Gallimard), vibrant plaidoyer pour une politique de la natalité publié en mars 1946. Voir J.-P. Azéma (13), p. 165-166.

liquider les séquelles de la guerre pour lancer une politique nata-
liste qui exploitera au maximum cette conjoncture démographique
devenue favorable.

Pour l'heure, il s'agit de distribuer des vivres, des vêtements et
du chauffage, d'enrayer la mortalité des plus faibles, enfants et
vieillards, de dresser le bilan. En mars 1945, les pouvoirs publics
constatent que 70 % des hommes et 55 % des femmes ont perdu du
poids, qu'un enfant sur trois dans les grandes villes présente des
troubles de croissance[1]. Il faudra attendre le milieu des années
cinquante pour retrouver des jeunes plus grands, mieux bâtis et
plus épanouis. Le poids de la guerre démarque physiquement de
leurs cadets mieux nourris tous ceux qui arrivèrent à l'âge J1, J2
ou J3 entre 1938 et 1948[2]. Sans parler des traumatismes moraux
et psychologiques : souvenir des deuils et des bombardements,
familles disloquées, études plus hachées, incertitudes et atonies
de la génération des « zazous ». Seule la croissance économique
remettra de l'ordre en tout cela. En 1944, retrouver une vie matérielle normale, c'est permettre à la fécondité de s'épanouir, faire
fructifier un nouveau capital humain et offrir à une jeunesse frus-
trée et marquée par l'épreuve le goût de la vie.

L'économie étranglée.

La solution aux drames humains est donc d'abord d'ordre économique. Or, là, le bilan de la guerre est dramatique, plus lourd
qu'en 1918. Les pertes immobilières, si visibles, sont accablantes;

---

1. A 14 ans, comparés à leurs aînés de 1935, les adolescents de 1945
ont perdu de 7 à 11 centimètres en taille et de 7 à 9 kilos en poids : on
retrouve les moyennes statistiques de 1900. Les médecins scolaires
signalent de très nombreux cas de rachitisme et une raréfaction générale
des globules rouges par avitaminose. La mortalité infantile est passée de
65 º/ºº en 1936-39 à 77 º/ºº en 1944. A Tourcoing, par exemple, elle est
de 99 º/ºº en 1945 et retombe à 72 º/ºº en 1946 et 57 º/ºº en 1946 et 1947 dès
que les approvisionnements en lait sont assurés. Voir (64), p. 281-321.
2. La population a été répartie pendant la guerre en catégories :
E (0 à 3 ans), J1 (3 à 6), J 2 (6 à 13), J 3 (13 à 21, plus les femmes enceintes),
A (21 à 70 ans), T (travailleurs de force) et V (plus de 70 ans). Chaque
catégorie a ses cartes d'alimentation et ses rations propres.

des régions entières sont ravagées[1]. La guerre a touché 74 départements (contre 13 en 14-18), anéanti près du quart du capital immobilier (contre 9 %). Un million de familles sont sans abri. Si l'on rapporte cette catastrophe à la situation du capital immobilier en 1939, déjà si insuffisant et si vétuste, on comprend que la construction de logements et de locaux industriels ou administratifs soit une priorité absolue. Mais elle n'est pas près d'être assumée. Car le capital productif a, lui aussi, été atteint. Les rapports de la Commission consultative des dommages et réparations sont accablants, le ministère de la Reconstruction estime en 1946 à 4 900 milliards le coût du retour à la normale, soit deux à trois années de revenu national de l'avant-guerre[2]!

La pénurie la plus grave, goulot d'étranglement pour toute l'activité du pays, est celle des transports. Les chemins de fer ont été particulièrement atteints par les bombardements, les combats et, à l'arrière, par « la bataille du rail » de la Résistance : sur 40 000 kilomètres de lignes, seuls 18 000 sont en service, par tronçons isolés; 115 gares principales sur 300, 24 gares de grand triage sur 40 sont détruites; 1 900 ouvrages d'art d'intérêt stratégique sont anéantis; 1 locomotive sur 6, 1 wagon de marchandises sur 3, 1 wagon de voyageurs sur 2 sont en état de rouler. Dans ces conditions, le trajet Paris-Strasbourg, par exemple, prend plus de

1. Au 1er janvier 1950, quand on liquide les dernières demandes d'indemnisation et de prêts pour faits de guerre, on recense au total 460 000 immeubles détruits et 1 900 000 endommagés, contre respectivement 345 000 et 541 000 en 1918. La Normandie vient en tête du martyrologe national. 52 000 morts, dont 20 000 ensevelis sous les décombres, 40 000 blessés et mutilés; 280 000 sinistrés pour 438 000 habitants dans la Manche, plus de 500 000 au total; Caen sinistrée à 73 %, Saint-Lô à 77 %, Rouen à 50 %, Le Havre à 82 %; près de 600 000 mines à neutraliser, les plages et les ruines à déblayer, l'activité économique interrompue. La province a perdu environ 40 % de son patrimoine productif. Des sinistrés des grandes villes passent un très dur hiver 1944-1945 dans des baraquements de bois, certains y resteront plus de dix ans. (Voir *la Normandie de 1900 à nos jours*, Privat, 1978, p. 292-347.)

2. Pour toute cette période hyper-inflationniste, les comparaisons chiffrées avec l'avant-guerre sont nécessairement imprécises et, partant, discutables. Nous nous contenterons le plus souvent d'estimations grossières. Mais les ordres de grandeur restent significatifs. Pour tenter des transformations des francs courants, voir R. Sédillot (103), p. 293-294.

15 heures. Sous peine d'asphyxie, il faut, dans les semaines qui suivent la Libération, réparer provisoirement les voies et constituer des convois. Car le réseau routier est démembré : 7 500 ponts détruits, au point que chaque rivière importante est un obstacle; il n'en existe plus aucun entre Paris et la Manche, Nevers et l'Atlantique, Chalon-sur-Saône et la Méditerranée. 1 500 seront hâtivement reconstruits pour laisser passer, au pas, la circulation minimale. Les premières estimations chiffrées pour la réfection du réseau routier se montent à 20 % du budget de l'État pour 1945, ce qui à l'évidence ne peut pas être accordé. La route, qui représentait les deux tiers des transports par rail avant la guerre, n'a donc pour un temps qu'une utilité très faible : 1 camion sur 5 a survécu aux réquisitions et au gazogène, l'essence est rarissime, et le front a la priorité. Par chance, la navigation fluviale et la marine marchande sont moins touchées. Vivement sollicités comme un pis-aller, les transports fluviaux tourneront à 40 % de leur capacité d'avant la guerre dès 1945, et la flotte de commerce, gérée jusqu'en 1946 par le pool interallié de navigation, offre environ un tiers de sa capacité de 1939. Mais son matériel vieilli ne peut pas faire face aux besoins. Au reste, la destruction presque totale de tous les grands ports de la façade atlantique ne permettrait pas de faire débarquer les marchandises. Cette dislocation des transports, au total, atomise le marché, favorise les circuits parallèles et les autarcies égoïstes, contraint le gouvernement à réglementer plus souvent qu'il ne le souhaite, au coup par coup, région par région, secteur par secteur.

La disette de charbon, source d'énergie majeure à l'époque, constitue la seconde entrave. En 1938, 212 puits d'extraction (125 dans le Nord, 12 dans l'Est et 75 dans le Centre-Midi) fournissaient à grand-peine 47 millions de tonnes : le nombre élevé de sociétés concessionnaires, le retard technique freinaient la productivité. La France était le premier importateur mondial de houille, pour près du tiers de sa consommation. Pendant l'Occupation et ses prélèvements massifs pour les besoins du IIIe Reich, elle n'est approvisionnée qu'à 65 % de son niveau d'avant la guerre[1], la

---

1. Voir E. Dejonghe, « Pénurie charbonnière et répartition en France (1940-1944) », *RHDGM*, n° 102, avril 1976, p. 21-55.

consommation des ménages baisse, l'industrie est mal alimentée, les stocks ne sont plus reconstitués, l'outillage s'use tandis qu'augmentent les besoins incompressibles des gros consommateurs, l'électricité, le gaz et la SNCF, qui fonctionnent souvent au-dessous de la limite de sécurité. Et la « machine » humaine s'enraie, par sous-alimentation, chute des salaires réels, combats sociaux et politiques contre l'occupant : 240 000 mineurs en 1938, 205 000 à l'automne 1944, une production journalière qui passe de 156 000 à 67 000 tonnes, un rendement par tête de 1 220 à 674 kilos. L'épuisement des hommes et du matériel rend nécessaire une opération chirurgicale urgente. Car les effets en chaîne de cette langueur sont catastrophiques. L'importation de charbon est bloquée : pour 23 millions de tonnes importées en 1938, on en raflera péniblement 10 millions en 1946, dont la moitié venant des États-Unis et 3 millions d'Allemagne. En 1945 l'industrie française dispose d'environ 40 millions de tonnes, contre 67 en 1938. La sidérurgie, peu touchée par les destructions en Lorraine, grosse consommatrice de charbon et de coke importés, bloquée pour tous ses approvisionnements, se remet en marche au ralenti (58 000 tonnes en décembre 1944 contre 500 000 tonnes par mois en 1938), néglige — par nécessité comme par insouciance du patronat qui rêve bien vite à de fructueuses exportations — tout effort d'investissement et d'organisation dans les industries métallurgiques et mécaniques d'aval, qui, à leur tour, faute d'approvisionnements diversifiés, piétinent. Le cercle vicieux est bouclé. Pour éviter les fermetures d'entreprises, pour répondre à la demande prioritaire de la SNCF, c'est la consommation domestique en charbon, gaz et électricité qu'il faut encore longtemps comprimer, le capital humain qu'on surexploite et qu'on désenchante par les privations.

Le tableau peut être noirci encore sur bien des points. L'âge moyen des machines-outils est de 25 ans, les plus récentes ayant pris le chemin de l'Allemagne : la guerre aggrave une faiblesse chronique de l'industrie nationale. L'agriculture manque de machines et d'engrais. Dans l'attente de la victoire et de l'ouverture des camps, malgré l'emploi d'environ 510 000 prisonniers de guerre allemands, le besoin de main-d'œuvre se fait pressant. Des étrangers repartent, Polonais du Nord et de Lorraine par exemple; les immigrés de l'Empire colonial activement sollicités depuis 1932 n'ont pas encore massivement pris le chemin de la métropole[1]. Les effets de la guerre de 14-18 sur la population active se font sentir à plein. Les salaires bloqués au maximum pendant la guerre sont insuffisants et leur hausse ne peut guère être différée.

Au bilan, un marché disloqué, une industrie désintégrée, des goulots d'étranglement dans les transports et le charbon, l'épuisement des travailleurs et une très forte poussée sociale vers le mieux-être. Sur fond de difficultés économiques, chroniques depuis 1931, la guerre a aggravé les déséquilibres structurels et multiplié les urgences. Un chiffre résume l'ampleur du drame : l'indice général de la production industrielle pour 1944 est tombé à 38 contre 100 en 1938, à 29 contre 100 en 1929.

Cette anémie crée une menace permanente et structurelle d'inflation, par déséquilibre criant entre une offre tarie et une demande qui s'impatiente. Certes, l'inflation est lancée depuis 1936. Elle s'est installée sous l'Occupation : en laissant galoper les prix, les Allemands comme Vichy ont tenté de limiter à court terme la montée du mécontentement chez les producteurs, les vendeurs et les salariés, navigué à vue pour corriger le décalage croissant entre les prix officiels et ceux du marché noir. A partir de l'été 1944, il faut régler la note, liquider le passé et au besoin par une fuite en avant[2]. Mais les causes structurelles ne peuvent guère disparaître avant une remise en ordre de l'économie. Produit à retardement des méfaits de la guerre, enregistrant les pénuries et les injustices de la Libération, l'inflation se fiche au cœur de l'activité du pays, devient un agent historique majeur pour de longues années. Dès l'automne 1944, elle constitue un grave problème de gouvernement.

Elle rend plus insupportable encore la contrainte financière et monétaire, autre trait essentiel de la situation de l'après-guerre, qui articule des données dont la conjonction crée l'étranglement :

1° De 1938 à la Libération, les prix de gros ont été multipliés

1. En conséquence, l'ordonnance du 2 novembre 1945 réglementera assez libéralement les conditions d'accès et de séjour des travailleurs étrangers. Elle restera en vigueur jusqu'en 1979 : cette pérennité traduit un besoin incompressible et permanent de l'économie française.
2. Voir J. Bouvier, « Sur la politique économique en 1944-1946 », dans (64), p. 835-856.

par 2,5, par 3,5 en 1945; les prix de détail ont été au minimum multipliés par 4, et le coût moyen de la vie — marché noir non compris! — par 3. Les salaires ont passé de l'indice 100 en 1938 à 163 en avril 1944, aggravant mois après mois leur retard sur les prix officiels [1]. Mais tout déblocage des salaires ou des prix relancera inévitablement l'inflation.

2° Les besoins sont tels que la balance commerciale sera fatalement déséquilibrée pour longtemps : au second semestre de 1945, les premières statistiques sûres révèlent 34 milliards d'importations contre 7 pour les exportations. Gonflée par le charbon, les produits fabriqués de première nécessité et les denrées alimentaires, la dépendance à l'importation est telle qu'un choix s'impose sans discussion : pourvoir à la première nécessité plutôt que d'amorcer une politique à long terme permettant de renouveler les stocks et l'outillage. S'ajoutent les réductions de revenus des invisibles (frets d'une marine marchande affaiblie, brevets peu nombreux face à la poussée technologique américaine, revenus du tourisme piétinant, capitaux placés à l'extérieur dont la rentabilité fléchit dans les déstabilisations mondiales de l'après-guerre). Il faut donc emprunter. C'est-à-dire prendre sans délai le chemin de Washington. Mais comment gager les prêts en dollars des banques américaines ou du Trésor fédéral quand on est chroniquement demandeur? Et que la monnaie américaine qui domine le monde depuis Bretton-Woods [2] ne peut plus être « gagnée » par d'honnêtes transactions commerciales, puisque seuls des pauvres qui n'ont rien à échanger la mendient?

3° L'emprunt est tout aussi nécessaire pour couvrir le déficit des finances publiques. Au budget de 1944, les recettes couvrent 30 % des dépenses, le déficit est de 300 milliards. En 1945, avec

---

1. Nous ne savons pratiquement rien encore sur les revenus réels et les fortunes.
2. Aux termes des accords qui y sont signés en juillet 1944 par 44 nations (P. Mendès France y dirige la délégation française), les monnaies seront désormais définies soit en or, soit en dollars. Le dollar devient en fait l'étalon de référence et la plus forte monnaie mondiale. Y sont mis en place un Fonds monétaire international (FMI) qui prête à court terme et la Banque internationale pour la reconstruction et le développement (BIRD) pour les aides à long terme.

289 milliards pour les budgets civils et 172 pour la guerre, le découvert est encore de 207 milliards[1]. Dès lors, avec ce retard cumulé et le flot des dépenses nouvelles incompressibles, l'endettement public s'envole inévitablement. Il se multiplie par plus de 4 : 445 milliards en 1939, 1 680 à la fin de 1944, 1 874 à la fin de 1945, et 1 942 en mars 1946. Seul le gonflement dans cet énorme ensemble des emprunts gratuits à la Banque de France et de la dette à court terme (par les bons du Trésor à intérêts plus faibles, en particulier) laisse espérer un ralentissement. De fait, les intérêts et amortissements passent de 15 milliards en 1939 à 30 en 1945 et à 37 en 1946, soit une multiplication par deux et demi. Voici enfin un effet bénéfique de l'inflation : l'État débiteur joue sur la hausse des prix et l'accroissement des recettes pour s'alléger et, de 1939 à 1946, la part des recettes fiscales pour le paiement du service de la dette passe de 23 à 12 %. Mais cette facilité ne comble pas le handicap de départ.

4º La situation monétaire est grave. Alors que la disparition des « frais d'occupation » et des *clearing* défavorables avec l'Allemagne permettait d'espérer un soulagement, la lourdeur des dépenses militaires pour une guerre qui n'en finit pas, le ralentissement des recettes fiscales, lié à l'atonie de l'économie, font s'évanouir cet espoir. L'encaisse a diminué (97 milliards en 1939, 80 en septembre 1944, 65 un an plus tard) et n'a plus guère de rapport désormais avec la masse monétaire en circulation. La multiplication des billets, plus forte que celle des avoirs bancaires ou des dépôts postaux, est signe et source d'inflation potentielle de grande ampleur. Leur masse est passée de 129 milliards en 1939 à 558 en mai 1944 et à 623 en octobre[2]. Si l'on tient compte du niveau des prix et de la production, 150 milliards en billets eussent été nécessaires et suffisants pour subvenir aux besoins qu'on pouvait satis-

---

1. Le chiffre est encore plus lourd si l'on ajoute au budget de l'État les comptes du Trésor, de la Caisse autonome d'amortissement et des collectivités locales.

2. Voir J.-M. Jeanneney, dans (64), p. 305-308, et l'analyse de Gaëtan Pirou, « Le problème monétaire en France depuis la Libération », *Revue d'économie politique*, 1946, (1-2), p. 12-49. Le total de la circulation fiduciaire est passé de 264 milliards en 1939 à 1 035 à la fin de 1944. Soit une multiplication par 3,9 contre 4,8 pour celle des billets.

faire. Flottent donc dans le pays 400 milliards « en trop ». Ces billets sont conservés — dans des « lessiveuses », surtout rurales, dit-on volontiers — par les particuliers parce qu'il n'y a rien à acheter. A la première occasion, ils vont se ruer sur le moindre achat, déclencher la flambée des prix. Leur masse thésaurisée est supérieure au produit national : le gouvernement, après avoir victorieusement bataillé contre la monnaie de l'AMGOT, ne peut pas accepter un retour à la liberté des achats et des prix sous peine de voir s'effondrer une monnaie nationale péniblement sauvegardée. Pratiquement, une ponction énergique de 80 % de la masse monétaire est nécessaire à bref délai. Mais peut-on l'effectuer quand les communications sont rompues et l'ordre encore mal assis?

Flux croissant des dépenses et de la circulation fiduciaire, nécessaire rééquilibrage des rapports entre les prix, les salaires et les investissements, budget, dette et monnaie déstabilisés, le dilemme final serait-il entre l'emprunt et l'inflation, entre l'autoritarisme et la liberté? L'heure est à l'improvisation. Mais les choix ne pourront guère être différés.

L'obsession du ravitaillement.

C'est sur le front de l'alimentation que les difficultés éclatent aux yeux de tous, c'est l'obsession de la ration quotidienne qui fixe les mécontentements. La satisfaction des besoins élémentaires est, dans les villes surtout, la pierre de touche de la popularité durable ou du désenchantement pour le gouvernement. Or le malentendu est inévitable car la marge de manœuvre est très étroite.

La guerre a installé dans la pénurie et le déséquilibre alimentaire une nation qui importait déjà en 1938 près de 10 % de sa nourriture et qui a dû apprendre à survivre « au ras des rutabagas [1] ». Au fil des mois de restriction et de réglementation des prix, un thème s'est imposé : la pénurie, c'est le prélèvement par les Allemands de la moitié au moins des richesses nourricières inépuisables de ce vieux sol gaulois dont, au même moment, Vichy s'obstine à chanter les vertus. Que les Allemands soient vaincus

1. Voir J.-P. Azéma (13), p. 160 *sq.*

et l'abondance reviendra : ce raisonnement simpliste — que peut-être la radio de Londres et la presse de la Résistance n'ont pas osé attaquer assez nettement — demeure vivace, au grand désespoir des commissaires de la République et du gouvernement[1]. Les vieux réflexes eux aussi jouent encore à plein. Frauder, c'était résister aux Allemands et aux bureaucrates : pourquoi ne pas perpétuer cette règle « patriotique »? Et la meilleure preuve que des stocks existent n'est-elle pas qu'on peut tout se procurer au marché noir? Dans leur détresse, les Français ne comprennent pas que leur « débrouillardise », individuelle ou familiale, qui réplique aux insuffisances des rations officielles, grossit la demande vers un marché parallèle qui bafoue la taxation et aggrave l'inégalité[2]. Car, à cette pression de la faim, grands et petits requins du marché noir répondent au mieux de leurs intérêts et « dépannent » sans relâche. Réglementations des prix et répressions des fraudes peuvent sans doute écarter quelques profiteurs trop voyants ou imprudents. Elles sont sans effet sur les règles simples qui régissent le marché : les Français demandent de la nourriture, des vêtements et du chauffage que l'économie ne peut pas fournir continûment et en masse.

C'est dire que les rations restent maigres, inférieures aux besoins physiologiques élémentaires pour les plus démunis dans les villes. La ration alimentaire minimale, on le sait, oscille, suivant l'âge, le sexe, le type de travail à fournir, aux alentours de 2 400 calories par jour. La sécheresse des chiffres officiels laisse entendre que le marché parallèle est un strict impératif : à peine 900 calories par jour en août 1944 pour les adultes à Paris, 1 210 en septembre et 1 515 en mai 1945[3]! Au prix de queues interminables quand sur-

---

1. S. P. Kramer (100), p. 27; Ch.-L. Foulon (65), p. 185-194; A. Sauvy, *op. cit.*, chap. 10 et 11.
2. Voir les remarques de ce genre faites en juillet 1945 encore par J. Mairey, commissaire de la République à Dijon (S. P. Kramer (100), p. 31).
3. Voir (11), p. 80. Dans le même ouvrage, officiel, il est d'ailleurs discrètement révélé (p. 69) que les plus modestes fonctionnaires du Service national de la statistique dans 16 grandes villes, Paris compris, ont de 1 840 à 2 540 calories par jour en mai-juin 1944 et de 2 050 à 2 870 en septembre-octobre, grâce aux « ressources d'appoint ».

vient un arrivage surprise, de diplomatie parfois humiliante chez les commerçants avec lesquels les cartes d'alimentation ont lié le destin d'une famille[1], les rations sont recueillies et consommées jusqu'au dernier gramme. Ensuite, pour accéder aux 2 000 calories qui permettent de ne pas s'effondrer, tout est bon — troc, colis familiaux, jardinages et élevages sauvages en des lieux parfois inattendus, visites discrètes dans des arrière-boutiques, expéditions vers des fermes « amies », entraide entre voisins ou camarades de travail. La tragédie se teinte ainsi d'un pittoresque qui alimentera longtemps après les conversations familiales. Mais malheur aux isolés et aux pauvres! A terme, quelle qu'ait été la valeur des « appoints », les Français souffriront dans leur chair. En 1945 encore, pour une ration indispensable de 78 grammes de matières grasses par jour, ils en touchent 15; ils se contentent de 25 grammes de viande contre 40; le lait manque, et sa collecte est la hantise des parents jusqu'en 1948. Autoconsommation, système D, repliement sur soi, insolence de l'argent sont pour longtemps de règle dans la jungle du ravitaillement.

Pourquoi cette pénurie persiste-t-elle, dira-t-on? En ce domaine, les statistiques sont peu sûres, car une bonne part de la production échappe à tout contrôle. Eût-on d'ailleurs pu faire un recensement des disponibilités que le blocage des transports aurait rendu leur acheminement et leur distribution aléatoires : un kilo supplémentaire de pommes de terre sur la table de chaque Parisien à l'automne 1944, par exemple, signifierait l'envoi — impossible — de 19 trains de 600 tonnes. La solution passe par la reconstitution d'un marché national, une circulation vive et une autorité centrale capable d'imposer le respect des prix et des livraisons[2].

On comprend bien pourtant les causes du ralentissement de l'offre en produits alimentaires. La guerre, avec son délestage de

1. Voir J. Dutourd, *Au bon beurre*, Gallimard, 1952.
2. Voir E. Dejonghe et D. Laurent (86), p. 190. Sur ces questions mal connues, les premières réflexions fondées sont de M. Cépède (99), P. Verley, « Quelques remarques sur l'agriculture française de 1938 à 1945 », *Recherches et travaux* de l'Institut d'histoire économique et sociale de l'université de Paris-I, n° 5, juillet 1977, et I. Boussard (98).

main-d'œuvre[1], sa pénurie d'engrais importés et les ravages des opérations militaires, a fait perdre 3 millions d'hectares en terres cultivées, multiplié les friches; en 1945, les rendements ont chuté de 25 à 40 % pour le blé, la pomme de terre et la vigne. Et il ne faut attendre aucun secours de la mécanisation. Car la motorisation, déjà faible en 1938, est stoppée : plus de matières premières ni de pièces de rechange pour l'industrie de la machine agricole, qui répond à peine à 20 % des besoins, plus de carburant pour le matériel en service. Sans compter la raréfaction de la traction animale, après les réquisitions massives des Allemands et l'équarrissage pour cause de disette : 2 200 000 chevaux en 1938, 1 500 000 en 1944. Il faut, en catastrophe, importer des États-Unis de septembre à novembre 1944 environ 3 000 machines pour redonner vie aux terres les plus productives[2]. Mais une pénurie chasse l'autre. Quand on a la machine, il faut attendre le soufre pour la vigne ou la ficelle pour moissonner à la lieuse.

Noircissons encore le tableau par l'annonce du très dur hiver 1944-1945 et de désastreuses gelées au printemps 1945, par celle du blocage prolongé de toutes importations consistantes de produits textiles, oléagineux ou coloniaux[3]. En 1945, la récolte de blé recensée tombe à 42 millions de quintaux, contre 63 en 1944, à peine la moitié de celle d'avant la guerre; 60 millions de quintaux de pommes de terre contre 75 l'année précédente; 13 millions de bovins, soit 500 000 de moins qu'en 1944. Il faut donc s'attendre

1. L'exode rural est resté très vif pendant la guerre; il y eut 500 000 tués, prisonniers ou requis au STO, en proportion plus forte que dans les villes. Malgré le courage des femmes, des vieillards et des adolescents, malgré l'appoint temporaire des prisonniers allemands, le solde reste négatif, signe de l'échec du « retour à la terre » de Vichy et de la permanence d'une crise agricole amorcée dans les années trente. De 1936 à 1945, on décompte une perte de 726 000 actifs (voir I. Boussard (98), p. 80).

2. Sur cette faim de matériel et sur les ruses qu'il faut déployer pour l'obtenir en Beauce, voir E. Grenadou et A. Prévost, *Grenadou, paysan français*, Éd. du Seuil, rééd. coll. « Points-Histoire », 1978, p. 225 *sq.*

3. L'absence de ces derniers est douloureusement ressentie. En octobre 1944, les Français souhaitent voir réapparaître, dans l'ordre, le chocolat, le café, le thé, les bananes, les oranges et les citrons. Beaucoup de jeunes ignorent ou ont perdu le souvenir de ces douceurs (*Sondages IFOP*, nᵒ 3, 1ᵉʳ novembre 1944).

à un déficit d'au moins un tiers pour le pain, la viande, le beurre et le lait. Un équilibre précaire n'interviendra qu'avec les récoltes de 1946.

Mais ces précisions statistiques doivent être replacées dans leur contexte monétaire et social. Comment obtenir des paysans qu'ils déclarent puis vendent leurs produits au prix officiel, alors que le marché noir les visite à domicile et leur fait des offres bien plus tentantes? Les producteurs répugnent à livrer les denrées alimentaires car ils ne peuvent guère espérer acquérir en échange les produits manufacturés dont ils ont besoin, les machines qui manquent tant sur leur exploitation. La table paysanne reste, le plus souvent, bien garnie, et seul le surplus est vendu au marché noir[1]. Foin de patriotisme, les lessiveuses sont ouvertes : d'inlassables campagnes de presse brodent sur ce thème. De fait, les recettes des agriculteurs ont peu baissé et retrouvent dès 1946 leur niveau de l'avant-guerre. Les trésoreries sont à l'aise : à preuve le gonflement des dépôts dans les caisses de Crédit agricole, qui passent de l'indice 100 en 1938 à 743 en décembre 1944 et à 1 717 en décembre 1946. Cette aisance enregistre les profits du marché noir, mais traduit tout autant la transformation d'une partie du capital d'exploitation en monnaie[2]. Diminution des dépenses en matériel et en engrais, désinvestissement par impossibilité de mécaniser, une part du capital fixe se liquéfie. Que revienne la possibilité de s'équiper et ces disponibilités artificielles s'investiront. On remarque enfin que cette attente a aggravé les inégalités régionales et sociales. Seules les exploitations aux reins solides du Bassin Parisien et du Nord reçoivent le matériel contingenté de 1944 à 1947 et profitent à plein, par exemple, du retour à la vente libre des tracteurs à l'été 1948. Il fallait bien passer par elles pour retrouver l'équilibre alimentaire.

Les autres, petits et moyens exploitants qui n'ont pas pu se faufiler dans la course à l'investissement, voient leur épargne

---

1. M. Cépède évalue le prix « amical » au double du prix à la taxe et le prix « noir » au triple ou au quadruple (99), p. 334. Mais dans le Nord, par exemple, une vache qui vaut 25 000 francs au début de 1945 est achetée 5 000 francs par les Services du ravitaillement. Abattue clandestinement et débitée, elle peut rapporter au moins 70 000 francs.

2. Voir P. Verley, *loc. cit.*, p. 40-41.

fondre avec l'inflation sans obtenir à temps le matériel qui leur aurait permis de prendre un bon départ dans la nouvelle course, celle de la productivité, qui marquera les années cinquante.

Ces inégalités, on l'imagine, ne sont guère perçues par l'opinion urbaine qui assimile parfois les agriculteurs à des affameurs. En retour, indignés par tous ces mauvais bruits, les paysans résistent à la taxation et au dirigisme, organisent leur protestation[1]. Bien vite elle constitue un enjeu politique. Les socialistes avec Tanguy-Prigent, ministre de l'Agriculture, tiennent la nouvelle Confédération générale de l'agriculture, issue de la Résistance, et qui organise l'épuration des organisations qui ont soutenu la Corporation paysanne de Vichy[2]. Pour assurer les positions de la gauche dans un milieu qui lui est depuis longtemps peu favorable et que l'élimination de la droite et du centre a politiquement déstabilisé, les animateurs de la CGA prêteront partout une oreille assez complaisante aux revendications corporatistes des agriculteurs et excitent parfois à la grève générale des approvisionnements pour obtenir une hausse des prix et des salaires agricoles, fixés à l'évidence bien bas. Terrible menace, qui inquiète fort les pouvoirs publics à l'été 1945[3].

Face à ces données sociales et politiques complexes, à ces contraintes rigides, la politique du gouvernement est fort empirique et d'une efficacité limitée à terme. Ne pouvant agir ni sur le volume des importations tant que la guerre dure et que les circuits normaux n'ont pas retrouvé leur souplesse, ni sur la demande qui se défoule après les longues compressions de l'Occupation et pas davantage sur l'offre paysanne sur le qui-vive, il se contente d'éviter la catastrophe que déclencherait le retour à la liberté de tran-

---

1. On connaît mal les autres voix dans ce chœur de doléances, celles des petits commerçants et des « intermédiaires ». Nul doute que la crise du ravitaillement ait posé la question d'une modernisation urgente des circuits de distribution et d'un contrôle plus strict des pouvoirs publics. Ainsi naissent bien des thèmes que dix ans plus tard le poujadisme reprendra.

2. Voir I. Boussard, *Vichy et la Corporation paysanne*, Presses de la Fondation nationale des sciences politiques, 1980, p. 347-370.

3. Voir S. P. Kramer (100), p. 32-33.

saction. D'où le visage fermé et bientôt impopulaire de sa politique : contrôle des prix, réquisitions autoritaires des commissaires de la République et des préfets pour les urgences en lait,
pain et viande, répression contre les fraudeurs, explications
embarrassées face à l'opinion pour justifier le maintien et surtout
le renouvellement de 1945 à 1949 des cartes d'alimentation. Elle
ne fut pas appliquée sans heurts, d'autant que le pouvoir central
paraît mal assuré et que les commissaires et les directeurs du Ravitaillement, sur place, sont plus enclins à donner satisfaction rapide
aux populations : eux savent quotidiennement que le ravitaillement
est une question politique purulente. Car les CDL n'hésitent
pas à mobiliser la population sur ce thème contre les ministres parisiens, les milices patriotiques puis les communistes
traquent parfois nerveusement les fraudeurs, vrais ou supposés.
Du fond des provinces monte une trouble cacophonie des ventres
creux.

Dans le Nord, observent les Renseignements généraux en mars
1945, « les plaintes sont amères et nombreuses : le lait est trop
mouillé, il tourne avant d'être bouilli, le pain devient immangeable, le savon n'est plus qu'une brique terreuse... Les familles
sont angoissées à la pensée qu'elles n'ont que du pain à donner à leurs enfants six jours par semaine, et le septième jour
60 grammes de viande ».

A Lyon les affrontements prennent l'allure d'un dur conflit
social, avec des rations de matières grasses qui ne dépassent pas
100 grammes par mois sur les tables ouvrières tandis que le marché
noir et les restaurants opulents prolifèrent. Pour la Noël 1944,
Yves Farge, commissaire de la République, rafle ostensiblement
des provisions dans les établissements de luxe et les distribue aux
blessés et malades de la division alpine et aux ouvriers du bâtiment qui reconstruisent les ponts. Le 11 mars 1945, une grande
manifestation fustige pourtant le gouvernement à l'appel de la
CGT. En tête du cortège, des pancartes : « Nos gosses ont faim. »
Aux usines Fouga de Béziers, en décembre 1944, 25 % des ouvriers
ont quitté leur atelier pour partir à la chasse du ravitaillement. A
Marseille et sur la Côte d'Azur, où toutes les rations sont inférieures à la moyenne nationale, où 4 000 litres de lait sur les
15 000 nécessaires par jour sont distribués en mars 1945 mais où

les trafics s'étalent, Ramadier, ministre du Ravitaillement, est vivement chahuté lors de son passage en décembre 1944 [1].

Le désarroi fait donc monter l'impatience. La faim oppose les villes aux campagnes, les régions de monoculture ou trop isolées par l'arrêt des transports à celles du Bassin Parisien, de la Bretagne et du Centre qui ont, dans l'ensemble, moins souffert, mais qui sont mobilisées en priorité pour l'approvisionnement de Paris. La question du ravitaillement accentue l'émiettement du pays, donne force sociale aux égoïsmes et permet à la CGT, aux communistes et aux CDL d'entretenir une agitation larvée. Elle empoisonne l'atmosphère politique car le gouvernement navigue à vue. Il sait qu'il faut tenir fermement la barre mais que taxation et contrôle trop tatillons feront fuir les vivres et les produits de première nécessité. Mais il ne peut faire fi du contexte politique, doit lâcher du lest, et parfois à contretemps. C'est ainsi que le 29 août 1945, à l'occasion de la campagne électorale, il décide de supprimer la carte de pain à partir du 1er novembre. Avec la mauvaise récolte de blé, il fallut la rétablir dès le 28 décembre et même abaisser la ration à 300 grammes par jour pour les adultes [2].

Cette fausse manœuvre déclenche une série de protestations avec grèves à Laon, au Creusot, à Nantes, en Normandie, des pillages de boulangeries et même la prise d'assaut de la préfecture à Tours où l'on brûle solennellement les nouvelles cartes. En janvier 1945, 40 % des Français rendent le gouvernement premier responsable de la pénurie, contre 37 % qui invoquent le poids des circonstances. Dans les villes, la proportion est respectivement

---

1. Voir E. Dejonghe et D. Laurent (86), p. 194; F. Rude (83), p. 209; R. Bourderon (77), p. 232-236; P. Guiral (79), p. 137. A Montpellier, quand l'Union des femmes françaises s'agite à l'annonce d'une visite de Tanguy-Prigent, le commissaire de la République présente aux délégués le menu du « banquet » prévu : « carottes râpées avec un rond de saucisson, ragoût immangeable, fromage approximatif » (voir J. Bounin (78), p. 204). Pour Toulouse, voir P. Bertaux (74), p. 207-210 et Ch.-L. Foulon (65), p. 191.

2. La ration officielle de pain par personne et par jour (estimée à 500 grammes avant la guerre) est de : 350 g du 1er octobre 1944 au 1er novembre 1945; vente libre du 1er novembre au 28 décembre 1945; 300 g du 29 décembre 1945 au 1er mai 1947; 250 g du 1er mai au 1er septembre 1947; 200 g du 1er septembre 1947 au 31 mai 1948; 250 g à partir de juin 1948 et jusqu'à la fin du rationnement à l'automne 1949.

de 50 et de 33 %. Réflexe d'angoisse, car les avis sont partagés sur les solutions [1]. En janvier 1946, 49 % mettent encore — et de très loin — le souci de la pitance quotidienne en tête de leurs préoccupations, contre 26 % pour la santé et 15 % pour l'argent. Ces proportions ne se renverseront pas avant 1949. Cette légitime obsession explique la flambée d'indignation que provoquent, mois après mois, l'étalement des petits trafics de la mendicité débrouillarde ou des J3 tragiques, la moindre hésitation des pouvoirs publics, et surtout les scandales largement étalés dans une presse qui sait ainsi retenir son public en se posant en vigilant censeur [2].

L'éclat des faits divers, le lamento généralisé, l'empirisme de l'action gouvernementale occupent le devant de la scène. On aimerait pourtant pouvoir s'interroger sur l'arrière-plan et les coulisses du jeu économique [3]. L'action des groupes sociaux qui concourent à la production est trop mal connue encore pour qu'on puisse dépasser le stade des hypothèses. Mais tout porte à croire que le blocage de l'économie, la fatalité de l'inflation et la pérennité des pénuries proviennent aussi de la coalition fort efficace et souvent égoïste des différentes catégories de producteurs. On l'a vu pour les agriculteurs. Mais l'efficacité des ententes est réelle pour toutes les professions et toutes les branches : le corporatisme de Vichy, lui-même point d'aboutissement d'une lente prise de conscience, ne s'efface pas d'un coup. Face à lui, le débat entre dirigisme et liberté qui agite les pouvoirs publics paraît souvent bien superficiel et vain. Les comités d'organisation, hâtivement transformés en offices professionnels, conservent leur

1. En février 1945, 39 % souhaitent le retour à la liberté des prix, 31 % le maintien des taxes et des tickets et 25 % un système mixte. Voir *Sondages SSS*, nᵒˢ 9 et 11, 1ᵉʳ février et 1ᵉʳ mars 1946; *Sondages IFOP*, février 1946.
2. Le plus célèbre fut l' « affaire des vins » lancée par Y. Farge à l'été 1946 et qui prétendait mettre en cause l'entourage de F. Gouin (voir Y. Farge, *le Pain de la corruption*, Éd. du Chêne, 1947, et G. Elgey (19), p. 172 *sq*.). On avance parfois le chiffre de 4 millions de trafiquants, gros et petits. Une presse « spécialisée » donne des indications sur les implications politiques (voir *le Crapouillot*, nᵒˢ 27 et 28, 1955), mais l'histoire de cette indignation est à écrire.
3. Voir F. Caron, dans (64), p. 861-886.

influence et leurs hommes. L'abolition de ces derniers en avril
1946 laissera la voie libre aux syndicats patronaux du CNPF
reconstitué en décembre 1945. Le retour à la liberté syndicale,
chez les travailleurs comme chez leurs patrons, si désirée et si
nécessaire fût-elle, ne peut pas manquer de peser sur la production
dans le sens d'une résistance professionnelle aux incitations collectives exprimées par l'État. Pour survivre, il faudra bien redéfinir
les règles de la production comme celles du jeu social des producteurs.

3

Épurer

« Ce terrible enfantement est celui d'une révolution », note Albert Camus le 24 août 1944 dans *Combat*. La Résistance tout entière partage sa certitude : au prix du sang versé, la justice est pour demain. Un an plus tard et dans les mêmes colonnes, le 30 août 1945, l'auteur des *Justes* s'interroge amèrement sur l'échec de l'espoir : l'épuration a révélé que « le chemin de la simple justice n'est pas facile à trouver ». Ce drame hante désormais la conscience du pays et contribue à agiter sa vie politique[1].

Les exécutions sommaires.

Dans le terrible cycle de guérilla et de représailles engagé depuis l'hiver 1940-1941, la population dans sa majorité a oscillé entre la crainte et l'espérance, a observé et n'a pas oublié les excès : la masse disparate de dénonciations dont elle submerge les magistrats à l'automne 1944 témoigne d'abord d'un défoulement de cette peur longtemps diffuse et qui peut enfin se fixer. Au retour des accrochages, avec ou sans comparutions devant une cour martiale du maquis, miliciens capturés, responsables de la Légion, militants du PPF, trafiquants du marché noir, indicateurs ou traîtres peuvent être exécutés, en réponse aux massacres perpétrés par les forces de la répression. Au passage, quelques règlements de comptes privés, quelques actes de banditisme et surtout des rivalités internes locales entre les forces résistantes peuvent alourdir le solde. Les états-majors redoutent ces excès : dès 1943, le CNR a condamné les publications de listes noires et en février 1944 la radio de Londres

1. Voir J.-P. Rioux, « L'épuration en France, 1944-1945 », *L'histoire*, n⁰ 5, octobre 1978, p. 24-32.

Géographie de l'épuration
Exécutions

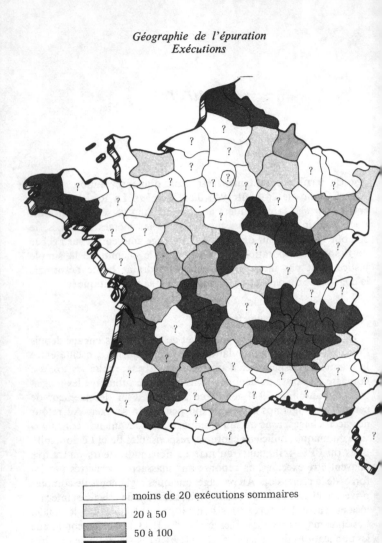

moins de 20 exécutions sommaires

20 à 50

50 à 100

plus de 100

Source : *L'histoire*, n° 5, octobre 1978, p. 27.

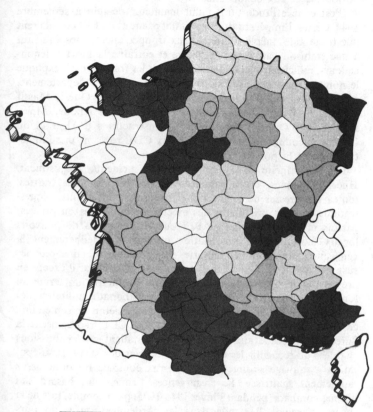

Géographie de l'épuration
Poursuites devant les tribunaux réguliers

 moins de 1/450 de la population française

1/450 à 1/400

1/400 à 1/300   moyenne nationale 1/400

1/300 à 1/143

Source : *L'histoire*, n° 5, octobre 1978, p. 27.

et d'Alger ordonne de limiter la répression aux miliciens, aux doriotistes et aux dénonciateurs.

C'est cette attitude qu'il fallut maintenir de juin à septembre 1944. Certes, l'impératif du combat fait prime et les FFI considèrent que toute aide, même indirecte, aux troupes allemandes équivaut à une trahison par temps de guerre et entraîne la mort : dénonciateurs, miliciens, agents doubles en font les frais. Ainsi s'explique le nombre élevé des exécutions sommaires dans les départements où la lutte armée fait rage (voir carte 1), Nord, Ouest, Massif central, Aquitaine, région toulousaine, vallée du Rhône, Alpes, Jura, Côte-d'Or et Yonne. Mais les instructions d'Alger et du CNR aux commandements FFI et aux CDL révèlent une inquiétude devant la possibilité de débordements.

La simultanéité et la conjonction d'incidents la justifient. Huées publiques, croix gammées sur les maisons des traîtres, tontes vengeresses de femmes compromises, enlèvements, séquestrations peuvent préluder à des exécutions publiques ou privées; parfois même, des unités de FFI ou des embryons de pouvoirs locaux mobilisent la protestation et couvrent délibérément la vengeance sommaire. Il importe donc de mettre en sûreté les suspects avant de les déférer devant les tribunaux d'exception prévus par le Gouvernement provisoire, de mettre un terme au fonctionnement des cours martiales, des tribunaux militaires des FFI ou des « tribunaux populaires » : dès le début de septembre, commissaires de la République, préfets et CDL réorganisent la Sûreté qui procède aux arrestations et installent les commissions chargées de recueillir les éléments du dossier des suspects. L'épuration « sauvage » directement liée aux combats fut donc assez rapidement maîtrisée. Ses résurgences tiennent au hasard des ultimes combats (pendant l'hiver 1944-1945, par exemple, lors de la contre-offensive allemande dans les Ardennes) ou à de purs actes de banditisme, comme ceux du « maquis » de Le Coz, terrorisant la région de Loches, auxquels les forces de l'ordre ne mirent fin que le 21 octobre [1]. Néanmoins la tension est telle qu'une psychose à la répression et des commentaires sur les « charniers » apparaissent çà et là dès la fin du mois d'août.

1. Y. Durand et R. Vivier (72), p. 226-229.

Les résistants, auxquels peuvent s'adjoindre des indignés de la dernière heure, souhaitent une prompte justice, préalable à toute reconstruction d'une France nouvelle. Ils s'inquiètent donc les premiers des lenteurs avec lesquelles sont installées cours de justice, chambres civiques puis la Haute Cour de justice. De fait, elles ne fonctionneront qu'à partir de l'automne et dans l'entre-temps des tribunaux militaires eurent à connaître des cas graves dont l'opinion locale exigeait l'examen sans délai. Mais le majestueux déploiement d'une justice statuant en vertu des articles 75 et 83 du Code pénal, qui condamnent l'intelligence avec l'ennemi et les actes nuisibles à la Défense nationale, ou prononçant la nouvelle peine de l'indignité nationale, répond aux vœux unanimes du gouvernement, communistes compris, comme le prouve l'attitude modératrice de Marcel Willard, premier secrétaire général à la Justice. Dans son discours d'Évreux du 8 octobre, de Gaulle l'expose sans ambages : l'indulgence s'impose, pour rassurer les Alliés, gagner la guerre et lancer la reconstruction sans délai. On ne s'étonnera donc pas qu'il ait systématiquement gracié les femmes, les mineurs et les comparses condamnés à mort. Quelle est cette justice, disent certains résistants, dont 73 % des peines capitales sont commuées? L'épuration cristallise déjà un profond malaise national.

D'autant que la presse étrangère a largement contribué à accroître les passions. Le 11 septembre 1944, le journal allemand *Tages Post* « révèle » que 9 000 exécutions auraient déjà eu lieu à Paris. Et que faut-il penser des « informations » alliées quand, en avril 1946, *The American Mercury* annonce que 50 000 personnes auraient été abattues par les communistes dans le seul Sud-Est? Mais des responsables français ajoutent eux aussi à la confusion, dont les adversaires de la Résistance profiteront. N'est-il pas indispensable de dramatiser parfois une situation encore trouble pour mieux convaincre les Français qu'il faut s'en remettre aux forces d'ordre? C'est précisément le socialiste A. Tixier, ministre de l'Intérieur, qui fait (imprudemment?) état devant le colonel Passy en février 1945 de 105 000 victimes, omettant de faire le décompte des victimes des Allemands et de la Milice.

Seul le retour au calme permet un dénombrement sérieux. Deux enquêtes officielles ordonnées en mars 1946 et en novembre

1948, menées par les Renseignements généraux et la gendarmerie, et dont l'historien américain P. Novick a vérifié depuis la validité, concluent à 9 673 exécutions, dont 5 234 antérieures au débarquement et 4 439 postérieures (pour ces dernières, 3 114 sans jugement et 1 325 après jugement). Plus fine encore, une enquête de gendarmerie en 1952 aboutit au chiffre de 10 882 exécutions, dont 8 867 directement imputables à la Résistance (5 143 avant le 6 juin et 3 724 après). C'est un chiffre très voisin, 10 842, que reprend et cautionne de son autorité le général de Gaulle en 1959 dans ses *Mémoires de guerre*[1]. La même année pourtant, Robert Aron dans son *Histoire de la Libération de la France* conteste les chiffres officiels et, s'appuyant sur une dernière enquête lancée en décembre 1958 et sur des témoignages spectaculaires, avance un chiffre oscillant entre 30 000 et 40 000 exécutions sommaires, qu'il maintiendra dans son *Histoire de l'épuration* sans s'interroger assez à fond sur la validité d'une recherche tardive qui ignore de très grandes villes et mêle les victimes des deux camps.

Aujourd'hui, une enquête, menée par le Comité d'histoire de la Deuxième Guerre mondiale, permet de poser un chiffre total sans graves risques d'erreurs : à quelques unités près, 9 000 exécutions sommaires, auxquelles il conviendra d'ajouter les 767 exécutions après verdict des cours de justice. Il est donc acquis que 10 000 Français environ furent victimes du châtiment suprême[2]. Le chiffre est douloureux, mais il est sans rapport avec ceux d'Aron ou les exagérations largement diffusées à l'époque. Pour 75 %, ces exécutions interviennent avant le 6 juin ou pendant la période des combats, et 25 % en protestation contre les lenteurs de la justice légale. Elles frappent plus durement les ouvriers agricoles, les petits cultivateurs, les artisans que les ouvriers d'industrie et les cadres; elles sont plus fréquentes en milieu rural, l'anonymat des grandes villes rendant la poursuite et la dénonciation plus difficiles.

1. (68), p. 38, et P. Novick (111).
2. M. Baudot, dans (64), p. 769. Chiffres légèrement en hausse, mais confirmés au fur et à mesure du déroulement de l'enquête qui s'achève : voir les mises au point de M. Baudot et Cl. Lévy, *Bulletin de l'IHTP*, CNRS, n° 4, juin 1981, p. 19-45, et n° 25, septembre 1986, p. 37-53.

La Justice s'en mêle.

Nul doute que leur nombre n'eût été beaucoup plus élevé si les pouvoirs publics n'étaient intervenus rapidement. Les commissaires de la République, disposant par l'ordonnance du 29 février 1944 des pouvoirs de police, ont fait procéder dès le début de septembre dans les départements, et parfois contre l'avis des CDL, à l'arrestation préventive et à l'internement administratif de personnes suspectées; ils mettent en place des commissions de vérification qui examinent le dossier des internés et proposent la libération ou le transfert devant la justice. Nombre de vies sont ainsi sauvées. Les conditions d'internement ne sont certes pas toujours satisfaisantes, surtout dans les grands camps surpeuplés de Schirmeck (Bas-Rhin) ou de La Noé (Haute-Garonne), mais rien n'autorise à parler de régime concentrationnaire comme l'ont fait des adversaires de l'épuration[1]. Au total 126 020 personnes ont été internées de septembre 1944 à avril 1945. 36 377 sont libérées dans les premières semaines et, à la fin d'avril 1945, 24 383 dossiers restent encore à examiner. 86 589 dossiers ont été transmis à la justice qui, à son tour, a pu remettre en liberté ou condamner. L'efficacité de l'internement paraît donc indiscutable, puisque, au bilan final, 55 % des internés sont libérés et 45 % livrés à la justice.

Les tribunaux réguliers purent donc fonctionner sans subir trop massivement la pression des impatiences[2]. Mais il fallut bien prendre le temps de révoquer quelques magistrats, de doser la composition des cours afin d'éviter que des juges trop répressifs contre la Résistance aient à connaîtrc sans transition des cas de collaboration. Ce ne fut pas toujours évité, puisque plus des trois quarts des juges restèrent en fonction, ce qui renforça la campagne de dénigrement. Parallèlement, la composition des jurys, soumise à des commissions départementales au sein desquelles les groupes de résistants pouvaient parler haut, n'évita pas toujours les manipulations politiques et les attitudes revanchardes, même si, dans leur immense majorité, les jurés accom-

---

1. Voir F. L'Huillier (84), p. 176-181.
2. Pour un exemple précis, voir J. Larrieu, « L'épuration judiciaire dans les Pyrénées-Orientales », *RHDGM*, n⁰ 112, octobre 1978, p. 29-45.

plirent leur tâche en conscience et avec discernement. Le bilan le plus fiable, arrêté au 31 décembre 1948, porte sur les 160 287 dossiers instruits. A savoir :

non·lieu ou acquittement	73 501	(45 %)
dégradation nationale	40 249	(25 %)
prison ou réclusion	26 289	(16 %)
travaux forcés temporaires ou à perpétuité	13 211	(8 %)
mort	7 037	(4 %)
	dont 4 397 par contumace et 767 exécutions	

Cette propension à la modération s'explique par l'abondance des plaintes dépourvues de toute preuve et le caractère vague de nombreux témoignages à charge : au bénéfice du doute, l'indulgence s'impose. Au grand scandale de certains, si bien qu'on assiste au cours de l'automne et de l'hiver à des attaques de prisons ou à des lynchages de prisonniers libérés, sans que les autorités puissent toujours intervenir à temps[1]. Très logiquement, la géographie de l'activité judiciaire (voir la carte 2) est l'envers de celle des exécutions : faible dans toutes les zones où les exécutions sommaires avaient assuré une épuration maximale, supérieure en revanche à la moyenne (1/400 de la population) dans toutes les grandes zones urbaines où l'anonymat avait protégé pour un temps les suspects. L'Alsace fait figure d'exception, pour la masse des poursuivis comme pour la sévérité, car la cour de Colmar dut attendre pour s'installer que les Alliés l'emportent et reçut le flot des derniers prévenus des régions voisines. Paris, haut lieu de la collaboration affichée, ne tranche pas sur l'impression d'ensemble : un pourcentage d'affaires un peu supérieur à la moyenne, moins de condamnations à mort et davantage d'acquittements.

Mais cette statistique comparée ne doit pas dissimuler que l'opinion ne s'interrogea que sur les lenteurs et ne se passionna massi-

---

1. Ainsi à Lyon où des manifestants s'affrontèrent en décembre pour ou contre la condamnation à mort de l'ex-préfet régional de Vichy, Alexandre Angeli. Voir F. Rude (83), p. 190 *sq.*

vement que pour les procès spectaculaires des grands rôles devant la Haute Cour ou des cours de province : Pétain, Laval, Suarez, Henri Béraud, Brasillach, Jean Hérold-Paquis, Bonny et Lafont, « couverts » avec fièvre par la presse et la radio, comme s'il s'agissait de fixer l'attention sur eux seuls [1]. Pour la masse des inculpés du commun, il semble bien que les organisations de la Résistance et les familles des victimes de leurs méfaits ne mobilisent l'opinion que d'octobre à décembre 1944.

Au long de l'année 1945 s'installe une attitude qui combine l'impatience et la lassitude. La recrudescence des manifestations suivies de violences à l'été s'inscrit dans cette ligne : une minorité activiste ne désarme pas, les prisonniers et déportés débarquant des camps exigent des explications et réactivent la campagne menée par le Front national, mais il s'agit d'une protestation sans détermination, d'une explosion de colère sans stratégie devant une justice qui frappe durement les comparses, exhibe les grands noms mais laisse courir des profiteurs connus. On s'interroge alors parfois sur la nature de l'épuration, au moment précis où la victoire tant attendue, la lassitude et les difficultés de la vie quotidienne, au sortir du dur hiver de restrictions, imposent l'oubli. Un voile descend sur les condamnés, abandonnés à la seule vigilance de leurs familles et d'une presse minoritaire qui se spécialise dans l'exaltation de leur martyr. En décembre 1948, 69 % des condamnés ont été libérés, les cours de justice disparaissent dans l'indifférence générale en janvier 1951. Lors du vote de la loi d'amnistie du 6 août 1953, moins de 1 % des condamnés sont encore détenus.

L'échec des épurations collectives.

L'examen de l'épuration des personnes fournit de précieuses indications sociales. Les humbles sont en effet plus durement frappés, tandis que les nantis peuvent mobiliser de bons avocats, faire traîner la procédure, susciter des témoignages complaisants, transférer leur dossier en dehors du département d'origine,

---

1. Voir L. Noguères (114). La fièvre connaîtra quelques poussées longtemps encore : voir J.-M. Théolleyre, *Procès d'après-guerre,* la Découverte/*le Monde,* 1985.

arguer de services rendus secrètement à la Résistance et que leur position sociale rendait particulièrement efficaces. Ainsi, à Valenciennes [1], la cour a acquitté le tiers des patrons, le quart des artisans, commerçants, professions libérales, militaires ou policiers, mais le dixième des paysans, ouvriers ou employés. Les diverses collaborations y ont été très diversement punies : militaire, elle fait condamner 90 % des accusés, politique 50 % et économique 33 %. Or, c'est dans la première que l'on retrouve en si grand nombre des jeunes issus des milieux populaires, chômeurs ou démunis, qui ont succombé aux tentations de la Milice ou du doriotisme. Toutes les enquêtes confirment aujourd'hui ce constat : l'épuration, loin d'être l'application brutale d'une « justice populaire » de classe, fut plus clémente pour les cadres de la société que pour les « lampistes », pour les personnes installées que pour les jeunes.

Mais seul l'échec des épurations collectives, dans les administrations, les professions libérales et les entreprises en convainquit alors les Français. Sur la fonction publique et les personnels administratifs, nous sommes mal renseignés : aucune enquête générale n'a été publiée ; la défense globale des sanctionnés a été très efficacement organisée et impose une grande discrétion dans la presse ; les tribunaux administratifs donnent dans l'indulgence feutrée ; nombre de fonctionnaires alors inquiétés occupent aujourd'hui encore de hautes responsabilités. Avant la Libération, des listes avaient été dressées et l'ordonnance du 27 juin 1944 prévoyait les seuls cas de sanction : avoir favorisé l'ennemi, contrarié l'effort de guerre, atténté aux libertés publiques et tiré bénéfice personnel de l'application des règlements de Vichy. Tous les efforts du gouvernement tendent à imposer une application minimale de ces règles : il ne s'agit pas, déclare de Gaulle en juillet, de « faire table rase de la grande majorité des serviteurs de l'État ». En application d'une nouvelle ordonnance du 10 octobre, les CDL pouvaient instituer des commissions d'enquête et des jurys d'honneur : 50 000 dossiers environ ont été ainsi rassemblés, mais les commissaires de la République n'en transmirent que 11 343 aux commissions nationales siégeant dans chaque ministère et les

---

1. Voir E. Dejonghe et D. Laurent (86), p. 182-185.

ministres tranchèrent en dernier ressort « dans l'intérêt du service ». Sérieuse dans la police (pour la seule région de Rennes, par exemple, sur 1 548 cas examinés, il y eut 95 sanctions), tout juste attentive dans l'armée, l'Intérieur, les Affaires étrangères et les Colonies, l'épuration fut très faible partout ailleurs. Dès 1950, la réintégration des sanctionnés ou des fonctionnaires mis en retraite d'office est pratiquement achevée. Les Français restent donc en contact direct avec des administrateurs locaux dont ils avaient parfois soupçonné l'action. Ils s'en inquiètent : en décembre 1944, 65 % d'entre eux jugent insuffisante l'épuration administrative [1]. Mais comment ne pas se résigner à admettre l'argument officiel : le retour à l'ordre et l'urgence des problèmes matériels dans un pays disloqué imposent de freiner l'épuration? La restauration de l'État fait prime, pour survivre et s'imposer face aux Alliés.

Ce même raisonnement fut appliqué à l'épuration des entreprises et des professions. Des comités interprofessionnels locaux enquêtent sur l'industrie et le commerce, proposent des sanctions aux commissaires de la République, mais une Commission nationale juge en dernier ressort. De nombreux conflits entre les CDL et les contrôleurs économiques ou les fonctionnaires des Finances qui épluchent à loisir les comptabilités retardent les premières sanctions et hâtent les décisions parisiennes : dès le 16 mars 1945, il est interdit à toute organisation issue de la Résistance de s'immiscer dans l'épuration économique. Dès lors, elle fut très faible : l'administration entend protéger le potentiel de production et refuse toute désorganisation des entreprises. Ainsi, dans le bâtiment et les travaux publics, les mêmes firmes qui avaient prospéré avec la construction du Mur de l'Atlantique sont lancées sans transition dans la remise en état des communications. Seule la presse, symbole de la Collaboration et arme décisive de la Résistance, fut très strictement contrôlée : procès spectaculaires de propriétaires et d'éditorialistes, confiscation de biens. Sur elle s'abattent toutes les formes d'épuration, politique, professionnelle et économique. Pour les autres professions, y compris celles qui avaient été les plus touchées par les réorganisations corporatives

1. *Bulletin de l'IFOP*, n° 8, février 1945.

de Vichy, les poursuites sont peu nombreuses, réduites à quelques dizaines d'individus chez les médecins, les ingénieurs ou les experts. Au reste, comment les victimes peuvent-elles prouver que ces cadres de la nation avaient profité de la puissance allemande pour exercer leur autorité sociale naturelle ? Seuls les intellectuels et les artistes sont spectaculairement offerts à la vindicte publique, dans le désordre et sans grande volonté d'aboutir : comment résister à la pression de l'opinion quand, par exemple, 56 % des Parisiens applaudissent en septembre 1944 à l'arrestation de Sacha Guitry [1] ?

Cette mollesse suscite des réactions. A la suite de trop discrètes interventions du Trésor pour récupérer des profits illicites, des trafiquants connus sont victimes d'attentats au cours de l'hiver 1944-1945. A Lyon, dans le Midi méditerranéen, d'aucuns rêvent de passer sans retard de la justice patriotique à la justice sociale. Des sociétés y sont mises sous séquestre, avec souvent l'accord des commissaires de la République, ou transférées à des adminis-trateurs provisoires qui ont l'aval des CDL et des syndicats : Neptune à Sète, Fouga à Béziers, les mines d'Alès, Berliet à Lyon et 22 entreprises à Marseille. Cette menace de « soviétisation » à chaud entraîne de promptes interventions du pouvoir central, mais la remise en ordre, difficile, n'aboutira qu'en 1947 pour certaines entreprises comme Berliet. Cette impatience désavouée donne aux nationalisations de 1945 un contenu affectif de punition populaire soigneusement souligné par les pouvoirs publics, chez Renault ou les mines du Nord-Pas-de-Calais, par exemple. Mais il s'agit d'une décision nationale coordonnée et réfléchie : l'appropriation collective immédiate n'est pas tolérable. « Je n'ai pas le droit, s'écrie P.-H. Teitgen devant l'Assemblée, de me servir de l'épuration pour faire des réformes de structure [2]. »

Peu à peu, on le voit, le faisceau de vérité se resserre. Les humbles et les comparses ont davantage souffert de l'épuration que les « gros ». Les pouvoirs publics, les juges et les jurés, souvent sub-mergés, se laissèrent gagner à la lenteur. Des erreurs, des disparités,

---

1. *Bulletin de l'IFOP*, n° 2, 16 octobre 1944. Voir P. Assouline, *l'Épuration des intellectuels*, Complexe, 1985.
2. *Journal officiel, Débats de l'Assemblée nationale constituante*, 6 août 1946, p. 3016-3017.

des échappatoires entachent cette justice. Les structures de la production et de la société ne cèdent pas à la pression de l'impatience, et seul l'État s'accorde le droit à les retoucher. L'exceptionnel conforte le normal[1]. Qui pourrait aujourd'hui maintenir cette image d'une justice populaire aveugle et implacable fauchant l'élite du pays, qui fut parfois largement diffusée? Les abus, les lenteurs, les incohérences, souvent réels, ne peuvent plus dissimuler la modération effective de cet épilogue douloureux d'une guerre civile inaugurée en 1940. La France fut beaucoup plus clémente pour ses enfants égarés que la Belgique, les Pays-Bas, la Norvège ou le Danemark.

Oublier l'ampleur du crime.

Sur l'heure, pourtant, une droite de demi-soldes s'est rapidement donné une morale de rechange et un thème de combat en dénonçant les excès. Dès le dimanche des Rameaux 1945, le RP Panici dénonce du haut de la chaire de Notre-Dame de Paris les épurateurs trop zélés comme les « disciples des Allemands ». Menacés dans leur liberté et leurs biens, d'anciens chantres de l'Ordre nouveau ou de la Révolution nationale et leurs familles se regroupent, autorisent leurs avocats à beaucoup parler en dehors de prétoires, une presse se constitue pour les défendre et laver leur honneur : la légende noire est née, qui exhibe ces mots de cauchemar que les Français veulent oublier, camps, tortures, spoliation, délation. Une Saint-Barthélemy chasse l'autre; les « nouveaux saigneurs » et autres « massacreurs de septembre » sont voués à l'infamie pour avoir sabré les classes moyennes et décapité l'élite naturelle du pays. D'authentiques résistants, le colonel Rémy, Jean-Louis Vigier ou Hubert Beuve-Méry apportent des témoignages ou font publiquement part de leurs inquiétudes. Des accusés, au fil des mois, non seulement contestent leurs juges mais proclament hautement qu'ils ont eu raison naguère. Le renouveau de la vindicte populaire à l'été 1945 donne vigueur cette fois à une campagne de dénigrement. En 1946, *Paroles françaises*, l'hebdomadaire d'un ancien résistant, André Mutter, se spécialise dans la défense et la réhabilitation des « épurés ». D'au-

1. On retrouve ainsi les conclusions de J.-P. Azéma (13), p. 353-359.

tres suivront, qui, autour de ce thème, veulent constituer une
« opposition nationale » contre la démocratie aveugle manipulée
par le communisme : *Écrits de Paris, Aspects de la France*, puis
Rivarol[1]. En 1948, dans un pamphlet à succès, l'abbé Desgranges
dénonce un nouveau péché, le « résistantialisme[2] ».

Cette offensive eût été sans avenir si certaines de ses critiques
n'avaient pas été douloureusement validées par des résistants.
Dans *le Figaro* et *Combat*, Mauriac et Camus s'affrontent :
fallait-il préférer la justice ou la charité? Et ce dernier doit reconnaître qu'il a plaidé le plus mauvais dossier[3]. L'état du pays, les
exigences des Alliés, les lenteurs de la victoire, la stratégie des
forces politiques, tout a contribué à décevoir les espérances révolutionnaires que d'aucuns avaient cru lire dans le programme du
CNR. A travers les difficultés et les injustices de l'épuration, ils
prennent conscience de la fin des espoirs. Un vaste débat sans
issue s'engage, qui jettera ses derniers feux en 1951 avec la *Lettre
aux directeurs de la Résistance* de Jean Paulhan[4]. Comment ne
pas voir que partout où la Résistance intérieure sut animer une
levée en masse à l'été 1944, en Bretagne ou en Limousin par
exemple, l'épuration, brutale et définitive, fut majoritairement
acceptée? Qu'ailleurs, ses hésitations, ses lenteurs et ses injustices
signifient l'échec d'une résistance populaire? Le miroir de l'épuration renvoie le visage d'un espoir mal armé, d'une révolution
sans troupes et d'une morale sans politique.

D'autres — ou les mêmes, par temps de guerre froide — rejet-
tent les responsabilités sur les FTPF, animateurs d'une justice
trop populaire qui aurait pu déboucher sur l'expropriation généralisée et le communisme. Le parti communiste souhaite depuis
1941 « une victoire française où ne subsistera aucun vestige de la
trahison », une épuration massive, brève et juste. Mais il n'envisage pas d'issue révolutionnaire et sait trop bien qu'une terreur
généralisée lui serait aussitôt imputée et reconstituerait un front

---

1. Résumé de tous leurs thèmes dans *le Livre noir de l'épuration*,
Lectures françaises, nos 89-90, août-septembre 1964.
2. *Les Crimes masqués du « résistantialisme »*, L'Élan, 1948.
3. (239), p. 212-213.
4. Publiée aux Éditions de Minuit (réédition chez J.-J. Pauvert, 1968,
avec un dossier de la controverse).

anticommuniste qui l'isolerait et briserait son image nationale : l'épuration est nécessaire mais sa modération devient indispensable à la restauration d'une démocratie dans laquelle il veut transfuser un sang neuf. Ressoudant une partie de la droite, l'épuration a pu tout autant isoler les résistants dans la nation, sanctionner leur échec et en particulier contribuer à enfermer les communistes dans un ghetto que la Résistance tout entière avait voulu abattre et que la guerre froide verrouillera de nouveau. Dès 1945, cette contradiction germe. Après 1947, la « justice populaire » de 1944 deviendra synonyme pour certains de « justice communiste ».

On comprend dès lors que la solution du gouvernement l'ait emporté sans difficulté. Pour avoir lu Péguy, le général de Gaulle sait que « rien n'est meurtrier comme la faiblesse ». Assuré de l'appui de toutes les forces de la Résistance, communistes compris, son gouvernement entend restaurer l'État par l'unité nationale, imposer la France au monde par la dignité, reconstruire avec tous les concours un pays titubant. La grandeur veut que les « prébendiers du désastre » soient châtiés sans faiblesse et au plus haut niveau, mais il faut faire admettre aux Français que « la nécessité est la suprême loi ». Désormais, le recours aux tribunaux réguliers s'impose, la grâce devient un instrument politique. Un règlement de comptes généralisé dissoudrait l'unité fragile forgée depuis le 18 juin 1940, réveillerait les démons partisans, romprait l'union du combat et de son chef, donnerait prétexte aux ingérences des Alliés. Laver l'honneur n'impose donc pas de disloquer des corps constitués, une fonction publique et des institutions dont on souhaite dans le même temps restaurer la vertu républicaine en effaçant la parenthèse de Vichy. L'indulgence peut affermir la grandeur; l'apaisement, forger la volonté collective : l'État à relever répudie le désordre et sa morale seule doit affirmer les pouvoirs. Ainsi fut paré des plus hautes nécessités le point final à l'épuration de masse. Pour survivre et bâtir, la mobilisation du travail et l'affirmation de l'État délivrent une absoute généralisée des fautes passées.

Cette politique s'appuie sur un constat réaliste. En mai 1944 un sondage avait révélé que si 20 % des Français militaient de près ou de loin pour la Résistance et 28 % souhaitaient une répression populaire, 44 % attendaient que les pouvoirs publics interdisent toute initiative des masses et 60 % mettaient un possible déchaînement de passion au premier rang de leurs préoccupations. Une très nette majorité est donc prête à accepter les propositions officielles pour le retour à la normale : châtiment des collaborateurs les plus connus, refus de tout amalgame entre les chantres de la France allemande et les exécutants de la Révolution nationale (58 % refusent même en septembre d'envisager que Pétain puisse être poursuivi et condamné). Une punition par le haut, sans examen des ramifications sociales profondes, doit clore le chapitre de la vengeance. Dès l'automne, en revanche, la lassitude s'étale, les refus de répondre augmentent, tandis que les réactions les plus dures se fixent sur des victimes expiatoires.

Le cas du maréchal Pétain en est la meilleure illustration (voir le graphique ci-contre). Ni Sigmaringen, ni sa rentrée en France ne modifient l'allure de la courbe, de plus en plus sévère, comme si, devant les difficultés persistantes et une guerre qui n'en finit pas, il fallait se convaincre que Vichy fut plus qu'un épisode, que 1940 a durablement affaibli le pays et que le premier responsable d'une politique fondée sur ces acceptations doit en porter, mais seul, la responsabilité[1]. Tout se passe donc comme si l'épu-

---

1. Le maréchal est condamné à mort par la Haute Cour le 15 août 1945. Suivant le vœu des jurés, de Gaulle signe sa grâce. Transféré au fort du Portalet puis à l'île d'Yeu, le condamné y mourra le 23 juillet 1951. Le procès est souvent confus et sans hauteur. L'accusé, après lecture d'une déclaration liminaire, s'enferme dans le silence et s'en remet au jugement de l'Histoire. A travers le défilé des anciens accusés du procès de Riom et des grands noms de Vichy et de la Collaboration, le départ entre les responsabilités de l'État français et celles de la IIIe République finissante n'est pas clairement marqué, le débat s'enlise sur l'armistice de 1940 et sur la délicate période 1942-1944. A l'extérieur, une vive campagne de presse ne donne pas dans la nuance. D'une surabondante littérature sur ce temps fort de l'épuration, on retiendra, outre le compte rendu sténographique des débats (*le Procès du maréchal Pétain*, Albin Michel, 1945, 2 vol.), deux thèses extrêmes, la trahison délibérée et le sacrifice : A. Bayet, *Pétain et la Cinquième Colonne*, Éd. Franc-Tireur, 1944, et J. Isorni, *Souffrances et mort du maréchal*, Flammarion, 1951. Ce dernier, qui fut un des avocats au procès, s'est spécialisé depuis dans le plaidoyer inlassable pour la réhabilitation de la mémoire du condamné.

Les Français jugent le maréchal Pétain

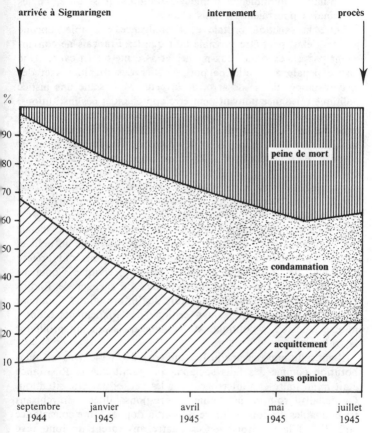

Source : graphique réalisé à partir des résultats de différents sondages publiés dans le *Bulletin de l'IFOP*, oct. 1944-août 1945.

ration fixait le mécontentement. Qu'on l'approuve ou qu'on la condamne, elle sert d'exutoire devant la pénurie, le marché noir, l'humiliation quotidienne d'une vie toujours aussi dure, où les lendemains pourraient ne plus chanter.

Entre la sanction brutale et l'indulgence coupable, aucune justice n'était peut-être possible tant que les Français ne consentaient pas à s'examiner eux-mêmes et à se mettre en cause. Une justice pénale a fonctionné pour châtier des dignitaires et des épaves happés par le désarroi de la peur. Mais seule une justice politique raisonnée pouvait peut-être appréhender ces institutions, ces groupes et ces idéologies hors desquels les victimes de la débandade perdaient toute consistance. L'épuration en France n'a pas suivi la voie qu'allaient tracer les juges de Nuremberg : définir d'abord le crime avant de châtier les coupables. Qu'est-ce qu'un collaborateur? Quels liens unissent Collaboration et Révolution nationale? La question ne sera pas posée. A faire croire, et trop vite, aux Français que toute légitimité ne pouvait s'incarner que dans la Résistance, que son combat fondait le nouveau régime sans qu'il soit nécessaire d'examiner plus avant la réalité sociale de la parenthèse des années noires, à réduire le crime au délit et la faute politique à la seule trahison, les dirigeants ont préféré l'efficacité de l'ordre à la tâche de réflexion civique. Comment juger le milicien isolé sans juger Vichy? Le speaker de Radio-Paris sans remettre en cause la nature de l'information? Comment épurer sans amorcer l'examen critique des fondements économiques, sociaux et politiques du système qui avait fait proliférer la trahison?

Il eût fallu imposer une justice qui considérât Vichy et la Collaboration comme des faits sociaux, qui admît que la Résistance était minoritaire et s'interrogeât sur les causes de cette situation. Où fallait-il rompre la chaîne des responsabilités hiérarchisant les coupables dès lors qu'on se refusait à donner toute consistance collective à la trahison? « Ces quatre ans furent un long rêve impuissant d'unité », notait Sartre[1] : la Résistance, fille de 1789, rêvait d'achever l'unification de la Nation. Les réalités lui rappelèrent que ce volontarisme révolutionnaire n'aurait pas cours.

1. *Situations III*, Gallimard, 1949, p. 41.

Car la parole et l'action collaboratrices, l'acceptation massive de Vichy s'étaient fondées sur un lit de silence[1].

Et si la « France profonde » n'était pas en 1944-1945 aussi innocente qu'elle voulait le croire en se débarrassant de sa propre image que lui renvoyaient les victimes de l'épuration? « Le pays, un jour, devra connaître qu'il est vengé », promettait le général de Gaulle dès 1943. Les Français, eux, préféreront se reconnaître avec lassitude dans une République qui ne sera ni une, ni indivisible, comme eux-mêmes. Parce que, notait alors Jean-Marie Domenach, « c'était comme si on avait peur de l'ampleur même du crime[2] ».

1. Pascal Ory, *Les Collaborateurs (1940-1945)*, Éd. du Seuil, 1977, p. 273; rééd. « Points-Histoire », 1980.
2. « Y a-t-il une justice en France? », *Esprit*, août 1947, p. 191.

4

Restaurer

« Ne leur faites pas de politique, ils n'en veulent pas » : au soir du 14 juin 1944, sur la plage de Courseulles, ayant reçu avec satisfaction en terre normande sa première légitimation populaire, de Gaulle donne cette ultime consigne à François Coulet, premier commissaire de la République exerçant son autorité sur une parcelle de territoire libéré. Ce « peuple averti de tout », déclare-t-il à la radio dès le 29 août — reprenant les termes de son discours du 25 juillet devant l'Assemblée consultative et anticipant sur ceux lancés le 12 septembre au Palais de Chaillot devant tous les responsables de la Résistance et de l'État —, « a décidé, par instinct et par raison, de satisfaire aux deux conditions sans lesquelles on ne fait rien de grand et qui sont l'ordre et l'ardeur. L'ordre républicain, sous la seule autorité valable, celle de l'État; l'ardeur concentrée qui permet de bâtir légalement et fraternellement l'édifice du renouveau [1] ».

Le retour à l'ordre.

C'est dire que si la Libération ouvre une période de tensions politiques, elle n'amorce pas un processus révolutionnaire qui remettrait en cause cet accord scellé en profondeur entre la nation qui se rassemble dans la liberté retrouvée et une autorité nécessaire à l'accomplissement des tâches vitales, gagner la guerre, donner à chacun l'assurance de survivre, fermer la parenthèse de Vichy et relever les ruines. Si l'exercice du pouvoir pose problème, la course pour sa subversion n'est pas engagée. Ce provisoire

1. F. Coulet, *Vertu des temps difficiles*, Plon, 1967, p. 231; Ch. de Gaulle, *Mémoires de guerre*, t. 2, *L'Unité*, Plon, 1956, p. 710 et 712.

n'est pas insurrectionnel : il est légitimé par la poursuite du combat, l'attente d'une expression populaire par le suffrage, la continuité républicaine et patriotique. L'effondrement de Vichy, l'évanouissement de son administration écartent toute velléité de réaction; l'échec de l'AMGOT est acquis. Deux certitudes au service d'un unanimisme qui s'impose d'autant mieux qu'il n'a pas à combattre. Certes, chacun s'active pour préparer les échéances futures. Mais le choix n'est pas entre la Réaction et la Révolution. L'enjeu est limité à la part d'ardeur réformatrice que le pouvoir d'État institutionnalisera [1].

Car tous les responsables savent que l'avenir a été scellé avant le débarquement. Depuis septembre 1941, tout n'a-t-il pas été mis en œuvre à Londres, à Alger et en métropole pour donner consistance à un « pouvoir central français unique » chargé d'assumer dans l'ordre et sans solution de continuité le destin du pays libéré? Une série d'actes légaux a jalonné cette marche à l'autorité [2]. Le cadre institutionnel est prêt. Pour le mettre en place, le CFLN — qui se transforme en Gouvernement provisoire de la République française (GPRF) le 2 juin et rétablit la légalité républicaine le 9 août — a choisi des hommes sûrs hantés par Jean Moulin sur des listes scrupuleusement pesées par une sorte de Conseil d'État clandestin, le Comité général d'études, composé de neuf « légistes républicains commis au service de l'État ». Alexandre Parodi, délégué général du gouvernement en France, surveille leur acheminement et leur installation dès avant juin et applique à la lettre les consignes de De Gaulle : « Je vous recommande de parler toujours très haut et très net au nom de l'État. Les formes et les actions multiples de notre admirable Résistance intérieure sont des moyens par lesquels la nation lutte pour son

1. Voir R. Rémond, « Les problèmes politiques au lendemain de la Libération », dans (64), p. 815-834.
2. A savoir les ordonnances du 17 septembre 1943 instituant l'Assemblée consultative provisoire, du 10 janvier 1944 créant les commissaires de la République, du 14 mars sur la délégation du pouvoir et l'exercice de l'autorité militaire au cours des combats et la plus importante, du 21 avril, portant organisation des pouvoirs civils après la Libération (texte dans G. Dupeux (15), p. 70-72).

salut, l'État est au-dessus de toutes ces formes et de toutes ces actions[1]. »

Les commissaires de la République, qui se substituent aux préfets régionaux de Vichy, sont les pièces maîtresses de l'édifice. Leur mission est claire : installer par tous les moyens et dans les plus brefs délais le pouvoir de droit face à tous les pouvoirs de fait. Sous les ordres de Parodi, chacun d'eux, « mandataire extraordinaire du Gouvernement provisoire, façonneur et ordonnateur de l'esprit public, mainteneur de l'ordre et de la légalité », est ouvert au dialogue mais garant d'une unanimité nationale qui ne se résume plus désormais à l'unité de la Résistance; juge et partie, il négocie avec les combattants et supervise préfets, secrétaires généraux, sous-préfets et fonctionnaires de police. Dans une France atomisée, leur sens jacobin de l'État doit être le meilleur ciment. A tous les échelons de la hiérarchie sont ainsi installés des hommes disposés à reconstruire les appareils de l'État dans leur forme antérieure. Ainsi le veut « la vigilance républicaine » selon les uns, « la remise en selle de la grande bourgeoisie comme classe dirigeante » selon les autres[2]. Face aux rebelles potentiels, l'État a délégué ses commis pour gérer les intérêts permanents de la nation.

Il serait faux d'y voir une décision arbitraire ou machiavélique. Car, en grognant parfois, le CNR a avalisé ces dispositions. A la

---

1. Voir D. de Bellescize, *les Neuf Sages de la Résistance*, Plon, 1979; R. Hostache, *De Gaulle 1944, victoire de la légitimité*, Plon, 1978, et M. Debré, *Une certaine idée de la France*, Fayard, 1972, p. 30 *sq.* Au Comité général d'études siègent, par ordre d'arrivée, F. de Menthon, P. Bastid, R. Lacoste, A. Parodi, P.-H. Teitgen, R. Courtin, M. Debré, J. Charpentier et P. Lefaucheux. Après la Libération ils sont aux postes clés.

2. Voir L. Hamon, dans (64), p. 947; R. Bourderon, « Une question clé, celle de l'État », *Cahiers d'histoire de l'institut Maurice-Thorez*, n° 24, 1978, p. 135, et J.-P. Scot, « La Restauration de l'État », *ibid.*, n° 20-21, 1977, p. 167-187. États de carrière, formation juridique, milieu social, absence de militance dans des organisations de masse conduisent ces hauts fonctionnaires à pencher vers la « vigilance républicaine ». Selon Ch.-L. Foulon (65), les préfets se répartissent par tiers entre la Préfectorale en place, le secteur privé et la haute fonction publique; sont commissaires de la République 8 membres des professions libérales, 6 hauts fonctionnaires et 3 parlementaires.

tête de sa Commission des CDL, l'envoyé de De Gaulle et de D'Astier, Francis Closon, a bataillé avec succès depuis l'été 1943 pour que les comités locaux et départementaux de Libération, nés de la clandestinité et au sein desquels siègent toutes les forces résistantes, soient à part égale les animateurs du renouveau, les régulateurs de l'impatience et les pare-feu derrière lesquels les fonctionnaires d'autorité pourront manœuvrer. La pyramide des comités, coiffée par le CNR lui-même, ne pourra en aucun cas, convient-on enfin en avril 1944, être assimilée à une structure de « double pouvoir » ou de « soviet ». Au jour J et pendant l'insurrection nationale, les CDL constitués ou reconstitués après les arrestations sont partout en première ligne, prêts à éviter au pays « l'effroi du néant[1] ». Ils doivent ensuite rassurer les populations, accueillir les responsables d'État, donner aux préfets « l'essentiel de leur efficacité » sans jamais leur déléguer un quelconque pouvoir, rester dans le rôle d'une assemblée consultative provisoire qui se substitue aux anciens conseils généraux.

Ces dispositions de rassemblement par l'urgence ont reçu l'aval de toutes les forces politiques[2]. Les mouvements s'y rallient pour conserver une chance d'être entendus après la victoire et n'ont jamais marchandé leur soutien à de Gaulle. La SFIO clandestine et les démocrates-chrétiens sont encore trop faibles pour ne pas saisir l'occasion de se réinsérer ainsi dans le courant national. Les autres partis, radicaux, Alliance démocratique ou Fédération républicaine, n'ont été ressuscités que pour avaliser en tous lieux des décisions sur lesquelles ils n'ont aucun titre pour peser. Le CNR lui-même dans ses « Instructions pour la Libération du territoire » du 15 mars 1944 — plus connues comme « Programme du CNR » ensuite — place ses directives militaires sous le thème de la discipline autour des CDL et du commandement FFI, et conclut contre « tout ferment de division » sur un appel à « l'union de tous les Français rassemblés autour du CFLN et de son prési-

---

1. Voir F. Closon, *le Temps des passions*, Presses de la Cité, 1974, p. 193.
2. Voir J.-P. Azéma (13), p. 308-322, et J.-P. Rioux, « La dynamique unitaire de 1944 à 1947 », *Politique aujourd'hui*, février 1973, p. 41-51.

dent, le général de Gaulle [1] ». Enfin, fait décisif, le parti communiste s'est rallié à l'ensemble de ces dispositions. A Alger, Grenier
et Billoux siègent depuis avril au CFLN afin de donner au gouvernement « une légitimité accrue pour parler et agir au nom de la
France [2] »; au CNR, où leur position est prédominante, à tous
les niveaux politiques et militaires de la Résistance, les communistes donnent des gages pour hâter la victoire et légitimer leur
retour en force au cœur du débat politique. Ils acceptent sans
rechigner, malgré quelque nervosité chez leurs députés d'Alger
et les formations armées en France, d'être sous-représentés dans
l'administration mise en place [3] et de donner un objectif strictement militaire au mot d'ordre d'insurrection nationale doublé
d'une grève générale organisée par la CGT. La tactique du Front
national sera maintenue avec fermeté jusqu'à la victoire. Nul
n'en doute, ni de Gaulle, ni son entourage, ni les commissaires
de la République. En des termes que n'eût pas désavoués l'homme
du 18-Juin, Duclos a demandé le 31 août au Comité central « une
politique de mobilisation de toutes les forces pour la guerre que
doit poursuivre la France pour pouvoir figurer demain parmi les
grandes nations ». Réintroduction des partis dans le jeu national,
exaltation d'un État pérennisé, soumission aux objectifs militaires et à l'autorité du gouvernement : sur ce provisoire méticuleusement programmé flotte donc un parfum d'Union sacrée.

Le gouvernement d' « unanimité nationale » présidé par de
Gaulle, installé dès le 9 septembre, légalise ce contrat. Un homme
de la IIIe République, l'ancien président du Sénat Jules Jeanneney,
qui a été contacté dès mai 1942 par de Gaulle mais ne s'est pas
mêlé de Résistance active, devient ministre d'État chargé de la
réorganisation des pouvoirs publics : la continuité républicaine
est assurée dans le respect des traditions. Dans un chassé-croisé
volontaire, Georges Bidault, président du CNR, reçoit les Affaires

    1. Voir D. Hostache, *le Conseil national de la Résistance*, PUF,
1958, et J. Debû-Bridel, *De Gaulle et le Conseil national de la Résistance*,
France-Empire, 1978 (qui minimise les tensions entre les deux parties).
    2. F. Billoux (123), p. 56.
    3. Un seul commissaire de la République, deux préfets et deux secré-
taires généraux de ministère. Pourtant 26 % des membres des CDL dans
l'ex-zone nord, 35 % dans l'ex-zone sud sont communistes.

étrangères tandis qu'un socialiste fort gaullien, Adrien Tixier, qui a passé la guerre hors de France, a charge de l'Intérieur; aux communistes sont accordés deux portefeuilles, l'Air à Charles Tillon, chef glorieux des FTPF, et la Santé publique à François Billoux[1]. Au total, un dosage subtil dans une structure classique; des hommes de parti (2 PCF, 4 SFIO, 3 MRP, 3 radicaux et 1 modéré) et 9 « non-inscrits »; un tiers d'hommes de la métropole et deux tiers d' « algérois ». Les deux Résistances fusionnées, les générations mêlées, les techniciens cohabitant avec les anciens parlementaires : l'amalgame est fait au plus haut niveau. Au jour le jour, sans trop se soucier du moyen terme, cette « classe studieuse dans le programme tracé : la guerre, le rang, l'État[2] », s'attache à réaliser ce triple objectif.

Rétablir l'État dans ses droits implique que l'autorité centrale remembre la nation. La tâche est rude car des CDL de l'ex-zone sud ont déjà outrepassé leurs pouvoirs, révoquant des fonctionnaires vichystes, perquisitionnant et, on l'a vu, couvrant des arrestations ou des exécutions sommaires. Des préfets n'ont pas pu prendre leur poste; parfois s'installe à la préfecture le président du CDL. Ailleurs, commissaires et préfets doivent jouer de leur engagement politique pour s'imposer. Ainsi à Limoges, libérée le 21 août par les hommes de Guingouin, un préfet communiste, Jean Chaintron, aidé par le CDL et par son président, le pasteur Chaudier, redresse en souplesse une situation fort confuse qui laissait craindre « un carnage vengeur », car dans les campagnes limousines tenues depuis plusieurs mois par les maquis, de « minidémocraties populaires » s'installeraient volontiers. En Auvergne, le commissaire Henry Ingrand, ancien chef régional des MUR, contrôle son territoire à la fin juillet, organise une police des maquis et calme tant bien que mal les inquiétudes de Paris. En

---

1. Ajouter : A. Lepercq aux Finances, P. Mendès France à l'Économie nationale, R. Lacoste à la Production industrielle, F. de Menthon à la Justice, P.-H. Teitgen à l'Information, R. Pleven aux Colonies, R. Capitant à l'Éducation nationale, A. Parodi au Travail, etc. L'ampleur des ruines suscite le 13 novembre la création d'un ministère nouveau de la Reconstruction et de l'Urbanisme confié à Raoul Dautry. Liste complète dans (4) 1944-1945, p. 32.

2. La formule est de P.-H. Teitgen, dans (64), p. 103.

Languedoc la venue d'Emmanuel d'Astier, commissaire à l'Intérieur, l'habileté de Jacques Bounin, la discipline vite retrouvée des communistes apaisent peu à peu les esprits. Mais dans l'Ain, le colonel Romans-Petit, chef des FFI qui ont libéré le département, doit être mis aux arrêts de forteresse le 18 septembre sur ordre du commissaire Yves Farge pour avoir illégalement exercé les fonctions de préfet de Lyon. A Toulouse, enfin, la situation reste longtemps très tendue entre le commissaire Pierre Bertaux, le CDL et le colonel Ravanel, chef des FFI[1].

On ne retrouve guère ces tensions des régions chaudes dans l'ex-zone nord où les CDL — qui ont eu au reste un rôle plus limité dans la clandestinité — obéissent sans trop rechigner aux préfets. Celui d'Ille-et-Vilaine par exemple, dont de Gaulle lui-même préside la séance du 21 août, comprend les soucis matériels des populations, expédie 4 000 vœux au préfet en un an mais s'aperçoit bien vite qu'il est coupé des masses[2]. L'Ouest, les pays de la Loire, le Nord et l'Est ne connaissent donc pas de graves difficultés, à l'exception des drames de l'épuration déjà évoqués[3]. Dans l'hiver 1944-1945, les fonctionnaires d'autorité sentent partout que ces assemblées de militants ne traduisent plus l'opinion moyenne et qu'elles vivotent, structures un peu vaines de discussion pour anciens combattants. Trop urbains (les agriculteurs n'y siègent que pour 8,6 %), trop dominés par la gauche, terrains de manœuvres trop aisés pour le PCF et ses organisations satellites, ils amplifient les protestations de la misère quotidienne mais incarnent de moins en moins fidèlement et le pays et la Résistance elle-même, composite et minoritaire.

La bataille de l'ordre fut précocement gagnée aussi grâce aux tournées systématiques du général en province. A la première,

---

1. Sur Limoges, voir J. Chaintron (64), p. 531-543, et G. Guingouin (75), p. 220-230 ; sur l'Auvergne, H. Ingrand (76), chap. 12-18 ; plaidoyer de H. Romans-Petit (82) ; sur Toulouse, voir P. Bertaux (74) et M. Goubet, « Une " République rouge " à Toulouse à la Libération ? Mythe et réalité », RHOGM, n° 131, juillet 1983, p. 25-40. Sur le Languedoc, voir J. Bounin (78), et R. Bourderon (77), 3ᵉ partie.

2. Voir M. Baudot (71), p. 172.

3. Voir, par exemple, Ch.-L. Foulon, « L'opinion, la résistance et le pouvoir en Bretagne à la Libération », *RHDGM,* n° 117, janvier 1980, p. 75-114.

qui le conduit vers les régions les plus éloignées, à Lyon, à Marseille, à Toulouse, à Bordeaux puis à Orléans du 14 au 18 septembre, il teste sa popularité, gourmande et séduit les résistants ombrageux, conforte ses fonctionnaires. En octobre, à Lille, sa ville natale, en Normandie, il est saisi par la misère qui monte des ruines. Partout, recevant les délégations et traitant volontiers d'homme à homme, il contribue à installer l'union nationale. Au début de l'automne, dans les préfectures, fonctionnaires anciens et nouveaux cohabitent, des délégations municipales sont mises en place avec doigté dans les communes en attendant les élections, les réunions fractionnaires de délégués des CDL sont boycottées par les représentants de l'État. La Résistance est certes reconnue en décembre comme « le levain des institutions ». Mais, contre les aspirations régionales et les droits à la différence qu'elle avait exprimés, le cadre départemental de la vie politique et administrative comme le pouvoir parisien sont restaurés.

L'affaire des milices patriotiques met fin à l'épreuve de force. Créées par le CNR le 15 mars 1944, leur statut du 10 août les définissait comme une police aux ordres des comités locaux et départementaux de Libération. Pendant et après l'insurrection, elles devaient « redonner vigueur aux libertés populaires », se substituer aux FFI partis pour le front, lutter contre le marché noir, le sabotage par la « Cinquième Colonne » et démasquer les traîtres. Elles sont le bras armé de la Résistance, une force qui peut physiquement faire pression sur les représentants du pouvoir central. Pendant la Libération elle-même, leur rôle ne se distingue pas de l'action des FFI : la répartition des tâches n'est pas claire et cette confusion trouble de nombreux résistants[1]. Au gré des rapports de force, après l'insurrection, elles collaborent avec la police officielle en voie d'épuration et trois fois plus faible qu'elles, gonflent leurs effectifs avec des résistants de très fraîche date et des FFI qui n'ont pas voulu rejoindre l'armée, suivent à leur gré les directives du CNR, des municipalités ou des responsables communistes

---

1. Voir M. Agulhon et F. Barrat (80), p. 27 *sq.* En Provence et à Lyon la situation est compliquée par la création sur initiative des commissaires de la République, de Forces républicaines de sécurité, première étape dans la reprise en main des milices.

qui veillent de près sur ces soldats-citoyens, cadres potentiels d'une organisation de masse.

Prenant acte des incidents comme des inquiétudes de la population, le gouvernement tranche. Le 23 octobre, les Alliés l'ont enfin reconnu, avalisant son travail de remise en ordre depuis le jour J : le 28, quelques jours avant la réunion du CNR qui devait donner un statut aux milices, il décide le désarmement des formations civiques. Tous les FFI qui n'ont pas contracté d'engagement dans l'armée sont mis en congé, tout possesseur d'armes se verra appliquer les lois de la République. Malgré de vives protestations du CNR et d'une partie de la presse issue de la Résistance, qui condamnent l'initiative du gouvernement mais épargnent son chef, il est confirmé le 31 que toutes les armes devront être déposées aux gendarmeries ou aux postes de police. Jacques Duclos peut dénoncer ce « complot des trusts contre la République », le CNR voter le 4 novembre le statut qu'il projetait, certains comités — à Paris notamment — donner ordre aux gardes de patrouiller ostensiblement : le gouvernement contre-attaque le 8 décembre en offrant aux énergies désaffectées un cadre d'accueil, les compagnies républicaines de sécurité (CRS). Le 27 novembre, le retour en France de Maurice Thorez — condamné en 1940 pour désertion et, pour la circonstance, amnistié par de Gaulle, qui négocie au même moment avec Staline — éclaire la direction du PCF. Devant le Comité central d'Ivry le 21 janvier 1945, le secrétaire général rappelle au détour d'un paragraphe de son rapport que « tous les groupes armés irréguliers ne doivent pas être maintenus plus longtemps ». En février-mars, tout est réglé, les armes sont rendues ou s'évanouissent dans quelque recoin, les milices disparaissent, la Résistance ne pourra plus mobiliser. L'opinion, semble-t-il, s'en félicite [1].

Échec du « grand parti de la Résistance ».

Gardons-nous néanmoins des illusions rétrospectives. A lire la presse et les proclamations de l'époque, on pourrait croire

1. La décision gouvernementale est approuvée par 63 % des personnes interrogées, contre 24 % et 13 % sans opinion (*Bulletin de l'IFOP*, nº 5, 1er décembre 1944).

que la révolution est imminente. Beaucoup de Français ont vécu ces mois comme une rupture avec l'ordre ancien, d'autres ont redouté une subversion très affichée. L'instant est à l'évidence exceptionnel dans notre histoire politique : la droite s'est évaporée avec Vichy; la gauche parée des vertus de la Résistance lui ravit sans peine le rôle avantageux de porte-parole des intérêts profonds de la nation. De l'union et de la fraternité du combat d'hier, une vérité jaillit, inscrite dans ces instructions du CNR du 15 mars 1944 déjà citées, qu'on brandit, charte enregistrant les promesses du lendemain. « Il faut prendre le mot libération dans son acception la plus large », affirme *Combat* dès le 21 août 1944, et son sous-titre, « De la Résistance à la révolution », a valeur d'engagement et de morale [1].

Le programme du CNR stipule en effet que la Résistance s'engage à rester unie après la Libération pour imposer une « véritable démocratie économique et sociale ». Éviction des « grandes féodalités » de l'argent, essor et organisation planifiée de la production pour assurer à tous le bien-être, « retour à la nation des grands moyens de production », participation des travailleurs à la direction et à la gestion, en constituent l'ambitieux volet économique. Pour le social, il affirme le droit au travail, à la retraite, à l'instruction, au loisir et à la culture, la garantie du pouvoir d'achat et de l'emploi, un plan de sécurité sociale. Une « élite véritable, non de naissance mais de mérite, et constamment renouvelée par les apports populaires » dont la Résistance fournit les premières cohortes entraînera le peuple vers une « République nouvelle », mélange harmonieux de liberté et de justice, de libéralisme politique et de socialisme économique.

A ce projet qui prend force et vertu agissante dans la fraternité patriotique, tous les résistants adhèrent. De Gaulle, les partis et les mouvements tiennent le même discours. Des équipes d'hommes jeunes qui naissent à l'action politique ou d'anciens qui se sont réconciliés avec le civisme contre les fauteurs de défaite, sont à pied d'œuvre pour expliquer au pays les choix salvateurs. C'est patent dans la presse nouvelle issue de la clandestinité qui

---

1. Voir J.-P. Azéma (13), p. 314-322.

succède à celle du déshonneur et parfois dans les mêmes locaux[1]. Malgré leurs difficultés d'approvisionnement en papier et l'intérêt prioritaire que leurs lecteurs apportent aux informations sur le ravitaillement, ses journaux, par leur diffusion massive et leur unité de ton, jouent un rôle exceptionnel d'éducation civique[2]. De son côté, une radio libérée des bassesses de l'Occupation, et placée sous l'autorité de Jean Guignebert, renforce le monopole d'État tout en développant ses stations régionales, recrute des hommes neufs, multiplie les initiatives et les débats, parachève sa conquête de tous les foyers en informant sans complaisance ni vulgarité[3]. Conséquence de leur puissance désormais reconnue, la maîtrise des moyens modernes d'information est devenue un enjeu politique. A preuve, dans une perspective de retour à l'ordre et d'audience internationale retrouvée, les facilités matérielles et l'aval politique qu'accorde en décembre 1944 le gouvernement à Hubert Beuve-Méry pour lancer au milieu du bouillonnement général un îlot d'indépendance, de pessimisme actif et de flegme à l'anglo-saxonne, *le Monde*, qui reprend le rôle d'information des élites et des chancelleries joué avant la guerre par *le Temps*[4].

L'élargissement du champ politique s'observe aussi en d'autres lieux, bien mal étudiés encore. La part des femmes, avec la crise du ravitaillement et l'obtention par l'ordonnance du 21 avril du droit de vote dès les élections municipales, s'inscrit dans la suite de leur combat résistant : à travers les manifestations de rue et les comités contre la vie chère, une force s'exprime, que seuls au reste les communistes sauront canaliser continûment. L'immense aspiration à la culture et aux loisirs, dans la veine du Front populaire, inscrite au programme du CNR, éveille aussi des consciences politiques : la culture rencontre un projet. Ainsi à Grenoble, le mouvement « Peuple et Culture », directement issu des maquis

1. Voir (131), 4ᵉ partie. Excellent exemple régional dans B. Montergnole, *la Presse grenobloise de la Libération*, Presses universitaires de Grenoble, 1974.
2. Les quotidiens de Paris tirent à 3 500 000 exemplaires en janvier 1945. Avec 370 exemplaires pour 1 000 habitants en 1946 (contre 261 en 1939 et moins de 200 en 1978), la presse écrite nationale connaît alors son apogée.
3. Voir P. Miquel (135), p. 171-179.
4. Voir J.-N. Jeanneney et J. Julliard (132), p. 47-66.

du Vercors, exprime à la fois une forme de justice, une aspiration régionale et une volonté de gestion. La culture s'engage, plus populaire, dans la presse, dans les réunions publiques, bientôt dans les comités d'entreprise, et Jean Guéhenno reçoit la charge de la promouvoir au ministère de l'Éducation nationale. Les réseaux des revues sont en particulière ébullition. Au nom des droits de la personne et de la lutte de classe, les intellectuels s'y activent, se définissent face au marxisme avec conviction et parfois dextérité, pour mieux embrasser leur époque : le message semble avoir trouvé son public et son porteur un statut de responsabilité. La présentation par Jean-Paul Sartre du premier numéro des *Temps modernes* le 1er octobre 1945 prend allure de manifeste : « Le but lointain que nous nous fixons est une libération [1]. »

De nouveaux lieux de pouvoir se dessineraient-ils? Des enjeux non partisans auraient-ils la priorité? On s'en convaincrait presque à lire une presse qui emplit sa maigre surface de mille sujets ambitieux, économie, travail, éducation, défense, Empire, stratégies mondiales, culture de masse et, inlassablement, appel aux élites nouvelles. Un volontarisme prétend balayer les habitudes et les héritages politiques; la pureté de la page blanche fascine [2]. Un tenace mythe national s'enracine alors chaque jour : la France a été purifiée par une Résistance massive. Qui oserait n'être pas aussi patriote que son voisin après octobre 1944, qui n'a pas rendu mille services invisibles aux combattants de l'ombre? L'engagement, mot prestigieux, délivre un passeport collectif et réduit le passé à un héroïsme vainqueur de tous les égoïsmes. A sa manière, qui n'est pas sans hauteur, *Combat* est le meilleur porte-parole de cet esprit nouveau qui prétend « en finir avec l'esprit de médiocrité et les puissances d'argent ». La Résistance, croit-on, ne saurait sans déserter abandonner demain la politique à ceux qui en font profession.

Mais les propositions sont faibles. Un « travaillisme » s'épanouit

---

1. La publication a été retardée de plusieurs mois par le manque de papier. Sur une revue voisine, M. Winock (236), chap. VIII.
2. Voir, à titre d'exemple, deux livres divergents mais qui participent de cet esprit : A. Ferrat, *la République à refaire*, Gallimard, 1945, et R. Aron, *l'Age des empires et l'Avenir de la France*, Éd. Défense de la France, 1945.

sous les plumes, peu théorisé, sans poids social, qui récuse la
République bourgeoise comme le modèle soviétique. Cette « troisième voie » entre capitalisme et marxisme enflamme les fondateurs de *Défense de la France* et de l'OCM, un Philippe Viannay
et un Georges Izard, tente des chrétiens, des socialistes et n'est
peut-être pas très éloignée du choix moyen d'une majorité de
Français. Mais elle ne traverse aucun lieu de décision. Au sein
du CNR les partis font la loi. Les CDL sont divisés et impuissants.
Le Front national semble fort bien tenu déjà par les communistes.
Le gouvernement n'entend tirer aucunes traites sur l'avenir avant
les élections. Ne reste que le MLN qui dès septembre se pose en
trait d'union entre le gouvernement et le peuple, envisage en
octobre de fusionner toutes les forces non partisanes, Front national compris. Cet espoir tourne court. Car en novembre les partis
ont déjà repris l'offensive sur tous les fronts.

La naissance du Mouvement républicain populaire, qui tient
son Congrès constitutif le 26 novembre, offre enfin aux catholiques
une structure d'accueil raisonnable et ambitieuse [1]. Les semences
lancées de Lamennais à Marc Sangnier ont germé au parti démo-
crate populaire, à la Jeune République et dans *l'Aube* avant la
guerre : voici qu'elles lèvent en pleine terre politique, dans une
conjonction de circonstances favorables. L'évanouissement des
droites laisse présager un fort reflux de leur électorat vers les
rivages d'une démocratie chrétienne mieux accordée à l'ambiance
générale. La Hiérarchie a mesuré l'ampleur du discrédit qui la
frappe pour avoir très publiquement soutenu la Révolution nationale restauratrice des autels et de l'école libre, elle songe davantage
à l'urgence de ses tâches pastorales : elle bénit sans hésiter une
entreprise qui règle au mieux le vieux contentieux national entre
les fidèles et la République, et réinstalle des hommes de foi dans
les instances du nouveau pouvoir. Le vote des femmes et des soutiens dans le clergé promettent une facile conquête de vastes fiefs
rentables. Son progressisme évangélique, le rôle éminent de ses
pères fondateurs — M. Schumann, G. Bidault, F. de Menthon,
P.-H. Teitgen en particulier — dans la Résistance et dans l'entou-

1. Voir R. Rémond, « La démocratie chrétienne en France au lendemain de la Deuxième Guerre mondiale », *Storia e Politica*, juin-juillet
1975, p. 163-174.

rage du général mettent le MRP à l'unisson dans les combats du jour. Comblant un vide historique dans l'exercice de la démocratie en France, se plaçant dans le rôle avantageux de parti de la fidélité à de Gaulle, séduisant des convaincus comme des attentistes, assuré d'appuis populaires à travers la CFTC, à l'aise dans une structure à mi-chemin entre mouvement et parti, il s'envole : dès 1945 la seule grande formation neuve de l'après-guerre a passé le cap des 100 000 adhérents[1]. Georges Bidault, qui devient son leader, croit pouvoir gagner facilement son pari : négliger les sirènes d'une SFIO trop laïque et d'un travaillisme nuageux, édifier la seule force politique capable de rivaliser enfin avec les communistes.

La SFIO de son côté ne dissimule pas son ambition de devenir le premier parti de France[2]. Certes, malgré quelques aménagements de ses statuts (un Comité directeur se substitue à la vieille Commission administrative permanente, les tendances sont condamnées, les liens avec les fédérations renforcés) et une solide épuration des brebis galeuses, elle se reconstruit en suivant les règles de l'avant-guerre. Mais la dynamique direction du parti clandestin autour de Daniel Mayer est reconduite et, malgré l'absence de Léon Blum qui ne rentre de déportation qu'en mai 1945, un Congrès extraordinaire de novembre 1944 renouvelle aux communistes l'offre de négociation sur l'unité organique faite pendant la Résistance, tout en explorant avec intérêt les possibilités de construction d'un grand parti travailliste. Les socialistes soutiennent de Gaulle[3] et ne désespèrent pas de le pousser à accélérer les réformes de structure ou de lui souffler un programme de gouvernement. Cet optimisme dissimule mal les hésitations stratégiques : union de la gauche ou rassemblement

1. Voir E.-F. Callot (130), p. 225. Le MRP culmine avec 125 000 adhérents en 1946. Voir J.-M. Mayeur, *Des partis catholiques à la démocratie chrétienne*, A. Colin, 1980, p. 165.
2. Voir S. P. Kramer, « La stratégie socialiste à la Libération », *RHDGM*, n° 98, avril 1975, p. 77-90.
3. Le parti doit pousser de Gaulle « à faire ce que nous ferions à sa place et ce qu'il sera infiniment mieux en position d'accomplir que nous ne le serions nous-même », écrivait Léon Blum à Félix Gouin en octobre 1942 : la tactique n'a pas changé.

de toute la gauche non communiste? Mais à l'automne les militants s'activent dans les comités et les mouvements de Résistance comme au gouvernement, les bases sociales sont intactes, les bastions du Nord, des Bouches-du-Rhône et du Sud-Ouest se reconstituent, les organisations sœurs repartent (Jeunesses socialistes, groupes d'entreprise, fédérations d'élus, associations de culture et de loisirs) : tous les espoirs sont permis, les adhésions reprennent [1].

Parallèlement, des partis asphyxiés à la Libération redonnent signe de vie. En février 1945, la Fédération républicaine de la Seine se réunit, des anciens du PSF de La Rocque s'y rassemblent avec des Français libres et quelques radicaux « indépendants ». Les radicaux peuvent tenir un « petit congrès » dès décembre 1944, salué par la CGT et le CNR avec quelque solennité : l'isolement est toujours grand, les militants rares, mais l'ombre de Jean Zay lave bien des erreurs passées. Le radicalisme n'est pas mort. Il présentera ses propres listes aux élections, bien décidé à batailler pour le maintien des lois constitutionnelles de 1875.

Cette réinjection massive des partis dans la vie politique se répercute déjà dans l'embryon de vie parlementaire que tolère le gouvernement à l'Assemblée consultative provisoire. Transférée d'Alger à Paris, élargie par ordonnance en octobre pour y accueillir des délégués de la Résistance intérieure, elle s'installe le 7 novembre. Y siègent toutes les forces du kaléidoscope politique : 148 métropolitains, partis, associations professionnelles et mouvements mêlés; 40 représentants de la Résistance extra-métropolitaine et d'outre-mer; 60 parlementaires au nom de la Chambre élue en 1936. Elle conserve son président d'Alger, le socialiste Félix Gouin, et fonctionne dans les règles parlementaires classiques. Malgré les ovations qui y saluent de Gaulle, ses ministres et les victoires militaires, dès décembre les interpellations s'y font plus vives, les partis plus mordants dans la discussion des alliances, des natio-

---

1. 236 000 cartes sont distribuées en 1945. Le parti conserve une forte base ouvrière et séduit de très nombreux fonctionnaires, dans l'enseignement laïc en particulier. Ainsi en Meurthe-et-Moselle, la Fédération compte 59 % d'ouvriers et 17 % d'employés. Mais, globalement, les militants sont trop peu nombreux face aux communistes. Ainsi, dans l'Ariège, il y a 2 000 socialistes, contre 7 000 communistes, 4 000 membres du Front national et 5 000 Femmes françaises.

nalisations, du ravitaillement ou de l'épuration. Le harcèlement du gouvernement n'est plus hors de saison et malgré la fermeté du général qui sait passer outre à quelques-uns de ses avis les plus impérieux, l'espace parlementaire s'y reconstitue.

Court-circuités par une vie politique réorganisée autour de ses pôles habituels, les partis, l'Assemblée ou le gouvernement, les mouvements de Résistance s'essoufflent. Leur avenir est largement hypothéqué dès janvier-février 1945, quand les difficultés de la vie quotidienne et les problèmes posés par l'épuration contribuent à entretenir les désillusions. Le premier Congrès national du MLN, du 23 au 28 janvier 1945, est décisif. Son enjeu est simple. Faut-il accélérer la tentative de rassemblement des mouvements, engager des négociations avec les partis et les syndicats pour fédérer tous les non-communistes sur la base du programme du CNR dans la perspective d'un socialisme travailliste? Ou établir une fusion de tous les résistants, y compris ceux du Front national, et avaliser la tactique d'unité sans exclusive de tous les clandestins dont les communistes sont les défenseurs les plus déterminés? Les congrès régionaux préparatoires, à Lyon et à Paris, ont donné des réponses contradictoires, l'OCM a proposé ses bons offices, pendant que les socialistes parlent programme commun avec les communistes. En séance, les communistes et leurs alliés affrontent une gauche socialisante disparate mais décidée. Le duel oratoire entre Pierre Hervé, directeur de l'hebdomadaire *Action* proche du PC, et André Malraux, débarquant du front d'Alsace en uniforme, tourne à l'avantage du second. Par 250 voix contre 119, le MLN refuse la fusion avec le Front national. La logique politique triomphe : le rassemblement ne valait que pour un projet distinct. Mais il n'a plus de points d'application. Le 3 février, les 1 200 congressistes du Front national, tout en exaltant la Renaissance française et en faisant un large écho aux propositions communistes, doivent prendre acte de la rupture et accélérer le glissement vers le PCF. Les « États généraux de la Renaissance française » du 14 juillet suivant, tout vibrants de souvenirs historiques et pour la préparation desquels des cahiers de doléances ont été rédigés, réunissent le CNR et les CDL sur les souvenirs communs, mais les propositions ont une coloration très communiste. Entre-temps, le MLN a éclaté. Ses 500 000 adhérents sont ventilés sur l'échiquier politique ou perdus pour l'activité militante. Sa minorité[1] fusionne avec le Front national pour constituer le Mouvement unifié de la Résistance française, simple appendice du PCF après juillet. La majorité négocie une fédération comprenant Libération-Nord, l'OCM, Ceux de la Résistance, Libérés et Fédérés, la SFIO et, si possible, la Jeune République qui n'a pas rejoint le MRP. Devant le retrait des socialistes, les bonnes volontés encore mobilisables fondent un parti directement issu de la Résistance mais minuscule, l'Union démocratique et socialiste de la Résistance (UDSR), le 25 juin, qui ne peut que négocier une alliance électorale avec la SFIO[2].

La Révolution n'aura pas lieu, car la vie politique s'est restructurée sur les règles anciennes, et les partis ont su accueillir les hommes nouveaux. Les avant-gardes reculent. Elles n'ont pas su peser avec réalisme le poids des contraintes et ont cru un peu vite qu'en politique la dénonciation des héritages et des habitudes acquises est aisée. La courbe de leur échec épouse celle de la lassitude des Français. En décembre 1944, 47 % d'entre eux estimaient que la Résistance n'était pas assez représentée dans la vie politique. En mars 1945, par contre, 53 % sont sans opinion sur un programme du CNR qu'ils ne connaissent pas ou ont oublié. En avril, 12 % seulement souhaitent encore que la Résistance fonde un nouveau parti et 79 % la définissent comme un rassemblement patriotique qui peut, à l'occasion, animer les partis en place[3]. Démission, aliénation, diront les impatients. La force des vrais maîtres de

1. Animée par Pierre Hervé, Maurice Kriegel-Valrimont, Emmanuel d'Astier, Albert Bayet et Pascal Copeau.
2. L'UDSR rassemble des hommes aussi divers que J. Baumel et R. Capitant, gaullistes, des socialistes comme F. Leenhardt, des modérés comme R. Pleven, E. Claudius-Petit ou F. Mitterrand.
3. *Sondages SSS*, nᵒˢ 8 (15 janvier 1945), 12 (1ᵉʳ avril 1945) et 13 (1ᵉʳ mai 1945). Le second sondage est révélateur des décalages entre Paris et la France « profonde ». A la question « Approuvez-vous, oui ou non, le programme du CNR », les réponses sont :

	oui	non	sans opinion
France	40 %	7 %	53 %
Paris	48 %	12 %	40 %
autres villes	40 %	7 %	53 %
campagnes	35 %	3 %	62 %

l'heure, de Gaulle et les communistes, est d'avoir compris qu'en ce pays le retour à la République suffit à apaiser les Français.

Que veulent les communistes ?

Le parti communiste a le vent en poupe. Par ses effectifs : avec environ 380 000 adhérents dès janvier 1945 et près de 800 000 à la fin de 1946, il retrouve son audience d'avant la guerre, vole vers de nouveaux succès et s'installe avec satisfaction dans le rôle du premier parti de France. Par ses modes d'actions : la lutte clandestine a reconstitué l'appareil, l'euphorie de l'automne 1944 permet de mettre définitivement au point la technique d'encadrement des masses, de propagande et de mobilisation spectaculaire par le meeting, la campagne de pétition, la délégation [1]. Par un nouveau développement de cette aptitude à faire tache d'huile dans l'ensemble du corps social inaugurée en 1936. Ainsi, la presse qu'il contrôle double son audience par rapport à 1939 et donne entre 20 et 25 % des tirages nationaux, soit environ 10 millions d'exemplaires en 1946. Il maîtrise sa stratégie de la grève et achève pendant la guerre son installation au poste de commande de la CGT. Il se meut à l'aise dans des organisations de masse qui deviennent ses alliées ou au sein desquelles il peut exposer avec fruit ses mots d'ordre : dès 1945, c'est patent pour la nébuleuse du Front national, l'Union des Femmes françaises qui mobilisent sans difficulté sur le thème du ravitaillement, l'Union des Jeunesses républicaines de France, des associations de combattants et de déportés, de secours ou d'animation culturelle. Les élections révèlent bien vite qu'un électeur sur 4 lui apporte régulièrement son suffrage et permettent la conquête de redoutables bastions municipaux. Partout, l'ardeur militante fait merveille.

A ces armes classiques, il peut ajouter un argument moral appréciable. Le « parti des fusillés [2] », selon la formule qu'il affectionne alors, peut se parer de son patriotisme résistant, élargi encore par

1. A l'inverse, les méthodes bolcheviques strictes marquent le pas. Les cellules d'entreprise qui représentaient environ un tiers des cellules en 1937 n'en représentent plus guère qu'un cinquième en 1945-1946. Voir G. Willard, « Les cellules d'entreprise du PCF en 1944-1945 », *Cahiers d'histoire de l'institut Maurice-Thorez*, n° 24, 1978, p. 72.

2. Le chiffre de 75 000 fusillés est parfois avancé : il est évidemment

le prestige dont jouit l'Armée rouge[1], pour fort légitimement user
à fond de sa réinsertion dans la nation. C'est sur une base plus
morale que doctrinale[2] qu'il attire tant de Français, c'est au nom
des sacrifices consentis et de son rôle d'accélérateur dans la Résistance qu'il s'érige en censeur permanent des autres formations
politiques, en instrument de pureté accessible à chaque citoyen
éclairé. On ne saurait sous-estimer ce magistère : le parti-de-la-
classe-ouvrière devient le porte-parole des pauvres et des purs, son
moralisme vaut toutes les théories.

Le voici donc fortement installé à tous les niveaux de la vie
civique. Parti de gouvernement, avec des ministres qui ne marchandent pas leur dévouement à l'État. Parti constitutif de la vie
parlementaire et des jeux d'alliances à gauche. Lieu de cohésion
d'une masse militante à pied-d'œuvre dans les CDL, les organisations du Front national, omniprésente dans toutes les communes
de France. Il n'est certes pas démontré que les Français s'accor-
dent alors pour le considérer comme la force principale[3]. N'oublions pas que, précisément, l'agitation politique si vive se nourrit
largement du désir de ne pas lui laisser occuper le terrain. Mais
la masse du parti impressionne, et une jeune génération n'entre
en politique qu'après avoir en conscience mesuré l'attrait de son
monolithisme moral et révolutionnaire.

Sa stratégie tient compte du contexte mondial de la lutte contre
le fascisme et du cadre d'un Front national aux effets bénéfiques.
Il estime en conséquence que la France libérée n'est pas en situation révolutionnaire[4]. Les rencontres entre les trois Grands qui
culminent à Yalta en février 1945 ne l'incluent pas dans la zone

---

fort gonflé puisque au martyrologe de la Résistance on lit, toutes
opinions mêlées et otages compris, environ 40 000 exécutions.
  1. En novembre 1944, 61 % de Français interrogés pensent que
l'URSS joue le plus grand rôle dans la défaite allemande, contre 29 %
pour les États-Unis et 12 % pour la Grande-Bretagne (*Bulletin de l'IFOP*,
1er octobre 1944).
  2. Voir M. Agulhon, « Les communistes et la Libération de la France »,
dans (64), p. 88-89. Nous suivons ici nombre de ses analyses.
  3. Voir R. Rémond, dans (64), p. 826.
  4. Au reste, la présence des troupes américaines en France rend
difficile toute hypothèse inverse. J. Elleinstein croit pouvoir en tirer
argument pour minimiser l'intervention de Staline dans l'élaboration

européenne promise à l'influence soviétique. Dès lors le devoir du parti est de renforcer l'union nationale autour de De Gaulle pour activer le combat contre Hitler, soulager l'Union soviétique en déplaçant les forces nazies d'Est en Ouest, dresser une France libérée capable ensuite de résister aux ambitions hégémoniques des Anglo-Saxons. Staline n'a sans doute pas manqué d'exposer ces objectifs à Thorez. Légalisme, patriotisme, unitarisme : de Gaulle reste un ennemi de classe, mais son nationalisme ombrageux en fait le meilleur vecteur de la stratégie. Il n'y a donc pas d'arrière-pensée subversive chez les communistes, ni de double langage, puisqu'ils n'entendent pas rompre avec l'homme du 18 juin. « Libérer la France, châtier les traîtres, donner la parole au peuple » : la triple tâche fixée au Comité central du 31 août est inscrite dans le programme du CNR. A la limite, le Parti pourrait ne pas avoir de programme propre : « L'union de la nation doit nous être plus chère que la prunelle de nos yeux », affirme Thorez [1]. Cette dilution des objectifs à court terme dans le national permet au parti de s'ériger en gardien de toutes les vertus de la Résistance, de pourfendre le « travaillisme » diviseur, de participer au gouvernement en laissant jouer l'initiative des militants dans tout le corps social. Rassemblement antimonopoliste, restauration de l'État républicain, affirmation de l'indépendance nationale : ces tâches de l'heure jettent les bases des avancées futures de la démocratie. Drapé dans son mandat patriotique, le PC entend user de ces circonstances exceptionnelles non pour instituer un « double pouvoir » mais pour pousser tactiquement quelques pions.

A l'évidence il y eut des flottements dans l'application de cette stratégie. En septembre et octobre 1944, la guerre, l'isolement des régions accentuent les décalages entre la base et la direction; des responsables comme Guingouin en Limousin exercent un réel pouvoir sur les zones qu'ils ont contribué à libérer. L'homogé-

de cette stratégie. (Voir *De la guerre à la Libération*, Éditions sociales, 1977, p. 95 *sq*.)

1 . Dans *l'Humanité* du 12 septembre 1944, reprenant Radio-Moscou. Voir J.-P. Scot, « Les pouvoirs d'État et l'action des communistes pour la ' démocratie agissante ', août 1944-juillet 1945 », *Cahiers d'histoire de l'institut Maurice-Thorez*, n° 8-9, 1974, et R. Bourderon, *loc. cit.*, p. 128-132.

néité de l'appareil dirigeant n'est pas évidente. Depuis Moscou, Thorez se fait fort de répercuter l'analyse soviétique. Mais les communistes d'Alger qui côtoient les camarades-ministres Billoux et Grenier n'ont jamais hésité à critiquer de Gaulle, et leur leader, le prestigieux André Marty, parle de « pouvoir démocratique et fort ». Duclos, secrétaire du parti clandestin, semble plus proche de Thorez mais doit composer avec les « algérois ». Sur le rôle des CDL et des milices patriotiques, des décalages sensibles s'observent au nord et au sud, au sommet et à la base. Partout, des militants décidés seraient vite convaincus que la révolution est au bout de la mitraillette[1].

Mais les communistes sont trop immergés dans le peuple pour ne pas se convaincre du poids des urgences matérielles. Et dans le même temps, les mécanismes bureaucratiques de régulation du parti ont conservé leur efficacité. Le retour d'un Thorez qui conserve sa popularité intacte met un terme aux flottements[2]. La discipline stalinienne ne s'exerce pas arbitrairement cette fois : chaque communiste a pu sentir l'épuisement du pays. La guerre se prolonge, de Gaulle ne parvient pas à régler rapidement des questions d'intendance, les élections approchent. Sans bouleverser ses plans d'ensemble, le parti fait alors quelques retouches tactiques, rétrécit le Front des Français en Front populaire et négocie en position de force avec la SFIO et les revenants du radicalisme. Cette tactique à géométrie variable enregistre l'échec prévisible de l'union de la Résistance mais valide la capacité de rassemblement du parti : il domine la gauche[3]. Le mot d'ordre thorézien du

1. Voir A. Lecœur, *le Partisan*, Flammarion, 1963, p. 207-208; Ch. Tillon (124), chap. 27. Sur des objectifs similaires, l'extrême gauche trotskiste rassemble de nouveau quelques militants et obtiendra des résultats encourageants aux municipales (voir Y. Craipeau, *la Libération confisquée*, Savelli/Syros, 1979).
2. Voir Ph. Robrieux (122), chap. VI, et Ch. Tillon (124), p. 408. « Pensons au retour de Maurice! », lance Duclos depuis août 1944.
3. Voir R. Bourderon *et al.*, *le PCF, étapes et problèmes (1920-1972)*, Éditions sociales, 1981. Au chap. 6, J.-P. Scot y nie l'existence de plusieurs stratégies : celle de l'Union de la nation française, inaugurée en 1934, y serait seule conservée de 1944 à 1947. Pour un point de vue différent, voir J.-P. Rioux, « La double stratégie des communistes à la Libération », *le Monde-Dimanche*, 23 novembre 1980.

Comité central d'Ivry en janvier 1945, « Unir-Combattre-Travailler », vaut pour son dernier terme : la reconstruction est la bataille de l'avenir. Elle favorisera les progrès du parti des travailleurs, obligera les socialistes et de Gaulle à négocier son concours. Le parti a passé victorieusement le cap du retour à la République : aux yeux de ses dirigeants, c'est sans doute la seule victoire politique qui compte [1].

« *Tout se relâche.* »

Reclassements, restructuration de la vie politique sur les airs anciens apparaissent dans la perspective des élections municipales d'avril et mai 1945. Le 2 mars devant l'Assemblée, de Gaulle dans un discours-bilan a refusé de prendre la tête d'un « parti unique ». Le terrain est libre. Dans un pays affaibli et encore grelottant, resurgit même la vieille querelle scolaire qui capte des énergies militantes, emplit les colonnes de la presse et ressuscite le clivage gauche-droite. Dès septembre 1944, la Ligue de l'enseignement et le Syndicat national des instituteurs, dissous par Vichy, ont voulu leur revanche, la nationalisation de l'enseignement et la suppression des subventions d'État aux écoles libres. Quand les difficultés divisent, peut-on trouver à gauche un meilleur terrain que la querelle scolaire pour en appeler à l'unité nationale [2]? Les communistes poussent les socialistes à s'engager fermement pour mieux isoler le MRP. Le gouvernement en novembre 1944 a reconduit les subventions jusqu'à la prochaine rentrée scolaire, une commission *ad hoc* échoue dans son exploration de solutions raisonnables.

1. Est-ce à dire que plusieurs stratégies ne se sont pas télescopées? A. Kriegel en distingue trois, de novembre 1944 à 1947, dans *Communismes au miroir français*, Gallimard, 1974, p. 163-176. De son côté, S. Courtois (*le PCF dans la guerre*, Ramsay, 1980, chap. 16) avance de nombreux textes qui laissent transparaître une stratégie sous-jacente d'offensive contre la bourgeoisie sans guerre civile pour préparer le terrain à l'Armée rouge et installer une démocratie populaire.
2. Les appels à la raison sont rares. Voir, par exemple, H. Chatreix, *Au-delà du laïcisme*, Éd. du Seuil, 1946, rédigé en mai-août 1945. L'opinion emboîte le pas, mais avec retard et hésitations. 54 % des Français interrogés en janvier refusent le maintien des subventions, 61 % en avril. Mais une majorité refuse de laisser supprimer l'école libre : la question n'est pas close! (*Sondages SSS*, nos 12 et 14, mars et mai 1945, *Bulletin IFOP*, 1er mai 1945, p. 99).

Si bien que, le 28 mars 1945, l'Assemblée consultative, galvanisée par les communistes, vote à très forte majorité la suppression immédiate des subventions. La laïcité ressoude la gauche et donne un sérieux point d'ancrage à l'espoir d'un nouveau Front populaire. Certes, de Gaulle peut passer outre, mais le malaise s'installe, isolant déjà des partis le chef du gouvernement[1].

Les élections ont lieu sous le signe de l'union de la Résistance, au reste fortement « adaptée » aux circonstances locales. Il fallait trancher avant même le retour des prisonniers, dans une situation malsaine, avec des délégations municipales provisoires mal assises, des revanches et des injustices ici et là. Pour le gouvernement, elles constituent le premier test indiscutable sur la fidélité populaire aux institutions de la Résistance; pour les partis, un moyen d'exercer leur force nouvelle et de raisonner ensuite plus sereinement sur leurs alliances. Au soir du premier tour, le 29 avril, les comités de Libération sont balayés, le MRP fait une percée inattendue, le PCF domine à gauche, modérés et radicaux s'affaissent. Comme toujours en ce type d'élections les situations locales permettraient des interprétations plus nuancées. Mais les états-majors en tirent aussitôt des conclusions. Au second tour, les communistes expérimentent leur tactique à géométrie variable : l'union ayant porté le parti au premier rang de la gauche, il faut isoler un adversaire principal et favoriser un futur Front populaire. Rejeté à droite au nom de la laïcité, attaqué de toutes parts — « Machine à Ramasser les Pétainistes » ou « Mensonge, Réaction, Perfidie » sont injures courantes contre lui —, le MRP flanche. A travers lui de Gaulle recevra un utile avertissement. De fait, il ne s'imposera que dans 477 communes contre environ 15 600 aux modérés, 6 400 aux radicaux, 4 100 aux socialistes et 1 400 au PCF[2].

Dès lors, pendant l'été, la paix revenue, le PCF et la CGT s'emploient à aider la résurrection des forces républicaines clas-

---

1. Ainsi le 5 février, au cours d'une sèche entrevue avec Daniel Mayer, il a refusé de recevoir une délégation du Comité directeur de la SFIO. Voir R. Quilliot (125), p. 53 et 778. Le texte de l'entretien et les réactions des dirigeants socialistes sont publiés par J.-P. Rioux, avec d'autres extraits des réunions du Comité directeur de la SFIO dans *les Cahiers Léon-Blum*, n° 6-8, juillet 1980.
2. P.-M. de la Gorce (26), p. 96-97.

siques, les radicaux [1] et la Ligue des Droits de l'homme, mobilisent sur le thème jacobin et la bataille de la production. La négociation sur l'unité organique avec les socialistes tourne court. Le 12 juin, un article de Duclos dans *l'Humanité* rend un hommage appuyé à Lénine et Staline. En août, le Congrès de la SFIO doit donc mettre fin à l'exploration tout en rappelant les fidélités marxistes du parti, au grand regret de Léon Blum, son chef retrouvé qui reprend son rôle de mentor au *Populaire* sans pouvoir convaincre les militants des vertus d'un socialisme moderne dont l'analyse a été amorcée dès 1941 dans *A l'échelle humaine*. Mais l'unité d'action, croit-on, n'est pas mise en cause. On ranime même ses plus vénérables manifestations : le 23 août, à l'appel de la CGT, renaît la Délégation des gauches qui rassemble communistes, socialistes, radicaux, ligueurs des Droits de l'homme et syndicalistes. C'est elle qui tente d'orchestrer la polémique avec de Gaulle sur le projet constitutionnel et les élections.

Car l'ordonnance du 21 avril 1944 prévoyait qu'une Assemblée nationale constituante devait être élue moins d'un an après la Libération du territoire. Avec le retour des prisonniers et la défaite allemande, le gouvernement provisoire juge que la période électorale peut s'ouvrir. Mais on se divise sur ses modalités. Sous quelle forme faut-il consulter le pays? En août, contre la tradition républicaine antiplébiscitaire brandie par les communistes, les radicaux et Léon Jouhaux, contre le vœu de la commission de l'Assemblée consultative, de Gaulle impose un référendum préalable. Les Français — 12 000 000 de femmes comprises — répondront aux deux questions : « Voulez-vous que l'Assemblée élue ce jour soit constituante? », et « S'il y a une majorité de oui à la première question, approuvez-vous l'organisation provisoire des pouvoirs publics proposée par le gouvernement? » Répondre non à la première question équivaudrait à un retour à la IIIe République. Persévérer dans la négative pour la seconde flatte les élus du peuple mais installerait une Assemblée souveraine où les communistes risquent de manœuvrer à l'aise. Le gouvernement propose donc un texte qui devient la loi du 2 novembre 1945, limitant à sept mois

---

1. « Se sortir de Mauthausen pour tendre la main à Herriot! », soupire Pierre Daix (231), p. 154.

les travaux de l'Assemblée, soumettant son projet final au peuple par référendum et prévoyant que le gouvernement, dans l'entrefaite, ne peut être renversé par elle qu'à la majorité absolue sur une motion de censure. Pour le mode de scrutin, s'impose sans mal — malgré les radicaux fidèles au scrutin uninominal majoritaire à deux tours de la IIIe République — la représentation proportionnelle à un tour, plus conforme à l'esprit de justice qui règne alors. Elle a l'avantage de favoriser les états-majors des partis, maîtres de l'établissement des listes de candidats, et d'éviter un clivage droite-gauche trop marqué. Le seul débat portera sur son application (dans un cadre départemental un peu élargi et non dans le cadre national), et sur le calcul des restes[1]. Sur chaque point, de Gaulle parvient à imposer ses vues et à opposer les partis entre eux.

Il demande, bien entendu, de répondre oui-oui aux questions du référendum, mais ne soutient publiquement aucune liste pour les élections. Les communistes s'isolent dans le oui-non, comptant sur le soutien du Front national, du MURF et de la CGT, après le refus des socialistes et des radicaux de faire liste commune avec eux. SFIO et UDSR unis, MRP, modérés sont pour le double oui. Les radicaux s'obstinent dans le double non. Cette cacophonie, à quelques mois d'une forte commotion d'unanimité nationale, ne doit pas surprendre : chacun entend se compter devant le peuple. La campagne fut enthousiaste et âpre.

Comme il était prévisible, 96 % des Français répondent oui à la première question du référendum le 21 octobre 1945 : le régime qui conduisit à la défaite en 1940 est unanimement rejeté. Mais à la seconde question, si le oui rassemble 12 300 000 suffrages, le non résiste avec 6 200 000 : le poids des communistes se fait sentir. Au total, une belle victoire pour de Gaulle, un relatif échec des communistes qui n'ont pu mobiliser sur l'idée d'une Assemblée souveraine, un effondrement des radicaux et une participation moyenne (20 % d'abstentions), inférieure à celle de 1936. Le même jour, les élections à la Constituante nuancent fortement ces premières appréciations : le corps électoral a penché vers la gauche. Les

---

1. Qui a lieu dans le cadre départemental et à la plus forte moyenne, ce qui avantage les grands partis localement mais les désavantage sur l'ensemble du résultat national. Il y a 103 circonscriptions pour 90 départements, pour représenter plus équitablement les grandes villes.

résultats s'établissent ainsi en métropole pour les principales formations :

inscrits : 24 626 000; suffrages exprimés : 19 170 000 (77 %)			
	voix	%	sièges	sièges 1936
PCF	5 011 000	26,1	148	72
MRP	4 937 000	25,6	143	—
SFIO	4 711 000	24,6	135	153
modérés	2 785 000	14,4	65	228
radicaux	1 725 000	9,3	31	145

Deux types de majorité peuvent donc se dégager du scrutin. Un tripartisme en germe, communistes, républicains populaires et socialistes rassemblant plus des trois quarts des voix et plus de 80 % des sièges; un nouveau Front populaire, puisque, même sans le secours des radicaux, communistes et socialistes ont la majorité absolue. Dans les deux hypothèses, les communistes peuvent parler haut, leur succès est net, même si la vague est moins forte qu'on avait pu le craindre dans le feu de la campagne. Le parti double le nombre de ses sièges par rapport à 1936, conserve ses bastions dans les zones industrielles du nord de la Loire et la France méditerranéenne, tout en s'affirmant, grâce à la Résistance et aux maquis, comme un grand parti de la France rurale et moins développée, dans le Centre, par exemple. Face à lui, les socialistes pavoisent moins : leur progression est plus faible en voix, ils perdent des sièges par rapport à 1936, pris en tenaille entre un mince gain aux dépens des radicaux et de fortes pertes en direction des communistes. L'implantation de la SFIO se modifie, meilleure dans les zones de droite, rétrécie dans les vieilles zones de gauche, plus nationale mais à bases sociales moins typées. Le socialisme ne sera pas « maître de l'heure », contrairement aux prédictions de Blum, et la direction du parti doit subir l'assaut critique des militants. Dépassée par le PCF, la SFIO n'est guère tentée par un Front populaire où elle ne pourra plus négocier en position de force comme en 1936. D'autant que les radicaux se sont effacés :

le prestige local de rares personnalités, l'absence d'ennemis à droite leur permettent de sauver quelques lambeaux d'influence, mais le laminage de la force qui faisait jadis les majorités déstabilise à la fois la gauche et l'ensemble de la vie parlementaire. L'ascension du MRP, bien assis sur les bastions catholiques de l'Ouest et de l'Est, mais capable de se donner d'entrée de jeu une influence nationale y compris dans les villes industrielles et au sud de la Loire, constitue le second grand enseignement du scrutin et sa seule nouveauté. La déroute des modérés et le vide à droite s'étant confirmés, les communistes étendant leur emprise sur la gauche, il était inévitable que le nouveau parti séduisît électeurs conservateurs et partisans du général de Gaulle, prompts à voir en lui le seul rempart contre le « bloc marxiste ». Le voici donc marqué à droite, à la grande joie de ses adversaires laïcs. Mais son pari initial n'est pas perdu : il a été combattu sur sa droite dans 71 circonscriptions contre 23; près du quart de son électorat lui vient du centre et de la gauche, sur les acquis des démocrates-chrétiens d'avant la guerre; il tient la meilleure part de l'électorat nouveau, féminin en particulier.

Cette première consultation s'inscrit donc dans la permanence et témoigne d'une reconstitution de la vie politique sur des schémas anciens : la « carte des tempéraments » est comme jadis modelée par le seul critère irréductible, l'appartenance religieuse[1]. Elle enregistre néanmoins indirectement le poids de la Résistance et du programme du CNR : beaucoup de parlementaires neufs, jetés en politique par la clandestinité; une « carte des idées » plus homogène, grâce au MRP qui a semé en terre modérée et à droite des idées de rénovation politique et sociale. La volonté commune de renouvellement est clairement exprimée, contre les idéologies héritées. Mais de Gaulle et les partis se disputent désormais le soin de la faire aboutir. En quelques semaines pourtant, la rupture est consommée. Car les communistes ne ménagent plus de Gaulle et celui-ci n'est pas disposé à céder devant les exigences des partis qui agitent l'Assemblée. « Tout se relâche », dit-il.

L'activité des communistes au sein de la Délégation des gauches

---

1. Voir l'analyse de F. Goguel, « Géographie des élections », _Esprit_, 1er décembre 1945, p. 956, et R. Rémond, dans (64), p. 827-834.

qui, au lendemain des élections, parle de programme commun de gouvernement, confirme la SFIO dans son refus d'un tête-à-tête à gauche qui isolerait le MRP. Le PCF ne peut donc qu'afficher hautement son statut de premier parti du pays pour préserver l'avenir : ses dirigeants semblant avoir admis que la « dictature » de De Gaulle étouffe toute possibilité de négociation d'une majorité. Il demande la présidence de l'Assemblée, des postes importants au gouvernement, organisant ainsi le débat autour de lui. Les socialistes et le MRP désamorcent la manœuvre en posant à la fois la nécessité d'une majorité tripartite et du maintien du général à la tête du gouvernement. Avec l'élection d'un des leurs, Félix Gouin, à la présidence de l'Assemblée et la réélection unanime de De Gaulle à la tête du gouvernement le 13 novembre, ils marquent un premier point. Mais de Gaulle refuse aux communistes tout accès à l'un des trois principaux leviers de commande ministériels : les Affaires étrangères, l'Armée et l'Intérieur. Le « parti des fusillés » s'en émeut mais accepte un compromis le 21 novembre : Maurice Thorez devient ministre d'État; le portefeuille en litige est démembré entre Tillon à l'Armement et Edmond Michelet aux Armées; Billoux, Marcel Paul et Ambroise Croizat reçoivent des ministères secondaires aux yeux du général, l'Économie nationale, la Production industrielle et le Travail. Bidault est maintenu au Quai d'Orsay, tout comme Tixier place Beauvau. Mais la SFIO et le MRP ont su imposer la reconduction du général à la tête du pays : la légitimité gaullienne est sous la protection des partis.

Il apparaît bientôt que les projets constitutionnels de l'Assemblée et du chef du gouvernement sont incompatibles. L'Assemblée entend se réserver tout contrôle dans l'élaboration du texte à soumettre aux Français, sa commission présidée par F. de Menthon ne s'embarrassant pas des idées du général et le faisant publiquement savoir. Les rapports entre le gouvernement et l'Assemblée se détériorent, au point d'aboutir à un vif incident le 30 décembre lors du vote des crédits militaires. Les communistes soutiennent une SFIO décidée : André Philip demande une réduction de 20 % des dépenses, malgré une protestation de son camarade Vincent Auriol au nom du gouvernement. De Gaulle, en séance, doit pour sauver la confiance accepter qu'un vague sous-amendement de l'UDSR rallie les grands partis et remette la dis-

cussion au 15 février si toutefois le gouvernement à cette date a
déposé des projets militaires qui sauront retenir la bienveillance
de l'Assemblée! C'en est trop[1]. Le 20 janvier 1946, après quelques
jours de retraite morose, le général en uniforme convoque ses
ministres et leur fait part de sa démission. Son départ ne suscite
pas d'émotion particulière dans l'opinion[2]. Il soulage une vie
politique en voie de reconstitution sur des bases qu'il récuse.
Installé à Marly, il y guette ces émissaires suppliants qui, croit-il,
ne manqueront pas de surgir bientôt. Devant l'engourdissement
général, il faudra bien se poser en « recours installé d'avance »
et attendre. De Gaulle a restauré l'État sans le transformer, réalisé
l'essentiel du programme du CNR, magnifié une unanimité
nationale née dans la Résistance. Force lui est pourtant de constater que le suffrage qu'il a fait rétablir, les partis qui le recueillent
et l'Assemblée qui gère leurs volontés peuvent se passer de son
autorité. Le consensus unitaire qui le portait s'est estompé avec
la fin de la guerre. N'ayant jamais souhaité être dictateur ou chef
de parti, le voici Cassandre face aux « fureurs intestines ». Son
seul bien, le plus précieux, mais qui n'a pas suffi à bâtir un gaullisme, est désormais une légitimité plébiscitée sur les Champs-
Élysées le 26 août 1944. Il sait déjà qu'elle entretiendra d'étranges
rapports avec les malheurs, les crises et la gloire de la France :
« Ma popularité était comme un capital qui solderait les déboires[3]. »

1. Voir Ch. de Gaulle (68), p. 642-644.
2. Un sondage de janvier révèle la division de l'opinion : 41 % des
Français estiment que de Gaulle a bien réussi dans sa tâche, 36 % qu'il
a mal réussi et 23 % sont sans opinion (*Sondages IFOP*, 16 février 1946,
p. 51). Son départ fait 40 % de mécontents, 32 % de satisfaits et 28 %
d'indifférents. 21 % pensent qu'il reviendra au pouvoir, 36 % sont sans
opinion, mais 43 % le condamnent à la retraite : ce dernier pourcentage
ne variera plus guère. Il recoupe la proportion des Français qui le considèrent comme un homme de droite (*ibid.*, 1er mars 1946).
3. Voir Ch. de Gaulle (68), p. 8. Bilan d'ensemble par Ch.-L. Foulon,
dans (119), p. 60-71, et M. Cointet : « Le général de Gaulle et la reconstruction de la France à la Libération », *Études gaulliennes*, 1978, n° 21,
p. 25-71. Sur sa popularité, voir les souvenirs de son secrétaire particulier Cl. Mauriac, *Aimer de Gaulle*, Grasset, 1978. Le dossier d'une « restauration raisonnable » et des ambitions « dynastiques » est plaidé avec
talent — et quelquefois confusion — par Ph. Tesson, *De Gaulle Ier, la
révolution manquée*, Albin Michel, 1965.

5
Produire

Produire! L'impératif est martelé dans les discours, dans la presse, à la radio, sur les lieux de travail comme dans les cabinets qui prennent les décisions. Il constitue l'enjeu d'une « troisième bataille de France » pour laquelle le pays est maintenu sous les drapeaux. « Soldat de la Reconstruction, sachons égaler nos aînés, ceux de la Révolution qui, en haillons, menèrent la France sur le chemin de la grandeur », claironne une brochure de propagande [1]. « Bas les vestes et haut les cœurs », « retroussons nos manches » : ce raidissement dans l'effort est vécu avec discipline et dans un réel élan de liberté. « Et, hop, on s'en sortira! » est une chanson à la mode. Ce productivisme permettra de parer aux urgences : assurer le ravitaillement, franchir les goulots d'étranglement, relever les ruines et asseoir la monnaie. Mais, on l'a vu, le programme du CNR promet, à travers la reconstruction, une profonde rénovation de l'économie et des rapports sociaux.

Le MRP et la SFIO acquiescent, mais n'ont pas la latitude de faire circuler autant qu'ils le souhaiteraient leur volonté au vif du corps social. De Gaulle s'est laissé convaincre que ces questions d'intendance sont un atout considérable pour sa politique de grandeur [2]. Dès le 10 septembre 1944, au nom de la CGT, Benoît Frachon a lancé « la grande bataille de la production [3] ». Le parti

1. *Une leçon, un devoir,* octobre 1945 (Bibliothèque nationale, 16° Lb [59] 269).
2. Voir son discours du 24 mai 1945 dans Ch. de Gaulle (69), p. 590.
3. Voir B. Frachon, *Au rythme des jours,* Éditions sociales, 1967, t. I, p. 32-47. Bientôt Gaston Monmousseau dénoncera « la grève, arme des trusts » (voir sa préface à B. Frachon, *la Bataille de la production,* Éditions sociales, 1946). Les mineurs seront à la pointe de ce combat : voir E. Desbois, Y. Jeanneau et B. Mattéi, *la Foi des charbonniers. Les mineurs dans la bataille du charbon (1945-1947),* Éd. de la MSH, 1986.

communiste engage à fond et continûment son autorité sur ce point, ancrage de la « renaissance nationale » : aux réunions de son Comité central du 31 août 1944 et du 21 janvier 1945, dans son programme de gouvernement de novembre 1946, l'économie commande la démocratie, le plan dicte la ligne générale [1]. Thorez met le point d'orgue à Waziers, le 21 juillet 1945, devant ses camarades du « pays noir » : « Produire, c'est aujourd'hui la forme la plus élevée du devoir de classe, du devoir des Français. Hier, notre arme était le sabotage, l'action armée contre l'ennemi; aujourd'hui, l'arme, c'est la production pour faire échec aux plans de la réaction. » La droite des grands intérêts se terre. Le patronat désorganisé, auquel de Gaulle ne manque pas de rappeler férocement qu'on le vit peu à Londres et dans la Résistance, courbe le dos sous l'orage. La voie est libre. A la faveur de la reconstruction, entre les « trusts » neutralisés et les travailleurs mobilisés, l'État prend du muscle, tente de régler les problèmes financiers, s'installe dans la production et ne désespère pas de modifier le jeu des forces sociales.

Vivre avec l'inflation.

Dans les premiers mois, la latitude du gouvernement est faible, car le relèvement de la production exige de longs efforts, et l'inflation menace. Pourtant, le style des premières mesures engage l'avenir. Faut-il, comme le soutiennent Mendès France, ministre d'un département neuf, l'Économie nationale, et des socialistes, Tixier, Philip ou Moch, jeter sans tarder les bases d'une économie planifiée avec un puissant secteur nationalisé? Attendre que l'État soit reconstruit et le peuple consulté, comme l'affirme Pleven [2]? Faire valoir par priorité les droits de la classe ouvrière, comme l'exigent les communistes?

La question monétaire fixe les positions et provoque le premier conflit. Impossible de ne pas augmenter les salaires, qui ont baissé

1. Voir J.-P. Scot, « Le programme de gouvernement du PCF (novembre 1946 », *Cahiers d'histoire de l'institut Maurice-Thorez*, nº 17-18, 1976, p. 169-201.
2. Qui a succédé aux Finances en novembre à Aimé Lepercq, tué dans un accident d'automobile.

en valeur réelle sous Vichy. Dès Alger, le gouvernement s'était résolu à donner pouvoir aux commissaires de la République pour fixer les salaires de leur région. En moyenne, ils furent augmentés d'un coup de 50 %. Une majoration du même ordre des allocations familiales en octobre 1944 et du salaire des fonctionnaires en janvier 1945 élargit encore cette revalorisation. En contrepartie, les prix sont bloqués et des subventions aux industriels maintenues. L'encadrement de la production mis en place par Vichy subsiste donc : ainsi, ses comités d'organisation transformés en offices professionnels, sa Délégation générale à l'équipement national intégrée au ministère de l'Économie nationale[1]. Cette politique d'attente alourdit certes les charges budgétaires (85 milliards pour 1945, soit 20 % des dépenses, aux seules subventions économiques), mais devrait éviter une ouverture brutale des ciseaux entre salaires et prix, coûts de production et prix à la consommation, tout en expérimentant par tranches les avantages du plan et en soutenant le démarrage de la production. Dans l'esprit de Mendès France, son ministère la met en œuvre seul, soumet à ses volontés le ministre des Finances, raisonne dans le moyen terme — deux ans — et ne se laisse pas distraire par les tensions du moment.

Sa politique fut insensiblement vidée de sa substance. Dès octobre 1944, sous la pression de la CGA, une hausse des prix agricoles est tolérée. L'émission d'un grand emprunt en novembre, à l'initiative de la rue de Rivoli et contre l'avis de Mendès France, montre que le gouvernement préfère les mesures classiques d'appel à la confiance aux ponctions autoritaires qui, pourtant, réussissent au même moment en Belgique. L'emprunt d'ailleurs est magnifiquement couvert, faisant rentrer 164 milliards et ramenant la circulation fiduciaire de 642 milliards en avril à 572 à la Noël. Malgré les protestations de la presse, la recherche des profits illicites languit néanmoins, le marché noir persiste, les « nouveaux riches » prospèrent tandis que les ouvriers retroussent leurs manches. Dès le 18 janvier 1945, Mendès France, ne voyant plus autour de lui « cet accord profond entre un gouvernement qui

1. Voir R. F. Kuisel, « Vichy et les origines de la planification économique (1940-1946) », *le Mouvement social*, nᵒ 98, janv.-mars 1977.

sait ce qu'il veut et un pays qui sait où on le conduit[1] », a présenté
sa démission, refusée par de Gaulle. Mais les arguments de ses
adversaires ne sont pas minces : tant que la guerre et la faim
persistent, peut-on prendre le risque de l'impopularité? tant que
le secteur nationalisé n'a pas affirmé ses vertus d'incitation, peut-
on mécontenter l'ensemble du patronat et prendre le risque d'une
grève des producteurs et de l'investissement privé?

Entre le rigorisme et le libéralisme, l'épreuve de force s'engage
en février sur le blocage des billets. Des coupures neuves sont
arrivées d'Angleterre et des États-Unis. Aussitôt Moch et Mendès
France demandent que l'échange s'accompagne d'un blocage :
cette rétention temporaire permettra d'effectuer un inventaire
général des comptes en banque et autres avoirs, de fixer un plafond
temporaire aux dépenses de chaque particulier compatible avec
le volume de la production. Pleven, largement soutenu au gouvernement et dans l'opinion, tient pour l'échange franc pour franc,
sans blocage ni ponction. Il l'emporte, le 29 mars, nul ne voulant
prendre le risque de mécontenter les paysans et de voir la production ralentir comme en Belgique pendant le blocage. Mendès
France, isolé, privé du soutien d'un grand parti, mal soutenu par
les socialistes, abandonné par le MRP et violemment combattu
par les communistes qui savent écouter la grogne populaire et
misent tout sur la production, démissionne le 5 avril en rendant
publique une longue lettre impitoyable : « Est-ce en ménageant
les égoïstes, les parvenus, les cupides, en nous appuyant incons-
ciemment sur eux, est-ce en bafouant ceux qui ont cru que nous
voulions une république pure et dure, que nous referons la France? »
« Le pays est malade et blessé, répond de Gaulle. Je tiens donc
pour préférable de ne pas, en ce moment, bouleverser sa sub-
sistance et son activité, d'autant que les mois à venir vont, par la
force des choses, améliorer sa condition[2]. »

Le débat dépasse l'affrontement des experts et des ministres :
derrière cette « force des choses », il y a un pari sur l'avenir du

1. Sur cette bataille d'hiver, voir P. Mendès France, *Œuvres complètes*,
t. 2, *Une politique de l'économie (1943-1954)*, Gallimard, 1985, qui
rassemble ses émissions radiophoniques et de nombreux textes inédits.
    2. Ch. de Gaulle (68), p. 120 et 435.

pays. Mendès France, au nom de « ses éléments les plus jeunes, les plus sains » issus de la Résistance, refuse « le fatalisme de l'inflation » qui peut certes désamorcer pour un temps les conflits sociaux mais qui postule le *statu quo :* l'oxygène de l'inflation permet d'abandonner l'investissement aux forces du passé et fortifie les rapports traditionnels entre travail et capital. Son déflationnisme — provisoire : il est trop keynésien pour ignorer que, après la relance de la production, l'inflation aura du bon — vise en fait à installer une planification appuyée sur le secteur public et un secteur contrôlé, surveillant le secteur libre. La pénurie a donc une vertu : rationaliser le choix, privilégier l'investissement public, combiner reconstruction, modernisation et recul des trusts. Face à lui, des hommes divers. Outre Pleven, Lacoste, ministre socialiste de la Production industrielle, René Mayer, fort des appuis des milieux financiers, Courtin, Monick, gouverneur de la Banque de France. Ils croient que la reprise et la croissance seront anti-inflationnistes, que l'investissement peut être financé en douceur par le crédit et l'emprunt, que l'équilibre des prix et des salaires se fixe par simple décret[1]. L'avenir leur donnera tort. Mais, sur le moment, ils reçoivent les appuis qui comptent, ceux des communistes et de De Gaulle. Rétrospectivement, on sent bien que l'avenir est scellé au printemps 1945. Mais, « sur le tas », pouvait-on maintenir plus longtemps le moral des combattants de la production sans leur accorder quelques satisfactions immédiates?

Mendès France sur la touche, de Gaulle confie à Pleven à la fois les Finances et l'Économie nationale : la rue de Rivoli savoure sa revanche. Des plans parcellaires par « tranches de démarrage » sont établis, mais nul ne songe encore à les coordonner. L'échange des billets en juin, effectué dans le calme, assorti en juillet d'un « impôt de solidarité nationale » assis sur le capital — ce dernier, on l'imagine, répondra mal aux espoirs —, parvient à abaisser à 444 milliards la circulation fiduciaire et à gonfler un peu la masse de monnaie scripturale et des bons du Trésor. Mais les prix ont déjà décollé. Les importations reprenant, la période électorale portant aux concessions, on libère partiellement les prix agricoles

---

1. Voir J. Bouvier dans (64), p. 846.

à la production. Et la pression sociale ne peut plus être ignorée :
une grille des salaires fortement hiérarchisée, négociée paritaire-
ment en avril par Alexandre Parodi, ministre du Travail, n'évite
ni leur gonflement ni leurs disparités entre les sexes et les régions.
Si bien qu'en fin d'année il faut revenir en catastrophe à des
bribes de la politique refusée en avril et subventionner à haute dose
pour stabiliser les prix des denrées de première nécessité. Le
25 décembre, enfin, le franc est dévalué, perdant plus de la moitié
de sa valeur : la disparité entre les prix français et étrangers
bloquait la reprise des exportations, l'encaisse s'épuisait à payer
les importations, la dette devenait insoutenable[1]. Sa « rectification » entérine la médiocre position de la France, mais canalise
plus efficacement désormais ses demandes d'emprunts vers le
jeune Fonds monétaire international.

Ces mesures de circonstance ne peuvent guère freiner l'inflation.
Le marché noir maintient ses tentations, le déficit budgétaire
s'aggrave. Pourtant, la source permanente d'inflation, le déséquilibre entre l'offre et la demande, a déjà changé de rive. La
production reprenant quelque vigueur, c'est le prix des marchandises plus que leur rareté qui pose désormais problème. Car le
déséquilibre entre les prix qui galopent et les salaires qui se traînent,
et non plus l'excédent de moyens de paiement, explique que nombre de Français à bas revenus ne puissent pas acheter, même au
prix taxé, les denrées qu'on peut enfin leur proposer en plus grande
quantité. Cette dérive observée par les praticiens n'est pourtant
pas perçue par les masses : lessiveuses trop pleines ou salaires

1. Le franc Pleven a une valeur correspondant à 7,46 mg d'or (contre
21 mg au franc Reynaud de février 1940), soit 119 francs pour un dollar
(contre 43,80 depuis 1940, mais 233 francs en fait au « marché parallèle »).
C'est-à-dire, en poids d'or, 1/39e du franc Germinal. Cette dévaluation,
eu égard au taux réel du dollar, n'est pas très combative : le gouvernement pense, en fait, freiner ainsi les exportations. En outre, est créée
une zone franc, propice aux spéculations avec l'Empire : le franc métro-
politain a cours en Afrique du Nord, aux Antilles et en Guyane; un
franc CFA (Colonies françaises d'Afrique) avantageusement fixé à
1,70 franc pour la métropole est imposé à l'Afrique noire, à Madagascar
et à la Réunion. La piastre indochinoise est, elle aussi, rattachée à bas
prix.

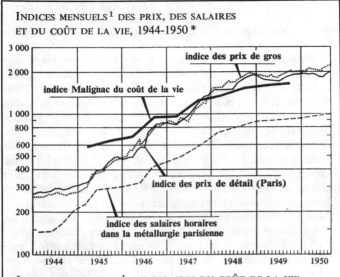

INDICES MENSUELS[1] DES PRIX, DES SALAIRES
ET DU COÛT DE LA VIE, 1944-1950 *

INDICES SEMESTRIELS[1] DES SALAIRES, DU COÛT DE LA VIE
ET DU POUVOIR D'ACHAT DES SALAIRES A PARIS, 1945-1949 **

| | salaires hebdomadaires | | coût de la vie | pouvoir d'achat des salaires hebdomadaires | |
	bruts	avec compléments sociaux		bruts	avec compléments sociaux
1945 avril	322	356	590	55	60
— octobre	365	403	650	56	62
1946 avril	402	443	700	57	63
— octobre	548	620	950	58	65
1947 avril	617	698	960	64	73
— octobre	760	868	1 250	61	69
1948 avril	1 014	1 167	1 360	75	86
— octobre	1 227	1 436	1 530	80	94
1949 avril	1 234	1 443	1 600	77	90
— octobre	1 272	1 487	1 650	77	90

1. Base 100 en 1938.
* Source : G. Dupeux, *La France de 1945 à 1965*, Colin, 1969, p. 30.
(L'indice Malignac tient compte des prix officiels et du marché noir.)
** Source : *Mouvement économique en France de 1944 à 1957*, Imprimerie nationale et PUF, 1958, p. 118.

trop bas, c'est toujours l'inégalité et l'injustice qui semblent faire la loi.

Le désordre persiste en 1946, en l'absence de tout choix à long terme, dans la logique des décisions de l'année précédente. Certes, des efforts sont faits pour redresser les finances publiques : diminution des dépenses militaires, création d'une commission dite « de la hache », qui réduit les dépenses civiles dans les grandes administrations, augmentation des impôts. Mais le maintien des subventions économiques dévore toujours entre le cinquième et le quart du budget. Dès lors, il est tentant, y compris chez les moins keynésiens, de considérer que l'inflation a l'immense mérite de faire fondre régulièrement le déficit comptable et d'alimenter la pompe à dépenses vigoureusement sollicitée pour la reconstruction.

Dans le même temps, toutes les négociations échouent pour arrêter la course des salaires et des prix. Malgré les efforts du ministère Gouin en février, il faut ouvrir en pleine période électorale de l'été une négociation dite du Palais-Royal avec les syndicats qui exigent une augmentation générale de 25 % des salaires, parlent avec insistance de minimum vital et d'échelle mobile, tandis que le CNPF reconstitué peut négocier âprement. La remise en ordre, difficilement négociée par le gouvernement Bidault pour octobre, entérine de fait une hausse des salaires qui dépasse 25 %, les prix industriels et agricoles suivent « en queue de hausse » et grimpent de 50 % en moyenne dans le second semestre de l'année. Seul, en décembre, le gouvernement Blum prétend — trop tard — casser l'engrenage en décidant une baisse autoritaire de 5 % sur tous les prix.

Faut-il cependant pousser trop au noir le tableau? La reprise de la production ne rend-elle pas inévitable une inflation? Car la reconversion de l'économie de guerre aggrave les distorsions entre prix agricoles et prix industriels, entretient le décalage entre la relance des industries d'équipement et une offre plus lente en biens de consommation. L'inflation, dès lors, valorise les stocks, reconstitue les marges bénéficiaires, évite les faillites en cascade des entreprises moins productives, excite l'investissement et n'est pas inutile pour maintenir l'emploi [1]. En retour, elle témoigne cepen-

---

1. Voir J. Le Bourva (102), p. 366 *sq.*

dant de l'impuissance de l'État à arbitrer entre les grands intérêts et la pression syndicale, à maintenir quelque justice sur les prix alimentaires, à donner confiance dans le franc. Surtout, en profondeur, malgré les nationalisations et la création du Plan dès le 3 janvier 1946, l'instabilité inflationniste des prix réinstalle sur une de ses bases naturelles l'économie de marché, avec ses anarchies, ses injustices et bientôt ses tensions sociales. Les facilités offertes par l'inflation bloquent l'assainissement de l'appareil productif, limitent les effets incitateurs du nouveau secteur public, restaurent insensiblement ce capitalisme de liberté que condamnait le programme du CNR. On n'installe pas une économie dirigée sans contrôler les prix : qui a le courage de le dire alors aux Français? Le fruit de cette liberté, c'est la restauration de la concurrence au cœur de la production : l'inflation ramène à ses justes proportions le discours modernisateur et planificateur du moment. Mais pouvait-on l'éviter, quand la pénurie donne, pendant ces mois décisifs, toute latitude aux vendeurs?

Les nationalisations.

La France ne sera définitivement libérée qu'après éviction des « trusts », pensaient les résistants : formule commode, qui frappe l'opinion. Au Comité général d'études, René Courtin avait élaboré un long rapport[1] qui préconisait des nationalisations sanctionnant la trahison des élites bourgeoises de l'avant-guerre et offrant un cadre à l'épanouissement d'une nouvelle élite au service de la nation. Le programme du CNR a développé des thèmes très voisins, et les partis de gauche saisissent à travers eux l'occasion d'imposer la voix des travailleurs dans le système productif. De Gaulle, dès le 12 septembre dans son discours de Chaillot, a accepté que les « grandes sources de la richesse » reviennent à la collectivité, sans renoncer pour autant à la libre entreprise. Nul ne discute donc la nécessité de nationaliser. Mais le choix stratégique — que faire du secteur public? — n'est pas assumé avec cohérence.

Ainsi, c'est une fois encore sous la pression de l'événement

1. R. Courtin, *Rapport sur la politique économique d'après guerre*, Alger, Éd. Combat, 1944.

que nous replacerons ces mesures si souvent décrites comme les éléments d'un plan soigneusement élaboré. La chronologie doit être réhabilitée, qui distingue deux vagues, pendant l'hiver 1944-1945 puis de décembre 1945 à mai 1946.

Dès le 27 septembre 1944, le gouvernement a constitué un « groupement national » des houillères du Nord et du Pas-de-Calais, suspendu les présidents et directeurs des compagnies. Le 13 décembre, une ordonnance crée les Houillères nationales du Nord et du Pas-de-Calais, un décret désigne un directeur général et un comité consultatif, au sein duquel les syndicats siègent pour un tiers des membres, des avances sont faites par le Trésor. L'urgence commande : la production ne peut redémarrer qu'avec l'accord des mineurs et de leurs syndicats, hostiles aux anciens dirigeants qui ont organisé la réquisition pour l'Allemagne. Le 4 octobre, les usines de Louis Renault sont mises sous séquestre. Ici, la justification est politique, la nationalisation, qui intervient par ordonnance le 16 janvier suivant, est une mesure pénale sanctionnant une collaboration économique avec le Reich. Mais sa forme est originale : le 15 novembre, l'État, qui a saisi l'ensemble des biens, sans indemnisation, dissout l'ancienne société et établit une Régie nationale des usines Renault, entreprise dotée de la personnalité civile et de l'autonomie financière, placée sous l'autorité du ministre de la Production industrielle mais gérée par un président-directeur général et un conseil d'administration où siègent les représentants de l'État, des usagers et du personnel. La mort de Louis Renault à la veille de son procès a levé les derniers scrupules et poussé à la confiscation. En revanche, pour la marine marchande, l'ordonnance du 18 décembre 1944 reprend des dispositions de Vichy en étendant le pouvoir de réquisition et de gestion des compagnies de transport par l'État ; la nationalisation s'opère par prise de participation majoritaire, avec indemnisation des anciens actionnaires. Chez Gnome et Rhône, constructeur de moteurs d'avions qui a travaillé pour les Allemands, l'ordonnance du 29 mai 1945 ne modifie pas l'organisation et le fonctionnement de la société : l'État se substitue aux actionnaires indemnisés à la tête de la nouvelle société, la Société nationale d'études et de construction de matériel aéronautique (SNECMA). Pour les transports aériens, enfin, dont l'État a pris la direction pour cause de guerre dès septembre 1944, la nationalisation du 26 juin 1945 suit les mêmes règles : prise de participation de l'État dans les sociétés qui seront rassemblées en 1948 dans Air France. Solutions empiriques, qui rétablissent la production dans des secteurs où les goulots d'étranglement sont mortels, les transports, le charbon, les moteurs, les machines et les véhicules. Aucune règle juridique préétablie, aucun souci de codifier l'indemnisation des anciens propriétaires ou la gestion future : la vitesse fait loi.

Mais la nationalisation n'est pas un modèle extensible à toutes les situations. Car d'autres entreprises sont occupées depuis la Libération, avec mise sous séquestre de la propriété patronale et nette volonté de retour à la collectivité, voire développement d'une gestion ouvrière dès que les machines se remettent en route. Ainsi dans les transports parisiens, sous la pression des syndicats et du Comité de Libération, la TCRP est municipalisée et devient la RATP. A Lyon, Marius Berliet arrêté dès le 4 septembre, un ingénieur communiste est installé par Yves Farge au poste d'administrateur de ses usines séquestrées : une expérience originale démarre, fondée sur une participation active du personnel rassemblé dans des « comités patriotiques d'entreprise [1] ». A Marseille, la réquisition de 15 grandes entreprises donne l'aval des syndicats au redémarrage de l'activité dans la ville largement détruite et offre un cadre à une expérience originale poursuivie jusqu'en 1948. Même scénario et mêmes ambitions aux mines d'Alès et chez Fouga à Béziers [2]. Dans tous les cas, sous la pression locale des syndicats et de la Résistance, les commissaires de la République signent des actes de « révolution économique » qui donnent satisfaction aux élites nouvelles, remettent à plus tard la question des indemnités aux anciens propriétaires et laissent l'expérience

1. Voir G. Declas, « Berliet sans Berliet (1944-1949) : une expérience autogestionnaire? », *Recherches et travaux* de l'Institut d'histoire économique et sociale de l'université de Paris-I, n° 7, décembre 1978, p. 71-105, et M. Peyrenet, *Nous prendrons les usines Berliet. La gestion ouvrière (1944-1949)*, Garance, 1980.
2. Voir J. Domenichino, « Marseille : les usines réquisitionnées », *Cahiers d'histoire de l'institut Maurice-Thorez*, n° 4, juill.-septembre 1973, p. 161-177, et R. Bourderon (77), p. 225-232.

de cogestion ouvrière s'élancer. Concessions tactiques ou enthousiasmes partagés, peu importe : en légalisant une situation de fait, l'autorité de la République hâte le retour à la production sans recourir à la nationalisation.

La seconde vague traduit une plus forte cohérence politique. De vifs débats parlementaires révèlent que les nationalisations suscitent une analyse plus froide du rôle du secteur public et de l'intervention de l'État. Sous l'assaut de l'Assemblée consultative, Pleven doit promettre en juillet 1945 que les grandes nationalisations inscrites au programme du CNR seront accomplies avant la fin de l'année. De fait, le gouvernement de Gaulle n'en réalise qu'une, mais son successeur achève l'entreprise. La nationalisation du crédit, fort discutée, est acquise par la loi du 2 décembre 1945, aux dispositions complexes. La nationalisation de la Banque de France et des quatre grandes banques de dépôts (Crédit lyonnais, Société générale, Comptoir national d'escompte, Banque nationale pour le commerce et l'industrie) est effective, l'État devenant le seul actionnaire. Mais les banques d'affaires échappent à la nationalisation, après un affrontement entre de Gaulle et la gauche favorable à un contrôle total du crédit et de l'investissement: un droit de regard seul est acquis pour des commissaires du gouvernement siégeant à leurs conseils d'administration avec droit de veto. Enfin, est institué un Conseil national du crédit, qui assiste le ministre et dont les avis font autorité, y compris sur le secteur bancaire libre. La Commission de contrôle des banques installée par Vichy est maintenue dans son rôle de surveillance des réserves couvrant les dépôts et les crédits. Mais l'ensemble du dispositif traduit le nouveau rapport de force politique. Le gouvernement se réserve le choix du ministère de tutelle, que la gauche souhaitait donner au seul ministre de l'Économie nationale. La distinction, beaucoup moins opératoire désormais, entre banques de dépôts et banques d'affaires est solennellement maintenue. L'État maîtrise le crédit, mais il est douteux qu'il puisse longtemps diriger l'investissement.

La nationalisation des assurances, le 25 avril 1946, est tout aussi ambiguë. Des portefeuilles éparpillés en plus de 900 sociétés dominées par 11 groupes, de puissantes ramifications internationales rendent certes l'opération délicate. Mais les mesures prises, qui concernent 34 sociétés rassemblant plus de 60 % de l'énorme capital détenu par les compagnies, témoignent des hésitations du législateur : seuls les communistes souhaitaient une nationalisation totale, les autres partis hésitant à privilégier l'intérêt des assurés ou celui de l'État, fort alléché par les fortes disponibilités des assureurs. A l'inverse, la nationalisation de l'électricité et du gaz, acquise par la loi du 8 avril 1946 et élaborée par Marcel Paul, ministre communiste de la Production industrielle, témoigne d'une détermination très nette de contrôler en totalité un secteur vital pour la production et l'équipement. Après de longues discussions — les communistes tenant pour une entreprise unique, les autres partis hésitant devant la complexité d'une activité de production, de transport et de distribution, à usage industriel, domestique et collectif à la fois, où cohabitent des types d'entreprises divers —, furent créés EDF et GDF, sous monopole d'État et tutelle du ministre de l'Industrie, mais financièrement autonomes, qui assureront la production et le transport. Mais sont exclus de la nationalisation les petites usines à gaz, les cokeries des houillères, le gaz en bouteille, la production du gaz naturel, pour GDF; la Compagnie nationale du Rhône, société d'économie mixte qui exploite en particulier le barrage de Génissiat, les centrales des houillères, de la SNCF et de la sidérurgie, pour EDF qui, en revanche, reçoit les centrales de l'électrométallurgie. La distribution revient à des services régionaux à organiser plus tard, en fonction des cahiers de charges laissés dans les communes par les sociétés distributrices. Malgré cette complexité et cette lourdeur, l'accord s'est réalisé sur l'essentiel : satisfaire une demande croissante en énergie, clé de la production. Dans le même esprit, les mesures régionales de 1944 sur les charbonnages sont étendues par la loi du 17 mars 1946 à l'ensemble des mines de combustibles minéraux dont l'exploitation est remise à l'entreprise nationale « Les charbonnages de France », regroupant neuf sociétés de bassins juridiquement indépendantes.

A travers ces deux étapes, on sent bien le poids des circonstances. Le temps presse, il faut produire : les nationalisations sont un fruit conjoncturel du vieux dirigisme d'État surexcité par la bataille économique. Les cadres du nouveau secteur public sont en conséquence choisis à la fois parmi les gens en place qui connaissaient bien leur entreprise et dans cette pépinière de hauts fonctionnaires qui s'est épaissie sous Vichy : leur préférer une nouvelle élite issue du syndicalisme ouvrier, comme le tentent des administrateurs socialistes ou communistes avec quelque succès, à l'EDF en particulier, aurait demandé trop de temps. Malgré l'activité de Marcel Paul en ce sens, les cadres ne seront donc pas massivement issus de la Résistance : la remise en route impose la continuité. Cette promotion de techniciens venus du secteur public ou du privé, rassemblés sur un impératif, jette les bases d'un futur pouvoir technocratique. La Régie Renault en offre un bon exemple. Robert Lacoste avait envisagé d'installer à sa direction des syndicalistes ouvriers, des cadres CGT, comme Émile Perrin. La solution est écartée, au gouvernement comme dans l'entreprise, et Pierre Lefaucheux est installé : un industriel classique, ancien membre du Comité général d'études, posant au capitaliste dynamique et fort hostile à « cette forme déplorable du socialisme que l'on nomme étatisme ». Et qui en donne rapidement la preuve : refusant de cantonner son entreprise à la seule production de poids lourds, il ignore volontairement les directives du Plan, prépare et impose la 4 CV Renault, vedette du Salon d'octobre 1946 et dont la production sur chaînes « à l'américaine » commence dès août 1947. Quelques mois plus tard, les premières machines-transfert y révolutionneront les techniques de production de masse[1]. L'impératif de la production dessine un secteur nationalisé capable d'innover et de recevoir avec profit des investissements lourds. On ne s'étonnera pas s'il devient le lieu privilégié de l'injection des dollars de l'aide américaine dans l'économie nationale.

On démêle moins facilement le rôle qu'y jouent les projets politiques. Car se conjuguent « les thèmes d'un anticapitalisme purificateur et les vues d'un planisme technocratique[2] ». Pour les communistes, la CGT ex-unitaire et de nombreux travailleurs dans les entreprises visées, le poids du secteur public crée l'irréversible et laisse espérer que dans un proche avenir le travail, facteur décisif du gonflement de la production, recevra plus faci-

---

1. Voir P. Fridenson, dans (64), p. 867-872, et « La bataille de la 4 CV Renault », *L'histoire*, n° 9, février 1979.
2. Voir J. Bouvier, dans (64), p. 853.

lement les fruits politiques de ses efforts. Le PC abandonne ainsi sa vieille défiance contre les nationalisations, encore manifeste en 1935 lors de l'élaboration du programme du Front populaire. Mais sa réflexion est courte. Dans un mélange d'héritage jacobin et de respect pour le modèle soviétique, il s'acharne à préciser que les nationalisations ne sont en aucun cas une mesure socialiste, qu'elles s'insèrent dans le vieux cadre des revendications républicaines, confortent la démocratie et renforcent l'indépendance et la grandeur économique du pays, mais sans avancer sa réflexion sur le rôle qu'elles jouent dans l'évolution du capitalisme de monopoles et l'émergence de la technocratie [1]. Pourtant, sans la vigilance des communistes, au gouvernement, à l'Assemblée, dans les entreprises visées, le transfert eût été moins facile et moins complet. En retour, leurs modèles de référence les conduisent à défendre avec succès l'idée d'une nationalisation qui s'asphyxie dès que ses liens avec l'État se distendent. La bataille de la production y gagne. L'amaigrissement de l'État y perd.

Les socialistes sont tout aussi productivistes, mais considèrent que les nationalisations introduisent à une socialisation progressive de l'économie, amorçant ainsi la transition au socialisme. Dans l'héritage d'Albert Thomas et des planistes des années trente, ils plaident pour l'autonomie des entreprises nationales par rapport à l'État, tant dans leur politique de production et de vente que dans leur gestion où la nation tout entière serait représentée aux côtés du personnel. Cette nationalisation douée d'autonomie est vivement combattue par le PC, et le débat traverse l'ensemble de la CGT. Les républicains populaires et la CFTC de leur côté se prononcent certes pour une autonomie des entreprises publiques mais y voient un moyen de renforcer la capacité d'arbitrage d'un État supposé neutre : ils peuvent donc soutenir de Gaulle sur la question de l'indemnisation des anciens propriétaires, les communistes sur le contrôle de l'État et les socialistes sur l'autonomie financière et de gestion ! De Gaulle, enfin, rejoint volontiers les conceptions étatistes des communistes, mais refuse la nationalisation-punition, la spoliation, le contrôle tatillon des syndicats.

1. Voir É. Fajon, « Les communistes et les nationalisations », *Cahiers du communisme*, février 1945.

Divergences dans la définition des buts à atteindre, majorités diverses sur tel ou tel point : dès 1946, les ambiguïtés sautent aux yeux. Ainsi l'indemnisation des actionnaires anciens s'est effectuée dans de bonnes conditions pour eux, grâce à la vigilance de De Gaulle, du MRP et de la SFIO. Mais, trop souvent, les nouvelles sociétés nationales ont dû émettre massivement des obligations pour les dédommager, au risque de grever trop vite leurs budgets par les remboursements d'intérêts et de capital, d'affaiblir surtout leur capacité d'investissement. D'autre part, la confusion de leurs statuts juridiques fait perdre de la cohérence à l'ensemble du secteur public. Renault et la RATP sont des régies, ce qui implique une grande latitude d'action mais renforce le rôle du PDG nommé en Conseil des ministres. La SNECMA et Air France sont des sociétés d'économie mixte. EDF, GDF, les Charbonnages ont un statut d'entreprise nationale, avec un président élu par le conseil d'administration sous réserve d'accord du gouvernement. A tous les conseils d'administration siègent des représentants de l'État, des usagers — ou consommateurs — et du personnel, ouvriers et cadres. De fait, le personnel sera toujours minoritaire et les représentants de l'État, maîtrisant les meilleures sources de financement, peuvent y parler très haut. Les « usagers » furent souvent des représentants du patronat gros utilisateurs de produits des entreprises nationales. Enfin, la politique du secteur public demeure très imprécise. Au début, elle permit certes d'aller à l'essentiel, le gonflement de la production. Puis la diversité des tutelles ministérielles en l'absence d'un grand ministère de l'Économie nationale, le poids des experts de la rue de Rivoli dans la fixation des prix, rendirent moins efficiente son intervention. Dans un premier temps, jusqu'en 1947, l'entreprise nationalisée tranche pourtant sur les autres dans un domaine dont la nouveauté entoure d'un halo favorable l'ensemble de l'expérience : le secteur public devient la vitrine de la politique sociale du gouvernement [1].

---

1. Sur l'ensemble de la question, voir les mises au point de J.-Ch. Asselain, « Nationalisations, la grande vague de la Libération », *L'histoire,* n° 37, septembre 1981 ; de P. Fridenson dans (259) et de R. F. Kuisel, *le Capitalisme et l'État en France,* Gallimard, 1984 ; C. Andrieu, « La France à gauche de l'Europe », *le Mouvement social,* janv.-mars 1986, p. 131-153.

Le « New Deal » social.

Tout concourt en effet à favoriser une modification des règles du jeu social dans l'entreprise, dans la profession et dans la vie quotidienne. Programme du CNR, majorité parlementaire, volonté gaullienne d'imposer la participation, ostracisme du patronat, vitalité des syndicats ouvriers : leur conjonction pendant quelques mois permet de refermer la parenthèse de revanche sociale ouverte depuis l'automne 1936.

L'ordonnance du 22 février 1945, qui impose la création de comités d'entreprise dans les établissements industriels et commerciaux de plus de 100 employés, tente de frapper au cœur du système productif. Le principe en avait été admis en Conseil des ministres dès le 29 septembre 1944 : il faut mettre un terme aux gestions « sauvages », éviter de nouveaux Berliet. Ses dispositions complètent la loi de 1936 sur les délégués du personnel et ne négligent pas l'acquis positif des comités sociaux créés par Vichy. Les délégués sont élus sur des listes qui, au premier tour, ne peuvent être que syndicales; le comité est réuni une fois par mois par la direction, il gère les œuvres sociales (ce que prévoyait déjà la Charte du travail), a droit de regard sur la comptabilité (au grand scandale du patronat qui argue du secret des affaires face à la concurrence), écoute des exposés sur la marche de l'entreprise, donne des avis et enregistre les réponses aux questions qu'il a posées. Un organe consultatif certes, mais qui installe dans l'entreprise privée des « contrôleurs » de la nouvelle économie dirigée, disent les socialistes et les communistes.

Le monopole de gestion et de décision du chef d'entreprise n'est pourtant pas atteint, et nombre de patrons ne tiendront aucun compte des avis du comité d'entreprise. Le plus souvent, celui-ci est cantonné dans la gestion des œuvres sociales. A terme, l'institution est grosse d'ambiguïté. La revendication est réservée aux délégués du personnel. Le comité, « signe de l'union féconde de tous les éléments de la production pour rendre à la France sa prospérité et sa grandeur », n'a donc qu'une tâche de coopération; il institutionnalise — dans le droit-fil des ambitions de 1936 — l'action des syndicats et dessine un terrain neutre où la lutte des classes pourrait perdre ses élans pervers. La loi du 16 mai 1946 étend les effets de l'ordonnance à tous les établissements privés ou publics d'au moins 50 employés; celle du 23 décembre 1946 rétablit les conventions collectives mais précise que la négociation par branche sur les salaires et leurs grilles hiérarchiques reste du ressort du ministre du Travail. Dans l'entreprise, l'avancée sociale, la « révolution par la loi », n'auront pas tous les effets escomptés. Seul le secteur public s'attache à respecter scrupuleusement la lettre et l'esprit de la législation nouvelle.

Le retour à la liberté syndicale, au contraire, permet de satisfaire les ambitions de la Résistance tout en maintenant un encadrement minimal des producteurs. Dès le 27 juillet 1944, à Alger, le gouvernement a aboli la Charte du travail et rétabli les syndicats existant en septembre 1939 dans leurs biens et attributions. On revient donc au régime des lois de 1884 et de 1920. Pourtant, des commissions de reconstitution syndicale veillent à l'épuration, et la surveillance est maintenue sur les organisations patronales et agricoles qui ne participent pas à l'enthousiasme du moment. Mieux encore, une circulaire de Parodi du 28 mai 1945 précise que des organisations libres, aux effectifs suffisants, seront désormais considérées comme représentatives par les pouvoirs publics : les critères essentiels de l'agrément sont, de fait, « les états de service patriotique des syndicats et leur loyauté en matière d'application de la législation sociale ». Bref, un syndicalisme libéré, mais qui risque de perdre une part de son indépendance en relayant sans broncher l'action de l'État dans l'œuvre de reconstruction. Une page de son histoire, écrite depuis 1936, est en passe d'être tournée, celle du dialogue officialisé et obligatoire, du soutien à une politique sociale définie en dehors des organisations.

L'urgence, ici encore, fait négliger ce danger : le syndicalisme ouvrier, reconstitué clandestinement, installé au CNR, part en flèche dans le sens souhaité. A la CGT, qui tient à se manifester publiquement dès le 27 août 1944, Benoît Frachon mène le jeu et Léon Jouhaux ne retrouve son poste de secrétaire général qu'en mai 1945, à son retour d'Allemagne. Mais le vote du Bureau confédéral le 5 septembre, qui élève à ses côtés Frachon à la charge du secrétariat général, acquis par 89 voix contre 42, révèle l'efficacité du travail accompli par les ex-unitaires pendant la Résistance et depuis la Libération à tous les niveaux de l'organisation : en clair, les communistes sont les maîtres [1]. Mais leur autorité ne s'oppose pas aux vœux du gouvernement, tout au contraire. Les contacts sont excellents avec d'anciens camarades communistes ou socialistes devenus ministres, comme Lacoste ou Croizat. La CGT se lance dans la bataille de la production sans une hésitation [2]. Elle y engage toutes ses forces, qui gonflent en proportion : les records du Front populaire sont battus et, à la fin de 1945, le cap des 5 millions de cartes placées est franchi. Ce triomphalisme dissimule mal les faiblesses chroniques du syndicalisme ouvrier français, faible et divisé. Mais la notion de représentativité et l'adhésion sans faille à la politique du moment « surdéterminent » pour longtemps son rôle de partenaire social reconnu et de force d'entraînement.

Dans cet unanimisme de circonstance, un fait plus neuf surgit pourtant : l'élan des professions vers l'organisation et la représentation légalisées, qui plaide pour la continuité d'une tendance amorcée dans les années trente et que Vichy a contribué à exprimer. Du côté ouvrier, malgré la puissance de la volonté unitaire exprimée dans le combat clandestin et à la Libération, la CFTC, bien frêle avec ses 700 000 adhérents face à la CGT, persiste à brandir le drapeau de sa famille spirituelle et repousse définitivement en septembre 1945 les offres de fusion des amis de Frachon. Surgit chez les cadres dès le 15 octobre 1944 une ambitieuse Confédération générale des cadres (CGC), que le ministère du Travail doit reconnaître comme représentative à l'été 1946. En octobre 1946, au terme d'une série de grèves, les fonctionnaires se voient dotés enfin du droit syndical pour tous et d'un Statut général de la fonction publique, largement élaboré par Thorez et qui reprend pour l'essentiel des dispositions formulées par la CGT [3]. Dans

1. Voir B. Georges, D. Tintant et M.-A. Renauld, *Léon Jouhaux dans le mouvement syndical français*, PUF, 1979, p. 304. Au Congrès d'avril 1946, le premier de l'après-guerre, ils disposent d'environ 80 % des mandats et tiennent les 7 plus grosses fédérations (Métaux, Bâtiment, Textile, Cheminots, Sous-sol, Alimentation, Agriculture).

2. Dès mai 1946 apparaissent cependant les premiers flottements, liés aux rivalités entre communistes et non-communistes. Voir A. Lacroix dans (259).

3. Plus précisément par l'Union des fédérations de fonctionnaires de la CGT, rassemblée en mars 1946 (voir les souvenirs — très orientés —

l'agriculture enfin, la Corporation paysanne étant dissoute, c'est pour mieux résister, on l'a vu, aux pressions des pouvoirs publics et négocier un soutien à la politique de reconstruction que les anciens syndicats d'avant 1939 fusionnent le 2 octobre 1944 dans une Confédération générale de l'agriculture (CGA)[1]. Face aux propriétaires, les fermiers et les métayers, soutenus par les partis de gauche, trouvent satisfaction dans un statut voté le 13 avril 1946, qui allonge la durée des baux à neuf ans ou plus et distingue pour la première fois l'entreprise agricole de la propriété du sol. Là encore, le progressisme légitimement satisfait s'inscrit dans un contexte où la loi du 4 septembre 1943 a joué son rôle.

Seul le patronat serait-il tenu à l'écart de cet élan? Au vrai, il a trop participé à l'encadrement social de la Révolution nationale, trop peu agi dans la Résistance dans son ensemble pour prétendre pouvoir éviter un effacement temporaire. Accablé par l'avalanche de dispositions légales qu'il récuse, absorbé par les difficultés quotidiennes de l'entreprise, il retourne au vieux démon de l'individualisme et de la négociation parcellaire, tandis que son audience politique devient fort mince. Bientôt de Gaulle et Parodi s'in-

---

de R. Bidouze, *les Fonctionnaires, sujets ou citoyens?*, Éditions sociales, 1979). Le statut — qui ne s'applique pas aux fonctionnaires des communes et des départements — protège de l'arbitraire, institue des organismes paritaires et un Conseil supérieur de la fonction publique où la pression syndicale peut s'exercer. Il fige cependant les classifications catégorielles des corps et des grades. A l'avenir, toute modification salariale dans un corps entraîne automatiquement un réajustement jusqu'au bout de la chaîne : les gouvernements en tireront argument pour négliger les « revalorisations ». Son article 32, prévoyant que le minimum de rémunération devait être égal à 120 % du minimum vital, ne sera guère appliqué.

1. Enfant chérie des socialistes, la CGA rassemble, dans un organigramme compliqué élaboré par ses congrès de mars 1945 et de février 1950, le syndicalisme à vocation générale (la Fédération nationale des syndicats d'exploitants agricoles — FNSEA — constituée en mars 1946), la coopération et la mutualité agricoles, le crédit agricole, les techniciens et cadres, les ouvriers agricoles par ailleurs rattachés aux centrales ouvrières. Les jeunes agriculteurs du CNJA rassemblés en 1947 n'adhéreront qu'en 1954. Malgré le retour à la liberté syndicale le 6 juin 1945, la CGA fut seule reconnue par les pouvoirs publics. Dès la fin de 1946, pourtant, les anciens dirigeants de la Corporation paysanne, souvent déguisés en MRP, en ont repris la direction.

quiètent de ce silence : en octobre 1944, ils chargent Étienne Villey, un agent patronal entiché de paix sociale, d'occuper le terrain vide en constituant une « Commission de représentation patronale [1] ». De son côté, Lacoste établit son propre réseau dans le cadre d'une « Commission consultative pour l'aide aux entreprises ». Ces structures trop téléguidées par le gouvernement reçoivent un accueil frais dans les milieux patronaux mais, abrités derrière elles, quelques dirigeants plus ouverts s'introduisent discrètement dans diverses instances nouvelles (à la jeune École nationale d'administration, par exemple, ou au Comité central des prix) et y rencontrent les hauts fonctionnaires qui gèrent le secteur public et élaborent le Plan. Pendant quelques mois, chacun fait le gros dos, la pression est inefficace.

Mais il faut détruire la légende d'un patronat longtemps impuissant et tenu à l'écart. Quand les « gros » se terrent, la Confédération générale des petites et moyennes entreprises (CGPME), animée par Léon Gingembre, utilise fort habilement le désarroi des commerçants et des petits patrons : dès octobre 1944, elle est à pied d'œuvre contre la réglementation autoritaire de l'économie et, sous peine de voir s'effondrer le circuit de distribution, le gouvernement la reconnaît en janvier 1945. De leur côté, les Jeunes Patrons se reconstituent. A la veille des élections d'octobre 1945, les ténors consentent enfin en soupirant à sortir de leur mutisme : des grands du pétrole, des houillères, de la sidérurgie, de la mécanique, de l'électricité, des grands magasins, Serrigny, Mercier, Peyerimhoff, Wendel, s'entretiennent de politique et d'argent électoral. Ils écoutent les propositions des commissions semi-officielles. Un comité de liaison convoque une assemblée le 21 décembre 1945 : le CNPF est né, il adoptera ses statuts six mois plus tard. Certes, il maintient la vieille structure unitaire de la production et du commerce, ses principaux dirigeants, Pierre Ricard et Georges Villiers, n'imposent pas une discipline stricte et font preuve de bonne volonté face au Plan et à la législation nouvelle.

1. Voir J.-N. Jeanneney, « Hommes d'affaires au piquet. Le difficile intérim d'une représentation patronale (septembre 1944-janvier 1946) », *Revue historique*, janvier-mars 1980, p. 81-100, repris dans *l'Argent caché*, Fayard, 1981, chap. 8.

Mais il faut convenir que l'impératif de la production a balayé les hésitations et que le patronat a reconstitué sa délégation officielle et ses groupes de pression dans un délai, somme toute, fort bref. Que le vent tourne, et il retrouvera sa combativité. Du haut en bas de la hiérarchie sociale, avec réticence chez les uns et enthousiasme chez les autres, la bataille de la production fait lever un solide personnel d'encadrement.

Le « New Deal » est cimenté enfin par une notion nouvelle, qui doit transformer la condition du travailleur, donner tout son sens au travail, au salaire et à la politique de justice sociale : la Sécurité sociale. La « révolution » si souvent promise passe, cette fois, dans la vie quotidienne d'une bonne part des Français.

Deux ordonnances du 30 décembre 1944 ont relevé les cotisations. Celles du 4 et du 19 octobre 1945 rattachent toutes les anciennes assurances à un organisme unique et assujettissent tous les salariés à la Sécurité sociale; moyennant convention avec leur pays d'origine, les travailleurs étrangers pourront en bénéficier. La cotisation aux assurances sociales est répartie entre le salarié pour 6 % du salaire et l'employeur pour 10 %; celle des allocations familiales est uniformément fixée à 12 %; toutes sont perçues chez les salariés dans les limites d'un « salaire plafond » fixé très bas. La part du salarié est directement retenue par l'employeur, qui verse ensuite l'ensemble des cotisations à une caisse primaire départementale. Des caisses régionales et une Caisse nationale assurent les compensations entre les régions et les professions, régularisant la solidarité nationale. Ainsi, d'entrée de jeu, la Sécurité sociale couvre les risques maladie, invalidité, vieillesse, décès et accidents du travail (ces derniers, avec les maladies professionnelles, étant à la seule charge de l'employeur à partir d'octobre 1946). Remboursement des frais médicaux à 80 %, indemnités journalières en cas de maladie, droit à une retraite dépassant 20 % du meilleur salaire, capital-décès entrent ainsi dans la vie quotidienne d'environ 9 millions de Français et de leur famille. Les caisses gèrent également dès août 1946 des prestations familiales multiformes (allocations familiales, prénatales, de salaire unique, de mère au foyer), offertes à tous et égales pour tous. Seule l'allocation-chômage, à la charge de l'État, leur échappe. Nouvelles hardiesses dans un second temps : la loi Croizat du 22 mai 1946 prévoit de rendre l'assurance sociale obligatoire pour tous les Français, et, dès septembre, anticipant un peu vite sur la réalité économique, le législateur fixe au 1er janvier 1947 la généralisation de l'assurance-vieillesse. Enfin, le principe de la gestion des caisses par les assurés eux-mêmes, qui élisent leurs administrateurs, est acquis en juillet 1946, le projet confiant cette gestion aux seuls syndicats ayant suscité une opposition déterminante de la CGC et du MRP[1].

Certes, la généralisation tardera : il faut attendre août 1967 pour que tous les non-salariés soient enfin couverts! Bureaucratie, déséquilibres et lenteurs menacent : un régime général côtoie de nombreux régimes spéciaux (dans les mines, à l'EDF, chez les fonctionnaires, par exemple); les prestations familiales reprennent leur autonomie par la loi du 21 février 1949 imposée par le MRP, qui distingue la politique familiale de la protection sociale; l'assurance-vieillesse doit être redéfinie en janvier 1948 avant d'être appliquée en 1949 à 15 millions de personnes. Et de nombreuses catégories sociales, dans l'agriculture, l'artisanat, le commerce, les cadres, refusent l'obligation ou discutent pied à pied un régime corporatif. Les cotisations patronales s'alourdissent plus vite que dans les pays voisins. Il faut tergiverser, attendre que la production suive. Surtout, le système gère les risques mais ne cherche guère à les prévenir et à les diminuer, se contentant d'enregistrer sans la contrôler une pressante demande sociale de mieux-être et de santé. Mais les ambitions majeures de 1945 sont respectées : solidarité (les versements ne sont pas capitalisés par l'individu mais aussitôt mis à la disposition de tous les bénéficiaires); généralisation en marche; démocratie de gestion et refus de l'étatisation (l'État se contentant d'assurer la tutelle et comblant les inévitables déficits de départ). Les cotisations étant proportionnelles au salaire mais les risques étant couverts également pour tous, un vaste transfert est possible, qui amorce une politique des revenus : le droit social

---

1. A ce tableau général, il faut ajouter des mesures complémentaires : aide aux «économiquement faibles » en septembre 1946 (des petits rentiers victimes de l'inflation pour la plupart); ordonnance du 28 juin 1945 instituant un service national du logement, allocation-logement en 1948; avantages à la mutualité complémentaire de la SS par le Statut du 19 octobre 1945. Voir P. Laroque, « La Sécurité sociale de 1944 à 1951 », *Revue française des Affaires sociales*, 1971.

est mis au service d'une politique économique et sociale de redistribution. Dès 1949, les prestations sociales représentent 12 % du revenu brut des ménages.

Rappelons, pour conclure, que les ambitions de la politique sociale et la fermeté dans l'encadrement des producteurs n'effacent pas les méfaits de l'inflation et ne peuvent pas faire oublier les urgences. La bataille de la production est difficile jour après jour, les effets des transferts sociaux, l'entraînement du secteur public tardent à se faire sentir. Le premier Plan n'est approuvé et financé qu'en janvier 1947 : ses experts ont jusqu'alors rassemblé les données et dispensé quelques arbitrages sur les priorités. La disette de main-d'œuvre persiste. A chaque étape, l'inflation démoralise, déséquilibrant les prévisions, réintroduisant l'inégalité et réactivant l'agitation sociale. Il importe donc de remettre en perspective le tonique verdict des statisticiens : dans le courant de l'année 1947, la production industrielle a retrouvé son niveau de 1938 ; la France a démontré sa vitalité, la productivité du travail s'accroît, les circuits économiques retrouvent leur souplesse. Les salariés, eux, savent que la durée hebdomadaire du travail est passée pratiquement de 40 à 45 heures de l'automne 1944 à 1948, que leur pouvoir d'achat, rogné implacablement par la hausse des prix, est inférieur de 25 à 50 % à celui de l'avant-guerre et a baissé de 30 % depuis la Libération [1].

1. Pour Paris, voir (12), p. 118-120. H. Brousse, dans *le Niveau de vie en France* (PUF, 1949), propose le tableau suivant, critiquable dans le détail, mais dont l'allure générale est significative :

	indice de la durée du travail hebdomadaire	indice des salaires horaires	indice des prix de détail	indice du pouvoir d'achat
octobre 1944	100	100	100	100
avril 1945	103	121	112	111
octobre 1945	107,7	131	158	89
avril 1946	107,9	140	169	89
octobre 1946	108,7	184	295	67
avril 1947	109,9	200	288	76
octobre 1947	111,7	252	436	68
avril 1948	112	335	517	71

6

Rentrer dans le rang

La France victorieuse peut-elle demeurer une grande puissance? Sa vie intérieure n'est-elle pas largement modelée, désormais, par le contexte mondial? Ces questions hantent sa politique internationale. La sourcilleuse susceptibilité gaullienne est certes flatteuse. Elle décharge de tous soucis une opinion plus préoccupée par les difficultés matérielles du lendemain et par les aléas de la politique intérieure. Mais elle n'apporte aucune solution durable aux problèmes posés : dans un monde de super-Grands, la France peut-elle user ses maigres forces dans la bataille pour le « rang »? Et comment y associer l'Empire?

La grandeur sans moyens.

De Gaulle, lui, n'hésite pas, et toute sa politique est subordonnée à la grandeur. Ses buts sont triples : réinstaller la France en tous les lieux où elle exerçait sa souveraineté en 1939, participer à part entière à tous les règlements et plans d'organisation de l'après-guerre, imposer des garanties définitives pour mettre l'Allemagne hors d'état de nuire. Ses méthodes n'ont pas varié depuis Londres et Alger : compenser la faiblesse par la raideur, trancher seul, saisir le moindre incident pour dévoiler les objectifs à long terme. Sa diplomatie s'inspire du goût, fort classiquement bismarckien, des situations de fait où prime le rapport de force et d'une obstination sur les points essentiels qui ne néglige pas à l'occasion de finasser. Son rôle d'arbitre incontesté à l'intérieur dans les premiers mois lui permet d'imposer ses objectifs, de fixer les attitudes et d'engager l'avenir.

Sa lutte pour la reconquête du « rang » n'est, en outre, entravée par aucune force politique. Le programme du CNR conjugue allégrement puissance et grandeur avec la mission universelle de la France, tout en restant muet sur les moyens de leur exercice. L'antifascisme de la Résistance porte espoir d'une fraternité des peuples et d'une Europe démocratique où la France, comme en 1848, jouerait le rôle de guide. En compensation aux humiliations de la vie quotidienne, une poussée de nationalisme colore donc la période, à laquelle participent toutes les familles politiques, communistes compris. Ainsi s'explique que le départ du général n'infléchisse aucune orientation majeure en politique extérieure : l'héritage n'est pas discuté et, au Quai d'Orsay, Georges Bidault et le MRP maintiennent la continuité[1]. A une opinion bercée d'illusions sur la place réelle de la France dans le monde, à des parlementaires souvent novices et peu au fait des subtilités juridiques d'une négociation, à des partis dont les programmes restent particulièrement indigents en politique étrangère, les incantations et les petites revanches suffisent. Comme pour l'épuration, un pays frappé de myopie refuse de s'examiner en face[2].

Quelques épisodes marquent d'entrée de jeu l'ampleur des ambitions et les limites de leur champ d'application. Le 11 novembre 1944, Churchill est chaleureusement accueilli par les Parisiens, mais son tour d'horizon avec de Gaulle ne dégage aucune volonté particulière de négocier un traité d'alliance chez les deux interlocuteurs. Par contre, si de Gaulle prend aisément son parti de ne pas nouer de relations privilégiées avec le plus européen et le plus faible des trois Grands, il place de grands espoirs dans un nouvel élan de l'alliance franco-russe, pour prendre définitivement à revers l'Allemagne et valoriser le poids de la diplomatie française face à Roosevelt et à Churchill : l'URSS n'a-t-elle pas reconnu la première la France libre aux heures sombres de septembre 1941 ? Le face-à-face de Gaulle-Staline à Moscou au début de décembre nourrira certes quelques pages d'anthologie dans les *Mémoires de guerre*[3]. Il ne fut peut-être pas sans effet sur la loyauté des communistes français. Mais le bilan diplomatique est maigre. Le pacte de sécu-

---

1. Voir J. Chauvel (178), p. 147 *sq.*
2. Voir les analyses assez solitaires de R. Aron, *l'Age des empires et l'Avenir de la France, op. cit.*, p. 337 *sq.* en particulier.
3. (68), p. 60 *sq.*

rité paraphé le 10 reprend nombre de dispositions de ceux de 1892
et 1936. De Gaulle reconnaît les ambitions soviétiques à l'est de
l'Europe, accepte tacitement la fixation de la frontière orientale
de l'Allemagne sur la ligne Oder-Neisse tout en refusant de s'engager sur la question polonaise. Il n'a pourtant pas obtenu de soutien ferme de Staline pour sa politique allemande. Quelques
semaines plus tard, à Yalta, Staline ne dissimule pas à Roosevelt
qu'il avait trouvé de Gaulle « dépourvu de réalisme ». Mais ce
dernier ne douta pas que le refus explicite de convier la France à
la conférence de Crimée ne vînt exclusivement de Roosevelt. Aussi
refuse-t-il sèchement en février 1945, on l'a vu, de le rencontrer à
Alger : le chef du Gouvernement provisoire peut-il accepter « d'être
convoqué en un point du territoire national par un chef d'État
étranger [1] »? Réticente et tendue avec les Anglo-Saxons, ouverte
sans garanties vers l'URSS, telle apparaît la politique française
dans les premiers mois qui suivent la Libération.

On ne s'étonnera donc pas de voir la question allemande passer
au premier plan [2], être volontiers exposée devant l'opinion comme
le problème central de l'univers [3] à l'heure de Yalta et d'Hiroshima. La position française est toute nourrie de souvenirs fixés
en 1815 ou en 1919. L'Allemagne, postule-t-elle, doit renoncer à
un Reich centralisé et soumis aux tentations expansionnistes. La
puissance française s'imposera naturellement sur la rive gauche du
Rhin et en Sarre. L'internationalisation de la Ruhr et de solides

1. (68), p. 88.
2. En Syrie et au Liban, en proie à une poussée nationaliste soutenue
par la Ligue arabe constituée en mars 1945, surveillée par les Britanniques, la France est bien vite isolée, malgré un ostentatoire envoi de
renforts : le 31 mai, de Gaulle recule; en décembre, l'évacuation commence, qui s'achèvera à l'automne 1946. Le Proche-Orient est désormais
inséré dans une stratégie mondiale dominée par les États-Unis et l'URSS,
débattue avec fièvre à l'ONU, dans laquelle la France ne peut guère
intervenir. Ses intérêts pétroliers en Irak sont dilués dans un consortium
où les sociétés américaines font la loi. Dans les préliminaires de la
naissance d'Israël, malgré une certaine mobilisation de l'opinion dans
l'affaire de l'*Exodus*, elle ne peut guère peser sur la détermination des
Britanniques.
3. Sauf exception : voir J. Rovan, « L'Allemagne de nos mérites »,
Esprit, novembre 1945 et décembre 1946.

réparations compléteront, pour le charbon, les machines et les crédits, ces gages de puissance territoriale arrachés à l'ennemi héréditaire. La présence des armées françaises sur les territoires en jeu donnera du poids aux propositions diplomatiques.

Cette politique qui vise à démembrer un pays pour le démocratiser tout en l'exploitant économiquement, qui voit dans le nazisme le fruit naturel de toute son histoire, rend la position française fort délicate au procès des criminels de guerre nazis de Nuremberg, malgré l'entregent de ses juristes : comment punir un peuple entier sans lui donner les moyens physiques de son repentir moral? En revanche, son réalisme s'accommode bien d'une occupation militaire dans une petite zone détachée des territoires initialement attribués aux Anglais et aux Américains, à Berlin, en Sarre, au Palatinat, en Rhénanie méridionale, puis en pays de Bade, au Wurtemberg et dans les Hesses. Au mépris des réalités historiques des *Länder* du Sud, les Français s'installent dans les morceaux de territoires qu'au vu de l'impétuosité des troupes de De Lattre seuls les Alliés anglo-saxons ont bien voulu leur concéder. Staline, lui, dont les gains à l'Est ne sont pas contestés, a refusé de céder une part de sa zone berlinoise : en *Realpolitik*, on trouve toujours plus rusé que soi. Mais ces gages territoriaux, assortis de compensations économiques et financières à la conférence de Paris de novembre-décembre 1945, qui prévoit 20 % du montant global des réparations pour la France, sont les dernières concessions faites par les Alliés. De conférences des Quatre en séances difficiles de la Commission de contrôle de Berlin, ils ne cèdent rien sur les questions de fond, Reich décentralisé, internationalisation de la Ruhr et détachement des provinces rhénanes. Dès septembre 1946, les Américains qui supportent de lourdes charges matérielles pour éviter le chaos en Allemagne, qui craignent son glissement dans l'orbite soviétique, poussent à la reconstruction politique et économique du pays vaincu : à la conférence de Moscou en mars 1947, les Français devront s'incliner.

Comment, au reste, s'étonner que cette politique ait échoué? Sans le bon vouloir des Anglo-Saxons, nos divisions auraient-elles suffi à assurer à la France une si haute place dans le concert international? La légitimité que de Gaulle donne à la politique française dès la Libération ne doit pas être sous-estimée. Mais il suffit de rappeler la chronologie. En octobre 1944, à Dumbarton Oaks, les bases de l'Organisation des nations unies sont jetées sans que la France ait été conviée à la discussion, mais les Alliés veulent bien lui réserver un siège au Conseil de sécurité. Le 11 novembre à Paris, Churchill annonce à de Gaulle que son pays pourra siéger au Comité consultatif européen qui vient d'achever ses premiers travaux, définissant les trois zones et un statut pour Berlin. Absente aux conférences décisives de 1945, Yalta, San Francisco et Potsdam, la France n'a aucune prise sur les décisions de principe qui engagent l'Europe entière et doit son statut de puissance occupante en Allemagne à l'obstination de Churchill à y plaider sa cause. Le bilan peut certes paraître très positif. La France participe dès l'automne 1945 aux conférences régulières des ministres des Affaires étrangères des Quatre. Elle siège avec droit de veto à l'ONU. Mais ce statut de super-Grand est un habit taillé un peu large pour elle.

Car la pauvreté fait loi et il faut en passer par les exigences de la diplomatie du dollar. Dès le 21 août 1945, les États-Unis ont résilié les contrats de prêt-bail. Les accords de Bretton Woods imposent aux pays démunis de contracter des emprunts auprès d'un Fonds monétaire international et d'une Banque internationale pour la reconstruction et le développement où la domination du dollar est incontestée. La France peut certes arracher le rattachement de la Sarre à la zone franc ou le paiement dans sa monnaie du pétrole irakien. Mais, dès décembre 1945, son gouvernement sollicite un prêt de 550 millions de dollars à l'Export-Import Bank pour financer les commandes minimales en matières premières et machines, ses techniciens et ses industriels peupleront des missions qui vont parcourir d'un œil envieux le pays du *big business*. En retour il fallut bien faire les premières concessions sur la question d'une administration centrale en Allemagne [1]. Au printemps de 1946, le gouvernement de Félix Gouin charge Léon Blum, Emmanuel Monick et Jean Monnet de plaider l'ensemble du dossier monétaire, économique et social français à Washington. Les accords Blum-Byrnes du 28 mai s'en tiennent formellement à la liquidation gracieuse des dettes de guerre, dont le montant,

---

1. Voir A. Grosser (44), p. 216.

complété par des prêts, pourra être affecté à la reconstruction. Mais, en contrepartie à cette aide exceptionnelle, les négociateurs français doivent promettre de laisser entrer les produits américains[1] et laissent échapper des remarques fort peu socialistes sur le rôle des nationalisations. Est-il si sûr, quoi qu'en ait dit Blum, qu'ils n'annoncent pas un alignement diplomatique et économique de grande envergure? La politique de grandeur a cédé le pas à une négociation financière et économique fort inégale. La France pauvre rentre dans le rang.

Quel salut pour l'Empire?

L'Empire ne satisfera pas davantage ses appétits de grandeur. Son rôle, pourtant, fut essentiel dans la victoire. Comment oublier l'ampleur de la mobilisation de ses hommes, Européens et indigènes mêlés, ses contributions financières et économiques à l'effort de guerre, l'importance de ses bases aériennes et navales dans la stratégie alliée? Nul ne songe donc à disputer sur son apport fondamental à la nouvelle bataille, celle du « rang ». La mystique impériale est même portée à un degré rarement égalé dans l'histoire de la colonisation française. Mais l'évolution outre-mer est trop profonde, l'exploitation économique et financière des territoires dominés trop forte, les rapports mondiaux qui préludent à la décolonisation générale trop bouleversés, pour que ce mythe compensateur fasse longtemps illusion[2]. Le réveil est triste, après beaucoup de temps perdu et d'occasions manquées.

Pour comprendre cette évolution, un rapide retour en arrière est cependant nécessaire. Face à l'active propagande de Vichy qui posait l'Empire en recours pour l'avenir, de Gaulle, symétriquement, avait condamné l'armistice en arguant avec une particulière insistance que le domaine colonial pouvait offrir des forces décisives au camp des Alliés dans un conflit qui deviendrait mon-

---

1. Les accords prévoient — détail significatif — une diffusion massive des films américains, ce qui réjouit les cinéphiles longtemps sevrés et accélère l'américanisation d'une culture de masse naissante, à l'heure de la « Série noire » et du *Reader's Digest*. Sur les conséquences politiques, voir la lettre de Robert Blum dans G. Elgey (19), p. 140-141.
2. Voir Ch.-R. Ageron (183), p. 259-292.

dial. De son côté, l'antifascisme fort jacobin de la Résistance intérieure — communistes compris — a cimenté un bloc de la liberté : l'extension outre-mer des vertus républicaines reconquises par le peuple en métropole, y soutient-on volontiers, suffira à veiller au salut d'un Empire rénové. La notion de communauté de peuples y est rarement évoquée. En revanche, elle exalte une France démocratique aux 100 millions d'habitants égaux en droits.

Toutes ces intentions, plus libérales qu'émancipatrices, ont été solennellement exposées à la Conférence de Brazzaville qui rassembla à la fin de janvier 1944 des gouverneurs des colonies, des administrateurs du Maghreb et des représentants de l'Assemblée consultative d'Alger[1]. La voix de colonisés n'y fut pas entendue pour elle-même : seul était en jeu l'avenir des rapports entre la métropole et son Empire. En Afrique française, y déclare de Gaulle, il n'y aurait aucun progrès si les hommes « ne pouvaient s'élever peu à peu au niveau où ils seront capables de participer chez eux à la gestion de leurs propres affaires ». Mais les travaux témoignent d'hésitations et de contradictions qui engagent l'avenir. La conférence s'est hardiment soustraite aux pressions de milieux d'affaires et des lobbies coloniaux en préconisant la suppression du travail forcé, l'industrialisation, des réglementations douanières diversifiées, la scolarisation massive. Elle heurte nombre de fonctionnaires et de colons en envisageant une assemblée fédérale respectueuse de la vie et des libertés locales, en renonçant à toute conception unitaire et centralisée de la gestion de l'Empire. Elle fait lever de forts espoirs chez les colonisés. Mais ses participants flottent entre le vieux rêve de l'assimilation et la nouvelle chimère de la fédération. Ses recommandations progressistes dissimulent mal un postulat posé dès le début des travaux : « Les fins de l'œuvre de civilisation accomplie par la France dans les colonies écartent toute idée d'autonomie, toute possibilité d'évolution hors du bloc français de l'Empire; la constitution éventuelle, même lointaine, de *self-governments* dans les colonies est à écarter. » Plus que jamais, « le pouvoir politique

1. Voir Ch.-R. Ageron, « De Gaulle et la Conférence de Brazzaville », dans (119), p. 243-251.

de la France s'exerce avec précision et rigueur sur toutes les terres de son Empire ».

Elle a néanmoins accrédité les termes d'Union fédérale ou de Fédération française, auxquels de Gaulle se réfère vigoureusement à Washington le 10 juillet suivant. Nombre de hauts fonctionnaires coloniaux, les ministres Pleven puis Giacobbi admettent dès mars 1945 que, sous réserve d'obligations communes, États et territoires colonisés s'intégreront dans une « Union française », entité souveraine au sein de laquelle « chacun jouera son rôle ». Le ferment de cette Union est la projection outre-mer des grands principes fondateurs de la République française. Un train de mesures juridiques en prépare l'édification. Dès le 7 mars 1944, une ordonnance affirme le principe de l'égalité pour tous les emplois publics entre Français et musulmans en Algérie; ouvre à quelque 70 000 musulmans le premier collège électoral, celui des Français; inscrit tous les Algériens âgés de 21 ans, soit 1 500 000 électeurs, dans un second collège qui désigne les assemblées locales au sein desquelles la proportion des musulmans est portée aux deux cinquièmes. Cette formule d'un double collège remanié est étendue en septembre 1945 à tous les territoires d'outre-mer. Suivent, un peu pêle-mêle, le principe de la représentation de toutes les colonies à la Constituante (août 1945), l'assimilation juridique totale en Océanie (mars), la départementalisation pour la Martinique, la Guadeloupe, la Guyane et la Réunion (19 mars 1946), l'abolition du travail forcé, la promesse d'une refonte du droit colonial : les droits de l'homme et du citoyen semblent préparer, au gré des majorités du moment, à l'assimilation autant qu'à l'émancipation.

Cette ambiguïté ne sera pas levée et l'Union française qu'instaure la Constitution de 1946 en porte la trace. La forme juridique et politique de cet agrégat fort complexe dans la mouvance de la France a été abondamment discutée, retouchée, en particulier après le rejet du premier projet constitutionnel le 5 mai 1946. Elle constitue un enjeu majeur du débat de politique intérieure[1]. Les 64 élus d'outre-mer participent activement aux travaux préparatoires, n'affichent aucun nationalisme violent, mais ne peuvent em-

---

1. Voir chap. 7.

pêcher la réunion d'« états généraux de la colonisation française »
à l'été 1946, où paradent les représentants des forces conserva-
trices de métropole et des grands intérêts d'outre-mer. Et dans
la seconde Constituante qui vote le projet présenté par le socialiste Marius Moutet, la gauche n'est plus majoritaire[1]. A une
union dont le contenu aurait pu être défini par une assemblée
d'outre-mer élue au suffrage universel — Bidault, alors président
du Conseil, l'a refusé —, on préfère donc la charte octroyée.

Le Préambule de la Constitution[2] affirme que la France n'em-
ploiera jamais sa force contre la liberté d'aucun peuple. Mais
ses trois derniers alinéas consacrés à l'Union française sont
confus et contradictoires. Définissent-ils une égalité entre des
collectivités ou entre des individus? Annoncent-ils le statut de
citoyen français pour tous les colonisés ou une fédération de
peuples égaux? L'égalité des droits peut-elle cohabiter avec une
« mission traditionnelle » de la France rappelée en termes que
n'aurait pas désavoués Jules Ferry et qui comblent d'aise modérés
et radicaux? Le titre VIII du texte constitutionnel lève un peu
l'équivoque mais introduit à son tour de singulières distinctions.
La République française « indivisible » constitue le premier élément de l'Union. Elle rassemble la métropole, l'Algérie (promise
à un statut particulier), les départements et les territoires d'outre-
mer (les anciennes colonies), qui élisent des représentants au Parlement français et sont dans la souveraineté du gouvernement de la
République. États et territoires associés en forment le second.
Leurs ressortissants ne sont pas citoyens français mais citoyens de
l'Union française, leur statut dans l'Union est « régi par l'acte
qui définit leurs rapports avec la France » : en Tunisie, au Maroc,
dans la péninsule indochinoise, dans les territoires sous mandats
de l'ONU, rien n'est changé en fait. Les organismes centraux de
l'Union française — un président qui est de droit le président de
la République française, un Haut Conseil et une Assemblée[3] —

1. Moutet inaugure dans le cabinet Gouin en janvier 1946 le ministère de la France d'outre-mer, qui succède au vieux ministère des
Colonies qu'avaient conservé les cabinets de Gaulle.
2. Voir J. Julliard (21), p. 89.
3. Composée pour moitié de représentants de la métropole (art. 66),
ce qui est en contradiction avec les principes d'égalité collective procla-
més par ailleurs dans le texte.

reçoivent de maigres attributions d'assistance ou de consultation : le vrai pouvoir législatif demeure le Parlement français, au sein duquel les élus d'outre-mer préféreront à juste titre déployer leurs efforts. Ni fédération, ni *self-government*, ni émancipation : sous couleur de rénovation et d'évolution prévue à l'article 75, l'Union française, création unilatérale de la métropole, intègre à la France ses anciennes colonies et propose aux autres États de l'ancien Empire une association fictive. Enserrée dans le carcan constitutionnel, elle risque une stérilité précoce pour vouloir figer une réalité en rapide évolution.

Le drame se noue lorsque ces dispositions se heurtent à la volonté affichée d'indépendance nationale qui transgresse les échafaudages juridiques. A la différence de la Grande-Bretagne et des Pays-Bas, la France semble déjà en retard d'une réforme. C'est que la lutte contre l'Axe avait sa logique : l'antifascisme s'accommode trop du cadre des patriotismes nationaux pour ne pas éveiller des aspirations hardies chez certains sous-officiers et des hommes des troupes coloniales engagées sans ménagement. La défaite de 1940, le conflit de souveraineté entre Vichy et la France libre sur les territoires africains et au Levant, les heurts triangulaires entre de Gaulle, Giraud et les Américains en Afrique du Nord, l'isolement de l'Indochine, les visions d'avenir divergentes entre Français libres, fidèles du maréchal ou attentistes à chaque niveau de l'administration, tout a contribué à disloquer l'unité de l'Empire et à affaiblir l'image de sa métropole. Ouvertement encouragés par les Américains qui, dès juillet 1940, militent pour l'installation d'un *trusteeship* collectif sur les colonies européennes et posent en mai 1942, avec l'accord des Soviétiques, le principe de leur internationalisation, séduits par les possibilités d'évolution rapide qu'ouvre la présence des troupes étrangères sur des territoires possédés par la France, les nationalismes indigènes prennent une belle vigueur.

En Afrique noire, le cheminement est discret avant les débats électoraux et constitutionnels de 1945 et 1946. Mais les déceptions devant le statut de l'Union française provoquent la naissance d'un Rassemblement démocratique africain, lancé par Houphouët-Boigny, qui rassemble la plupart des élus indigènes et manifeste, dès son premier congrès à Bamako en octobre 1946, un refus de l'assimilation, une acceptation purement tactique de l'Union française et qui prépare un combat démocratique de rassemblement africain. Dans les mêmes circonstances, le Mouvement démocratique de rénovation malgache assied sa puissance.

Seule, de fait, l'Afrique du Nord concentre l'attention. Observateurs attentifs de la « pétaudière algéroise [1] », le bey et le sultan y tentèrent de recouvrer une part de souveraineté et prirent le risque de fortifier les mouvements d'indépendance sous l'œil bienveillant des Américains. En Tunisie, tandis que le Néo-Destour, bien que privé de Bourguiba emprisonné, se renforce, le bey Moncef, devant le refus de toutes réformes opposé par le résident général Esteva, a formé, le 31 décembre 1942, un gouvernement de « nationalistes pacifiques » présidé par Chenik et tente de résister aux pressions des Italiens et des Allemands. Son audace lui valut d'être destitué en mai 1943 par les autorités d'Alger, avec accord des Alliés, en violation des accords de La Marsa. Son successeur fut docile aux injonctions françaises, au reste fort contradictoires et sans efficacité. Mais l'épisode a engagé l'avenir : pas plus que celle de Vichy, la France combattante n'est digne de confiance. Les nationalistes du Néo-Destour, qui ont retrouvé un leader, Bourguiba, libéré en avril 1943 et qui n'a pas succombé aux pressions italiennes visant à le présenter comme un « allié » de Mussolini, en prennent acte. Repoussant les timides réformes de février 1945, ils plaident leur cause au sein de la Ligue arabe et devant l'ONU, tout en renforçant leur influence dans les masses par la création d'une puissante centrale syndicale à recrutement musulman, l'Union générale du travail tunisien (UGTT). Au Maroc, tout autant, l'entrevue du sultan Ben Youssef avec Roosevelt à Anfa en janvier 1943 a cautionné le réveil national et l'appétit de réformes. Dès janvier 1944, tous les nationalistes sont rassemblés dans le parti de l'Istiqlāl, qui réclame hautement la fin du protectorat. En février, après des affrontements sanglants, ses chefs sont emprisonnés, mais rien n'est réglé. Les évolutions prudentes sont refusées par l'Istiqlāl comme par les colons européens.

En Algérie, les impératifs de la mobilisation font accepter du bout des lèvres en mars 1943 par les autorités françaises un Mani-

---

1. Voir J.-P. Azéma (13), p. 277 *sq.*

feste du peuple algérien rédigé dans un souci de modération par Ferhat 'Abbās et qui subordonne l'effort de guerre à la réunion d'une Assemblée musulmane et à l'engagement de négocier un statut fédéral. Ce texte minimal témoigne des vertus unifiantes de la guerre sur un nationalisme algérien historiquement divisé entre les partisans du Parti du peuple algérien (PPA) de Messali Hadj, urbain et ouvrier, les ulémas qui réveillent un nationalisme islamique et des élus de la bourgeoisie indigène longtemps séduits par l'assimilation et que regroupe Ferhat 'Abbās. En juin, des notables et des élus musulmans lui adjoignent un additif plus virulent qui exige « la reconnaissance de l'autonomie politique de l'Algérie en tant que nation souveraine ». A cette offensive, le général Catroux, installé au gouvernement général par le CFLN, de Gaulle, par son discours de Constantine du 12 décembre, opposent des réformes substantielles qui débouchent sur l'ordonnance du 7 mars 1944. Trop tard : dès le 14 mars, l'Association des amis du Manifeste et de la liberté tente de fédérer tous les nationalistes derrière 'Abbās. Désormais, grâce au dynamisme des militants du PPA, c'est « une République algérienne autonome fédérée à une République française rénovée » qui est à l'ordre du jour.

Dans un climat économique fort dégradé, avec une vive hausse des prix et une floraison du marché noir, dans le décompte des sacrifices humains de la guerre, pour la première fois les thèses nationalistes pénètrent les masses, plus vite séduites au reste par le radicalisme du PPA, qui réclame un gouvernement algérien, que par le fédéralisme d'un Ferhat 'Abbās. Cette évolution en profondeur n'est guère perçue par les autorités françaises qui prennent le risque de déporter Messali Hadj devenu un leader incontesté et charismatique, le 25 avril 1945. Pour le 1er mai, des manifestations s'ébauchent. Celles légalement autorisées le 8 mai pour célébrer la victoire contre l'oppression fasciste tournent à l'émeute en plusieurs endroits. 10 000 manifestants musulmans environ, arborant des banderoles nationalistes et le drapeau vert à croissant, résistent à la police et exécutent 29 Européens dans les rues de Sétif, avant de se répandre dans la campagne environnante, massacrant, attaquant fermes, fonctionnaires et bâtiments publics, faisant environ 100 tués. Cette agitation rassemble certes moins de 5 % de la population du Constantinois, ces ruraux massacreurs ne sont pas tous des militants nationalistes, mais il y eut bien complot, et ce sang versé révèle que la rupture est possible. La férocité de la répression du côté français la rend inévitable dans l'esprit de nombreux Algériens. Sous couvert de la loi martiale, Sénégalais, légionnaires et milices européennes, soutenus par la marine et l'aviation, ravagèrent la région et laissèrent de 6 000 à 8 000 morts [1], dont le souvenir ne sera pas perdu dans les deux communautés, mais sur lesquels l'opinion métropolitaine fut mal informée, malgré les cris d'alarme de Camus [2]. Ils ruinent les efforts à venir du libéral gouverneur Chataigneau. Ils expliquent par un réflexe d'humiliation et de peur l'âpreté du débat que suscite encore plus d'un an après à la Constituante, le 22 août 1946, ce texte d'une Constitution de la République algérienne qu'osent faire mettre en discussion les élus de la jeune Union démocratique du Manifeste algérien fondée après la répression et l'arrestation pour un temps des chefs nationalistes. Ferhat 'Abbās croit encore mener le jeu. Mais le Mouvement pour le triomphe des libertés démocratiques (MTLD), nouvelle mouture du messalisme, et le parti communiste algérien ont retrouvé sans peine une solide audience. Le dialogue en Algérie devient difficile. Car nul ne peut y oublier Sétif, cette authentique « tentative manquée d'insurrection nationale [3] ».

« *Doc Lâp* », *ce mot intraduisible.*

En Indochine, le dialogue est déjà rompu. Les atermoiements et les incohérences de la politique impériale y sont portés au seuil critique. La guerre s'ensuivra, prise en charge par la IVe République. Pourtant, l'affaire, mal perçue par l'opinion, a constamment retenu l'attention des responsables, et la presse a « couvert »

1. Ch.-A. Julien (188), p. 263 et 379, R. Aron *et al.* (192), p. 91-169, Ch.-R. Ageron (191), p. 564-575, s'en tiennent à ces chiffres. Les autorités civiles annoncent 1 500 morts au plus, des sources américaines avancent imprudemment au moins 35 000 victimes.
2. Voir ses articles dans *Combat* du 13 au 23 mai 1945, en partie repris dans *Actuelles III,* Gallimard, 1958.
3. Ch.-R. Ageron (191), p. 587, et « les troubles du Nord-constantinois en mai 1945. Une tentation insurrectionnelle ? », *Vingtième Siècle. Revue d'histoire,* n° 4, octobre 1984, p. 23-38.

ses rebondissements. Dès décembre 1943, le CFLN ambitionnait d'y accorder des institutions propres, et la Conférence de Brazzaville adressait son premier message à « l'Indochine captive ». Mais, le 8 décembre 1945, Jean Sainteny, commissaire de la République au Tonkin, écrivait : « ... Il faut se battre sans rien, sans soutien, sans directives, sans but[1]. » Dur manquement qui conduisit à jeter des peuples dans une guerre sans fin et, avant l'Algérie, à discréditer les pères fondateurs d'un régime.

Le coup de force japonais du 9 mars 1945 a noué les données d'un problème dont Paris perçoit mal la complexité. En quelques heures, les Nippons ont éliminé l'armée et l'administration françaises maintenues depuis 1940 dans la mouvance de Vichy par l'amiral Decoux. Ils laissent volontiers Bao-Daï et Sihanouk proclamer, le 11 mars, l'indépendance du Vietnam et du Cambodge : à quelques semaines de la destruction d'Hiroshima, les militaires japonais transmettent aux nationalistes de la péninsule le soin d'éliminer l'homme blanc. Le gouvernement provisoire réagit à contretemps par une déclaration du 24 mars 1945 qui, dans l'esprit de Brazzaville, mais très en deçà des vœux des combattants indigènes, promet des libertés locales dans le cadre d'une Union française à construire tout en maintenant un gouvernement général sur place : vœux platoniques, puisque Paris n'a aucun moyen d'intervention, et qui trahissent une forte myopie. Car, derrière les Japonais et Bao-Daï, il eût fallu distinguer la poussée des forces nationalistes qui ont entamé un difficile processus de rassemblement dès 1941 avec la formation d'un Front de l'indépendance (ou Viêt-minh), au sein duquel les communistes menés par Hô Chi Minh exploitent le thème patriotique contre « le fascisme japonais et français ». Sur le terrain, dans la lutte contre les Japonais et les vichystes, les maquisards du Viêt-minh, soutenus par les Américains et la Chine de Chang Kai-chek, renforcent une guérilla animée par Giap et tiennent solidement toutes les montagnes du Tonkin frontalières de la Chine : le Kouo-min-tang chinois joue la carte des nationalistes non communistes mais ne peut guère discuter la force de rassemblement qu'incarne « l'oncle Hô ». D'habiles tractations, menées par Sainteny avec le Viêt-minh et

1. Cité par G. Elgey (19), p. 152.

laissant entendre qu'une indépendance est possible dans quelques années, isolent Bao-Daï à l'été 1945, au moment où le Japon s'effondre. En août, les troupes viêt-minh deviennent l'Armée de libération nationale, l'insurrection générale est déclenchée, des comités populaires s'installent dans les campagnes, Bao-Daï abdique le 25 : le 2 septembre à Hanoi, au nom des principes de 1789 et de la Charte de San Francisco, le Viêt-minh proclame l'indépendance du Vietnam et la République démocratique. Le front uni a vaincu : démocrates, nationalistes, catholiques et bouddhistes côtoient les communistes dans un gouvernement d'union nationale que forme Hô Chi Minh et qui reçoit l'appui d'un « conseiller », Bao-Daï, et de la Chine, dont les armées désarment partout les Japonais et soutiennent des nationalistes vietnamiens conservateurs.

On pouvait croire que la France imposerait alors ses ambitions. Il n'en est rien. Car les Alliés, à Potsdam, ont décidé sans elle que l'Indochine serait partagée sur le 16e parallèle : les Chinois recevront la reddition nippone au Nord, les Britanniques au Sud. La France est hors jeu. De Gaulle ne peut que dépêcher sur place dès la fin des hostilités en Allemagne la 2e DB de Leclerc, sans remettre en question un projet de Fédération indochinoise intégrée dans l'Union française visiblement dépassé par les événements. Le 16 août 1945, Leclerc est placé à la tête des maigres forces terrestres d'Indochine, et, le 17, un autre gaulliste, moine botté et amiral, Thierry d'Argenlieu, est nommé haut-commissaire : ils doivent ignorer les autorités de fait, rétablir celle de la France par tous les moyens et s'en tenir à la déclaration du 24 mars.

Ils réinstallent certes rapidement la présence physique de la France. Les Anglais lâchent la Cochinchine sans difficulté, Leclerc entre à Saigon le 5 octobre, une brillante chevauchée de ses blindés nettoie le Sud, tandis que le Cambodge et le Laos s'empressent de renouer avec la France. D'Argenlieu, convaincu que le Viêt-minh est disloqué au Sud, se retourne contre colons et administrateurs vichystes accusés sans pitié de « collaboration », ressuscite des comités de notables indigènes du plus pur style colonial. Déjà le malaise s'installe entre les Français d'Indochine et leurs libérateurs. Mais, au Nord, Leclerc a bien senti que les blindés ne suffisent pas pour prendre pied, qu'il faut négocier avec Hô Chi

Minh et les Chinois et, cette fois, répondre clairement aux revendications essentielles des nationalistes : l'indépendance nationale et l'unité territoriale des trois Ky (Annam, Tonkin, Cochinchine). Ce que Paris accepte, pour gagner du temps et sans trop penser aux conséquences. Le 28 février 1946, moyennant l'abandon par la France de ses concessions à Shangai, T'ien-tsin, Han-k'eou et Canton, la Chine accepte la relève de ses troupes par les hommes de Leclerc au Tonkin, tout en appuyant en sous-main Hô Chi Minh qui négocie dans le même temps avec Sainteny. Le 6 mars, l'accord intervient. Sainteny et Leclerc ont su exploiter le retournement de situation offert par les succès de la 2e DB et convaincu le gouvernement Gouin de leur laisser les mains libres pour gagner de vitesse leur interlocuteur et conclure une paix qui remettra en selle les non-communistes au Nord avant que Giap ait le moyen de déclencher l'insurrection communiste généralisée. Hô a choisi la paix française contre la présence chinoise, pour gagner lui aussi du temps. Le gouvernement vietnamien accueillera « aimablement » l'armée française, qui s'engage à évacuer le pays dans cinq ans. Un référendum doit régler la question des trois Ky. Et le « Doc Lâp » vietnamien, que l'on pouvait transcrire au gré du rapport de force en « liberté » ou « indépendance », se glisse dans la formule d'un « État libre » du Vietnam inscrit dans la Fédération indochinoise, elle-même partie de l'Union française : sur ces deux points cruciaux, Hô a cédé. L'avenir s'éclaircit.

En quelques mois, cette ouverture est condamnée, sur l'initiative de Thierry d'Argenlieu, soutenu par les gaullistes et qui ne reçoit aucun désaveu du général. L'amiral considère l'accord du 6 mars comme un nouveau Munich. Sa manœuvre consiste à soutenir que la Cochinchine, ancienne colonie, purgée des communistes, ne peut être mise sur le même pied que l'Annam et le Tonkin. Suivie d'un œil attendri par les grands intérêts économiques et financiers, ostensiblement approuvée dans la presse « apolitique » de métropole, elle séduit vite la droite et le MRP, fait des ravages dans la SFIO et ébranle le ministre Marius Moutet : en divisant pour régner — vieux principe colonial —, la métropole tiendra mieux la Fédération indochinoise; en installant un gouvernement de notables sûrs à Saigon, ajoutent les plus déterminés, on disposera d'une plate-forme utile pour une reprise en main totale de la péninsule. Le 1er juin 1946, d'Argenlieu fait proclamer une République autonome de Cochinchine et installe un gouvernement dévoué : la nouvelle surprend Hô Chi Minh le lendemain, dans l'avion qui le conduit en France pour suivre une négociation dont l'enjeu principal est l'union des trois Ky! Le 12, Gouin démissionne après le rejet du premier projet constitutionnel, mais sans avoir eu le courage de désavouer d'Argenlieu. Bidault, qui lui succède le 19, est décidé à ne plus rien céder au Viêt-minh après le texte du 6 mars : une lettre de Leclerc à Maurice Schumann, qui affirme que la partie est gagnée par la France et qu'on peut désormais considérer Hô comme « un grand ennemi[1] », a achevé de le persuader. La conférence de Fontainebleau court donc fatalement à l'échec : son *modus vivendi* final du 14 septembre, signé par Moutet et Hô Chi Minh, se contente de ne pas claquer la porte.

Déjà, de part et d'autre, les partisans de la guerre sont à pied d'œuvre. D'Argenlieu fait cavalier seul, tisse autour de sa Cochinchine un projet de fédération qui exclut le Nord; l'administration, les colons et l'armée enregistrent les progrès des maquis nationalistes et parlent de donner une « dure leçon » aux Viêt-minh; à Hanoi, les prochinois s'effacent et les éléments communistes les plus durs installent la guérilla contre les troupes françaises. A Paris, à l'automne 1946, une forte campagne de presse se déchaîne contre une « politique d'abandon » qui mettrait en cause tout l'édifice de l'Union française : le MRP et les radicaux suivent, les socialistes semblent frappés de paralysie, les communistes se taisent. Dans un climat de confusion, l'inévitable est ainsi soigneusement préparé. En réplique aux attentats contre les garnisons françaises et aux premiers meurtres d'Européens, les militaires, couverts par les autorités locales et par Bidault, bombardent et nettoient le port stratégique d'Haiphong, au prix d'environ 6 000 morts, le 23 novembre. Un télégramme d'Hô Chi Minh expédié le 15 décembre à son ancien camarade de parti, Léon Blum — devenu président du Conseil dans l'entrefaite et qui plaide pour des négociations franches sur la base de l'indépendance[2] —, est

1. Cité par G. Elgey (19), p. 161-162.
2. Voir *le Populaire*, 11 décembre 1946.

retenu à Saigon par l'entourage de Thierry d'Argenlieu et ne parvient à son destinataire que le 26. En vain. Le 19, les hommes de Giap ont frappé dans Hanoi, laissant plus de 200 victimes. Hô Chi Minh retourne à la clandestinité et y annonce qu'il faut chasser les Français « par tous les moyens ». Blum, aussi douloureusement frappé qu'à l'été 1936 devant les événements d'Espagne, cautionne l'envoi des renforts français et la mise en place d'un engrenage fatal, qu'on retrouvera à l'heure de l'Algérie : pas de négociation avant la victoire militaire sur le terrain [1].

N'ayant pas su clairement choisir entre la fermeté et la négociation, endossant un héritage gaullien de présence française qui ne tirait pas les conséquences des nouveautés liées à la guerre et de la profondeur du fait national, incapable de ramener sur place au sens de l'obéissance ses représentants civils et militaires, la République se laisse entraîner dans une guerre qu'elle prétendait éviter. Elle affronte un peuple qui ne trouvera bientôt d'autre recours que le Viêt-minh. En métropole et dans le monde, ce qui deviendra « la sale guerre » ouvre le premier chapitre de « son affaire Dreyfus [2] ».

---

1. Sur l'embarras des socialistes, voir D. Le Couriard, « Les socialistes et les débuts de la guerre d'Indochine, 1946-1947 », *Revue d'histoire moderne et contemporaine,* avr.-juin 1984, p. 334-353.
2. Voir Ph. Devillers (199), p. 359.

2

La République du moindre mal

1946 - 1952

7

Le régime des partis

Avec le départ du général de Gaulle, le paysage politique est bouleversé. Les partis majoritaires qui se sont reconstitués sous son ombre reçoivent la charge de faire sortir le pays d'une situation provisoire supportée avec une lassitude croissante; l'Assemblée qui les abrite est légitimée par la double consultation de l'automne 1945. Pourtant, le peuple n'aurait-il parlé que pour déléguer ses pouvoirs aux partis? La classe politique n'en doute pas. Son ardeur à régler la question constitutionnelle témoigne d'une belle fidélité à son mandat. Mais les pratiques qui accompagnent la gestion des affaires courantes comme l'élaboration du texte suprême, la nature des nouveaux enjeux engagent avant la lettre l'esprit et l'efficience du nouveau régime en gestation. De fait, au soir du 20 janvier 1946, l'ère du provisoire était bien close.

Le tripartisme.

Que communistes, socialistes et républicains populaires fussent maîtres du jeu, on le savait depuis le 21 octobre 1945 et de Gaulle en tira les leçons pour son propre compte. Leur mariage de raison entérine donc une cohabitation ancienne. Mais le contrat sacrifie les inclinations aux intérêts. La constitution du second gouvernement provisoire en témoigne. Chacun entend agir vite, pour éviter une vacance du pouvoir qui soulignerait davantage encore le divorce entre le général et ses successeurs. Mais le parti communiste souhaite valoriser le verdict des urnes qui a fait de lui la première force du pays pour mieux négocier sa participation au pouvoir. Il pose la candidature de Thorez à la tête du gouvernement, prenant ainsi le risque d'exciter l'anticommunisme déjà vigoureux chez ses partenaires. La SFIO refuse toujours un tête-à-

tête avec lui dans une coalition de type Front populaire, par
crainte d'un engrenage qui mènerait à une démocratie populaire,
et souhaite un gouvernement triparti. Tacitement, les « partis
marxistes », majoritaires dans le pays, s'en remettent donc à l'arbitrage du MRP. Lequel hésite pendant 48 heures : en suivant le
général, le « parti de la fidélité » pourrait certes se renforcer en
prenant la tête de l'opposition, mais est-il prudent et conforme
aux idéaux de la Résistance d'abandonner le pays à une coalition
marxiste? S'il choisit de participer au gouvernement, à condition
qu'un socialiste en ait la direction, c'est sans doute après une
intervention ouverte du général Billotte, chef d'état-major général
adjoint qui, au nom de l'armée, met en garde Maurice Schumann
contre « le pire », un gouvernement Thorez entraînant aussitôt
des représailles militaires, économiques et diplomatiques de la
part des États-Unis [1].

De tous côtés la démocratie est biaisée : le débat est transféré
de l'Assemblée élue au sein du gouvernement, puis du cabinet au
sein des états-majors de partis. Le tripartisme repose désormais
sur une alliance acceptée à défaut d'autre solution, puisque aucun
parti n'entend s'éloigner du pouvoir à l'heure des échéances constitutionnelles. Les communistes ne souhaitent pas un tête-à-tête
avec le MRP; les socialistes pas davantage, le MRP moins encore,
avec le PC : seule la pratique gouvernementale permettra de peser
sur la décision, quitte à se décharger sur les partenaires du choix
des mesures impopulaires. La charte du tripartisme signée le 24 janvier n'est pas un accord de gouvernement mais un simple proto-
cole de bon voisinage; l'alliance est conflictuelle, les fiefs ministériels partagés au plus juste, la solidarité conçue comme un armistice prolongé. Voici le pays livré à une politique de la restriction
mentale. Un socialiste, Félix Gouin, ferme président d'une Constituante agitée, reçoit l'aval des trois formations, après que les
communistes eurent récusé Auriol : la responsabilité du gouvernement échoit à la formation la plus faible, à un humaniste courtois capable d'apaiser les inévitables conflits en Conseil des
ministres.

---

1. Texte de cette lettre dans G. Elgey (19), p. 102-106.

Gouin, investi par l'Assemblée le 23 janvier, prie les partis de se répartir les portefeuilles. L'équipe qui reçoit la confiance des députés le 29 rassemble donc leurs mandataires : 7 SFIO, 6 MRP et 6 communistes. Francisque Gay et Maurice Thorez se partagent les vice-présidences du Conseil, le MRP conserve les Affaires étrangères, les communistes le Travail et la Production, les socialistes l'Outre-mer, l'Agriculture et l'Éducation. Les deux postes les plus impopulaires, le Ravitaillement et les Finances, auraient été volontiers abandonnés à quelques bonnes volontés extérieures aux trois formations : c'est acquis pour le Ravitaillement, confié à un bon technicien, Longchambon, mais le parti radical, exclu du partage des dépouilles, interdit à Mendès France d'accepter les Finances. De guerre lasse, le socialiste André Philip les prend en charge avec l'Économie en promettant d'ailleurs d'appliquer la politique de Mendès France. Le 31 janvier, Auriol, placé en réserve de République au fauteuil laissé vacant par Gouin, peut en conscience prononcer un original discours sur les vertus de l'opposition en démocratie. Mais de nombreux Français, déjà, s'interrogent : où est le pouvoir? Dans les mains habiles de Félix Gouin? Dans l'hémicycle du Palais-Bourbon, où les députés votent sans rechigner les projets élaborés par les « groupes » parlementaires? Seuls trois partis, en réalité, imposent leur loi et peuplent « leurs » départements ministériels d'hommes fidèles.

Comment s'étonner dès lors que le tripartisme façonne une constitution qui entérine sa position de force et ménage un bel avenir pour ses membres? L'accord du 24 janvier ne disant mot du problème constitutionnel, le gouvernement ne s'en mêlera pas : comme il avait été signifié à de Gaulle à l'automne précédent, il sera réservé à la seule diligence de l'Assemblée, c'est-à-dire aux partis. De fait, dans le cadre de la loi du 2 novembre 1945 — qui est une sorte de « préconstitution » réglementant le travail de la Constituante et son rapport avec le gouvernement —, sa Commission de la Constitution est à pied d'œuvre depuis le 4 décembre sous la présidence d'André Philip. La loi lui accorde 7 mois pour élaborer un projet et le soumettre au pays : elle tient le pari. Socialistes et communistes ont pu imposer leur volonté au terme de forts débats d'une haute tenue intellectuelle, dont l'évocation émeut aujourd'hui encore les juristes, qui dissèquent les mérites comparés de la démocratie à l'anglaise, du présidentialisme américain et du régime d'assemblée, des Droits de l'homme, de la séparation des pouvoirs et de la démocratie « absolue[1] ».

Les enseignements de l'histoire constitutionnelle de la IIIe République, la pertinence des nombreux projets de réforme publiés avant la guerre laissaient espérer un texte réduisant la puissance du Parlement, restaurant l'autorité du gouvernement et amorçant une profonde évolution de l'État. Des hommes aussi opposés que Tardieu et Blum avaient poussé l'analyse de ces réformes nécessaires dans *la Réforme de l'État* en 1934 et dans *A l'échelle humaine* en 1945. C'était faire fi des circonstances. Le souvenir obsédant de Vichy, si autoritaire, si méprisant pour le régime d'assemblée et refusant de consulter le peuple sur son avenir, remet en selle le parlementarisme comme expression d'une démocratie pluraliste et d'un jacobinisme de rassemblement et d'innovation : après celle des soldats de l'An II, voici l'heure des conventionnels. L'ombre d'un De Gaulle plus proche de Bonaparte que de Cincinnatus dans l'esprit des partis de gauche renforce la méfiance contre l'autoritarisme et l'exécutif fort. Mais, à l'inverse, la crainte de laisser le champ libre à un parti communiste tout-puissant au sein d'une Assemblée trop nombreuse et facilement manipulable introduit le trouble dans les rangs des tenants du régime parlementaire. Il faut comprendre enfin que tous les constituants ne séparent pas la souveraineté nationale de son expression démocratique par des partis solidement enracinés, à l'écoute de la société et capables de traduire ses aspirations : les masses qui ont fait irruption dans la vie politique au xxe siècle, jadis manipulées par le parti unique des fascismes, reprennent l'initiative dans un cadre pluraliste. Comment les hommes du tripartisme pourraient-ils, au reste, être sensibles à la notion de majorité parlementaire, ce point faible de toute l'histoire ultérieure de la IVe République, alors qu'ils rassemblent les trois quarts de l'électorat et disposent d'une assise parlementaire comme on n'en a jamais connu depuis

---

1. Voir G. Vedel, « Les institutions de la IVe République », dans (25), p. 13-25; J. Julliard (21), chap. ii, et « La Constitution de la IVe République : une naissance difficile », *Storia e Politica*, 1975 (1-2), p. 140-162.

1789? Le tripartisme, c'est la stabilité, le libre contrat, une majorité confortable, des politiques de rechange négociables sans bouleversement électoraux et parlementaires. La tentation est grande d'institutionnaliser les facilités du moment.

Cette assurance n'efface pourtant pas les arrière-pensées. Les communistes veulent une Convention, un régime d'assemblée unique sans séparation des pouvoirs où la souveraineté du peuple s'affirme à travers ses députés, sans intermédiaires ni arbitre suprême. Un président de la République honorifique est tout juste toléré. Révocabilité des élus, proportionnelle, vaste forum où les mandataires de la classe ouvrière pourront parler haut, contrôler les ministres bourgeois et exciter la diligence des camarades délégués au gouvernement : leur projet déposé le 23 novembre 1945 entre parfaitement dans le cadre de cette « démocratie avancée », première étape sur le chemin d'un socialisme à la française, dont Maurice Thorez posera pour l'avenir la première expression publique dans une interview au *Times* le 17 novembre 1946. Les socialistes perçoivent bien la manœuvre, mais leur hostilité au pouvoir personnel incarné par de Gaulle est telle qu'ils font volontiers front commun avec les communistes sur le thème de l'assemblée unique et de la toute-puissance de la majorité parlementaire. Ils peuvent se diviser sur les détails : Guy Mollet, dont l'autorité monte dans le parti, soutient au sein de la Commission les prérogatives de l'Assemblée et des partis, tandis qu'Auriol, tout en exerçant continûment ses talents de conciliateur entre les groupes, plaide pour les idées de Blum sur les impératifs d'une majorité stable signant un contrat de législature et la valeur démocratique du référendum. Face aux « marxistes » alliés sur l'essentiel, le MRP se bat pour l'indépendance et l'autorité de l'exécutif, défend les prérogatives d'un président de la République et n'entend pas abandonner le principe d'une Chambre haute, contrepoids aux turbulences de l'Assemblée élue au suffrage direct. Il ménage ainsi son image de parti démocratique rempart contre le communisme et ne s'éloigne pas trop, pense-t-il, des idées de De Gaulle. Mais il est minoritaire : François de Menthon, rapporteur de la Commission, démissionne le 2 avril dès que ses idées sont repoussées. Le très progressiste Pierre Cot lui succède et plaide pour un projet qui satisfait socialistes et communistes et que l'Assemblée adopte difficilement, par 309 voix contre 249, le 19 avril[1].

Le texte soumis au peuple par voie de référendum perpétue donc le système qui fonctionne depuis le 2 novembre 1945. Une minutieuse déclaration des droits politiques, sociaux et économiques le précède, directement inspirée des valeurs de la Résistance et des projets d'extension des principes de 89 proposés depuis près d'un demi-siècle par la Ligue des Droits de l'homme, qui comptait de nombreux militants au sein de la Commission. De fait, il innove, en posant le peuple et non la nation comme principe de toute souveraineté, en reconnaissant le droit à la résistance contre l'oppression et en considérant les citoyens — et citoyennes, saluées dès l'article premier — comme des producteurs auxquels sont garantis l'éducation, la formation professionnelle, l'emploi, des ressources minimales, le droit de grève et d'association. Ce progressisme sous-tend une architecture constitutionnelle dont l'Assemblée nationale est le pilier. Unique, mandatée pour cinq ans, elle élit un président de la République — dont la survivance est due à l'alliance inattendue du MRP et du PC au sein de la Commission — et le président du Conseil : ses pouvoirs sont sans limites, puisque les mécanismes de sa dissolution sont volontairement complexes, difficilement applicables et que le contrat de législature est ignoré. L'Union française ne mérite pas un titre particulier. Dans les départements le pouvoir des préfets est rogné au profit des conseils généraux. En bref, un régime d'assemblée où les partis prennent le peuple en charge.

Est-ce la crainte du monocamérisme conjuguée avec la poussée d'un net anticommunisme qui se nourrit du spectre d'un PC dominant une assemblée omnipotente, lourde et bavarde? Est-ce le fait que pour la première fois un référendum agit à l'état pur, sans qu'une personnalité prestigieuse jette son poids dans le camp du *oui?* A la surprise générale, la réponse des Français le 5 mai 1946 est négative : 10 584 359 *non* contre 9 454 034 *oui.* Ce résultat, unique dans l'histoire nationale, intervient après une campagne indécise, au cours de laquelle MRP et communistes se sont vive-

1. Il figure, avec le texte définitif de la Constitution et de nombreuses annexes, dans le recueil publié sous la direction de G. Burdeau, « Les institutions de la IVe République », *Documents d'études*, n° 10, La Documentation française, octobre 1970.

ment opposés et de Gaulle s'est tu. Communistes et socialistes, parrains du texte, essuient leur premier échec depuis la Libération. Le MRP triomphe et perçoit que la défense des libertés lui permettra de souder son électorat. Juste calcul : un sondage *a posteriori*, en mai, révèle que, pour les électeurs qui ont voté *non*, 50 % l'ont fait par anticommunisme et pour défendre les libertés, contre 22 % seulement parce que le texte leur semblait mauvais et 10 % pour obéir aux consignes d'un parti. Certes, le nouveau vote des femmes a sans doute été décisif et fait triompher le *non*. Mais de nouveau voici l'électorat français divisé en deux blocs sensiblement égaux, pour ou contre une gauche dominée par les communistes, pour ou contre le mariage du marxisme et de la liberté.

Aux élections de la seconde Constituante, le 2 juin suivant, les électeurs confirment leur choix de mai : le MRP, meilleur partisan du *non*, progresse, le PC résiste, la SFIO perd du terrain tandis que les radicaux et modérés ont déjà repris souffle après leur laminage de 1945 :

inscrits : 24 696 989 ; suffrages exprimés : 19 881 339 (80,5 %)

	voix	% des suffrages exprimés	sièges	gains ou pertes sur 1945
PCF	5 243 325 *	26,4	146	— 2
MRP	5 614 254	28,2	161	+ 18
SFIO	4 234 114	21,3	115	— 20
radicaux RGR	2 203 288	11,1	37	+ 6
indépendants, PRL modérés	2 586 358	13	63	— 2

* Tenir compte des 44 000 voix recueillies par les 10 listes trotskistes. L'extrême gauche antistalinienne confirme ses scores déjà remarqués en 1945 : une minorité s'impatiente au sein de la classe ouvrière et une frange de l'électorat communiste rejette la « collaboration de classe » du parti.

Le tournant de l'été 1946.

Cette nouvelle donne marque un tournant dans l'histoire politique de l'après-guerre et dépasse l'enjeu constitutionnel qui a provoqué sa distribution. La gauche communiste et socialiste n'est plus majoritaire dans le pays : près de 9,5 millions de suffrages contre 10 400 000 environ à un bloc qui rassemble républicains populaires, radicaux, indépendants et modérés de tout poil. La parenthèse ouverte par la Libération se refermerait-elle et le clivage gauche-droite organiserait-il de nouveau le suffrage? Rien n'est moins sûr puisque le MRP joue toujours la carte du tripartisme. Mais un reclassement est en cours : une défense de la République fondée sur la liberté et l'anticommunisme est désormais rentable, donne épine dorsale à la majorité de rechange qui s'installe du centre gauche à la droite et dont le MRP pourrait être le fédérateur.

S'établit donc une situation d'attente, entre un tripartisme toujours installé mais idéologiquement éclaté et une solution de Troisième Force. La SFIO ne peut plus jouer son rôle de pivot : affaiblie, le temps joue contre elle, car elle n'a pas choisi entre l'union de la gauche et une union nationale dans l'esprit de la Résistance, réalisée avec de Gaulle mais impossible sans lui, dès que le MRP autonomise son électorat et ses slogans. Sur les libertés, la justice sociale, la paix et la sécurité collective, ses arguments électoraux ont été moins percutants que ceux des autres formations : elle perd plus du dixième de ses voix, ayant mécontenté une part de l'électorat qu'elle avait conservé en 1945 et qui se disperse vers le PC, le MRP ou les radicaux. Ses militants déçus compensent l'échec dans un retour aux sources marxistes et dans la nostalgie de l'unité ouvrière. Sa direction, menée par Daniel Mayer, soutenue vigoureusement par Blum qui ne désespère pas d'un renouveau doctrinal et d'une nouvelle pratique sociale du parti, est mise en minorité au Congrès d'août. Une opposition composite, autour de Guy Mollet, un obscur militant devenu député-maire d'Arras après une belle Résistance dans l'OCM, s'inquiète de la « radicalisation » du parti, des concessions aux classes moyennes, du légalisme dans les réformes de structure, exhibe en talisman un marxisme d'une belle eau guesdiste. Elle fait repousser le rapport moral de Daniel Mayer, mais le Congrès ovationne Blum et adopte un rapport d'orientation qui ne reprend pas ses thèmes! C'est dire que l'élection de Guy Mollet au Secrétariat général par le Comité directeur du 4 septembre est une surprise, mais qu'elle distrait du malaise : les fidélités au parti et à ses sources doctrinales, vertus principales du maire d'Arras, offrent, croient tous les socialistes, la seule base de repli. Dans sa presse, dans l'esprit de ses militants et de ses élus, le ton a changé : l'esprit laïc nourrit une vive méfiance face au MRP, le refus du modèle soviétique est déjà affiché pour combattre idéologiquement le PC.

A la défaillance socialiste s'ajoute le réveil des silencieux. La « gauche républicaine » donne des signes d'impatience face à la « dictature » de trois grands partis : en clair, sur le thème des libertés et la dénonciation des excès de l'épuration, la droite et le centre renaissent. Le PRL de Michel Clemenceau, « social », désireux de prendre langue avec les radicaux, récusant l'étiquette de droite, se maintient tant bien que mal. L'Alliance démocratique de Flandin, les républicains indépendants, le parti paysan de Paul Antier, ne sont pas davantage absorbés par le gonflement à droite de l'électorat MRP. Et surtout, à la confluence du radicalisme et des espoirs déçus du travaillisme, un personnel politique largement rénové s'installe, prêt à saisir la moindre faille dans le dispositif du tripartisme, ragaillardi par le succès du non au référendum dont il n'hésite pas à s'attribuer une bonne part. Au parti radical, les « néo-radicaux » d'avant-guerre hostiles au Front populaire, Émile Roche, Martinaud-Deplat, Henri Queuille, René Mayer et Jean-Paul David, l'emportent au Congrès d'avril 1946 contre les partisans de l'union avec la gauche menés par Pierre Cot, Albert Bayet, Jacques Kayser, tandis que Mendès France reste sur la réserve. Ils ont fondé le Rassemblement des gauches républicaines (RGR), antimarxiste, passéiste, terre d'asile des modérés. L'UDSR, débris du grand parti de la Résistance humaniste, n'a d'autre choix que de s'y rassembler avec la famille radicale épurée, quitte à y côtoyer, au hasard des circonscriptions et des combats difficiles, les derniers bataillons des fidèles de La Rocque, des socialistes indépendants reconstitués par Paul Faure et d'authentiques hommes de droite camouflés. Dans le cas du RGR rôdent et s'aiguisent les appétits de pouvoir, se côtoient jeunes hommes de la Résistance et vieux caciques de la IIIe.

Autrement spectaculaire est le retour en scène du général de Gaulle. Pendant six mois il s'est tu. Le 16 juin, jour anniversaire de la libération de Bayeux, il y prononce un discours demeuré célèbre, qui marque sa rentrée politique. Le 1er janvier 1946, il avait signifié à André Philip le point de départ de son analyse : « Veut-on un gouvernement qui gouverne ou bien veut-on une Assemblée omnipotente désignant un gouvernement pour accomplir ses volontés[1] ? » La victoire du non, à laquelle, par découragement ou par tactique, il ne prend aucune part, il la revendique abusivement à Bayeux, en signe de nouvelles noces entre un sursaut collectif et l'homme du 18 juin. La « vieille propension gauloise aux divisions et aux querelles » réveillée par le régime des partis est en échec : l'heure est venue de construire pour sauver le prestige et l'autorité de l'État des institutions neuves endiguant « notre perpétuelle effervescence politique ». Le classicisme n'est pas absent des propositions de Bayeux : bicamérisme, hommage au Sénat, séparation des pouvoirs, responsabilité ministérielle. La nouveauté du discours tient au rôle du président de la République, chargé d'établir « un arbitrage national qui fasse valoir la continuité au milieu des combinaisons », placé au-dessus des partis et n'étant pas leur mandataire, « élu par un collège qui englobe le Parlement, mais beaucoup plus large et composé de manière à faire de lui le président de l'Union française en même temps que celui de la République ». Mais la réflexion gaullienne ne dépasse pas encore le cadre d'un parlementarisme efficace. Le chef de l'État en effet a charge « d'accorder l'intérêt général quant aux choix des hommes avec l'orientation qui se dégage du Parlement »; le premier des ministres « dirige la politique et le travail du gouvernement », Matignon existe face à l'Élysée, le Parlement veille au maintien des grandes orientations promises aux élections. Au chef de l'État, dit le texte, les charges de continuité, d'arbitrage, de garantie de l'indépendance nationale et, « aux moments de grave confusion », le droit d'en appeler au pays par des élections à nette allure de référendum. C'est beaucoup. Pourtant, le texte n'introduit pas

---

1. Ch. de Gaulle (68), p. 644.

directement, quoi qu'en disent aussitôt ses adversaires, au bona-
partisme ou au régime présidentiel. Certes, comme le souligne
Blum[1], sa logique conduit à la Constitution américaine ou à
celle de la IIe République. Mais rien ne démontre que de Gaulle
la perçoive ou veuille la faire aboutir. Jamais, sous la IVe République, il ne répondra à la question laissée en suspens à Bayeux :
quelle est la source de cette souveraineté d'exception et d'arbitrage
dévolue au chef de l'État? Le 18 juin 1940 et le 26 août 1944
sont encore trop proches pour que le héros des deux journées
puisse laisser croire que sa légitimité aurait besoin des béquilles
d'un texte. Et, pour l'instant, l'effritement du tripartisme est trop
prometteur pour que, dans l'entourage du général, on ne rêve
pas d'un rassemblement des Français favorables aux thèses de
Bayeux, démarqué des partis mais ménageant toutes les hypothèses d'avenir, fussent-elles strictement parlementaires : fin
juillet, René Capitant fonde — sans grand succès — l'Union
gaulliste pour la IVe République.

Des jalons sont donc posés pour fermer un jour la parenthèse
ouverte à la Libération. Mais, à l'été 1946, quand surgit la menace
d'un gaullisme, la majorité n'entend pas renoncer si vite aux
avantages du tripartisme. Les communistes sont trop avides
d'union élargie; le MRP tient trop à une alliance future avec la
SFIO contre le PC et la droite pour la contraindre, en rompant
l'alliance, à rejoindre un Front populaire; les socialistes sont
trop inquiets pour renoncer aux maigres chances d'arbitrage qui
leur restent au sein de la coalition. Chacun sent que le tripartisme
est condamné, qu'il ne parvient ni à tenir les prix ni à donner au
pays un statut international honorable. Mais les partis entendent
en user pour aborder favorablement les élections et négocier
ensuite une nouvelle politique en position de force. L'obsession
de l'heure, sortir au plus vite du provisoire, masque une volonté
qui ne demande qu'à s'affirmer, sortir du tripartisme.

La course de vitesse s'engage. Le leader du parti majoritaire,
Georges Bidault, forme sans difficulté un nouveau gouvernement
investi le 26 juin, non sans avoir exploré les possibilités d'un cabinet
MRP homogène avec soutien des socialistes. Toujours un techni-

---

1. *Le Populaire*, 21 juin 1946.

cien en dehors des partis au Ravitaillement, Yves Farge, une poussée MRP aux Finances et à l'Économie nationale, confiées à Robert Schuman et à François de Menthon : le résultat des élections est entériné, mais les changements sont mineurs. L'équipe a charge d'expédier les affaires courantes et d'affronter l'orage social tandis que l'Assemblée extirpera au mieux l'épine constitutionnelle. Sa Commission, présidée cette fois par les vainqueurs en la personne de Paul Coste-Floret, travaille vite et dans une marge étroite, circonscrite entre l'hypothèque de Bayeux, le rejet impératif des institutions de la IIIe République et un projet neuf repoussé. La majorité parlementaire n'a pas été assez profondément bouleversée pour qu'elle puisse aboutir à autre chose qu'à un replâtrage des dispositions antérieures mises au goût des intérêts du jour. Après un arbitrage difficile d'Auriol — toujours installé au fauteuil présidentiel de l'Assemblée —, son texte est adopté par 440 voix contre 106 le 30 septembre. Le président de la République y retrouve une part des attributions qu'il avait perdues en mai, un Conseil de la République peut laisser croire qu'on institue un véritable bicamérisme, l'Union française est laborieusement définie dans un sens plus conservateur qui l'éloigne du fédéralisme. Ce texte de compromis a été solennellement condamné par de Gaulle à Épinal le 22 septembre. Le MRP n'a pas réussi à convaincre celui-ci du bien-fondé d'un ralliement : il se résout à défendre sans ardeur un texte commode. Les communistes donnent leur accord sans enthousiasme par antigaullisme, les socialistes également.

Les Français consultés par référendum ont perçu le malaise. Le 13 octobre, ils choisissent mollement entre le *oui* du tripartisme et le *non* préconisé par de Gaulle, les radicaux et les indépendants :

		% des inscrits
inscrits : 24 905 538		
suffrages exprimés	16 793 143	67,4
abstentions	7 775 893	31,2
blancs ou nuls	336 502	1,4
oui	9 002 287 (36,1 %)	
non	7 790 856 (31,3 %)	

Les anathèmes du général ont déplacé plus de 5 millions de voix, perdues par le tripartisme, mais n'ont pas emporté la décision. L'électorat influencé par le MRP s'est débandé. La discipline de vote a mal joué à gauche en faveur du *oui;* les modérés n'ont pas démérité. Mais ni de Gaulle ni les partis ne peuvent pavoiser. Près de 4 millions d'électeurs de mai-juin ont désavoué un texte et une pratique de la politique où tout semble joué d'avance par l'accord des partis : désobéissance passagère ou désillusion plus durable, ils rejoignent la cohorte des abstentionnistes [1]. De Gaulle pourra ironiser sur la Constitution « absurde et périmée », « acceptée par 9 millions d'électeurs, refusée par 8, ignorée par 8 ». Ce texte acquis dans la lassitude n'a pas mobilisé un peuple. Mais cette République sans supplément d'âme bénéficie d'une majorité de faveur. Mal aimée mais légitime, elle s'installe.

La République s'installe.

La lettre de la Constitution donne l'impression du neuf, avec son Préambule généreux, large reprise du premier projet, mais dont on a vu les ambiguïtés sur la question de l'Union française. L'examen des dispositions constitutionnelles suscite néanmoins de nombreuses interrogations.

Elle institue un bicamérisme de façade. Le Parlement (art. 5 à 24) se compose d'une Assemblée nationale et du Conseil de la République. La première, élue au suffrage universel direct tous les cinq ans [2], exerce la souveraineté nationale qui appartient au peuple. Elle seule est compétente pour fixer la durée de ses sessions, établir son règlement et ses ordres du jour ; ses commissions examinent les textes gouvernementaux et peuvent seules rapporter en séance. Elle exerce pleinement son pouvoir législatif : elle vote seule la loi et ne peut déléguer ce droit, ce qui prive les gouvernements de l'arme fort efficace des décrets-lois, systématique-

1. Voir F. Goguel, « Géographie du référendum du 13 octobre et des élections du 10 novembre 1946 », *Esprit*, février 1947, p. 237-264.
2. La loi électorale du 5 octobre 1946 reprend l'ordonnance du 17 août 1945, qui impose la représentation proportionnelle, au scrutin de liste départemental (sauf dans les grandes villes), avec répartition des restes à la plus forte moyenne.

ment utilisée dans les années trente. Sûre d'elle-même, elle est la pierre angulaire des institutions. A ses côtés, le Conseil de la République fait très pâle figure. Son nom flambant neuf veut faire oublier le trop haïssable Sénat de la IIIe République, mais le maintien d'une Chambre haute a été imposé par la majorité électorale du premier référendum. Tout est prévu pour qu'il réfléchisse posément et donne des avis trop sages pour qu'on en tienne souvent compte. Une loi du 27 octobre 1946 fixe des règles d'une extrême complication, dont l'application ne risque guère de passionner l'électorat, pour la désignation de ses 315 membres [1]. Ils représentent les collectivités communales et départementales, la France des campagnes et des petites villes. Une seconde loi, votée sous l'influence d'Henri Queuille, le 23 septembre 1948, fixe à 6 ans la durée de leur mandat, avec renouvellement du Conseil par moitié tous les 3 ans et revient au collège électoral du Sénat de la IIIe République. En bref, une super-chambre d'agriculture, instituée sous la pression de l'opinion, mais dont les constituants semblent attendre beaucoup moins que du nouveau Conseil économique qui fournira à l'Assemblée les avis autorisés des partenaires sociaux et des techniciens sur la modernisation du pays.

Elle ne manifeste pas une claire volonté de laisser les mains libres à un exécutif efficace. Le rôle du président de la République paraît plus restreint que sous le régime des lois de 1875. Élu comme ses prédécesseurs pour 7 ans à Versailles par le Parlement réuni en Congrès, rééligible une seule fois, il ne nomme plus comme eux à tous les emplois civils et militaires, et ses actes doivent être contresignés par le président du Conseil et un ministre. Mais son autorité morale peut peser en Conseil des ministres, dans les négociations internationales, au Conseil supérieur de la magistrature et à la présidence de l'Union française. Surtout, il désigne le président du Conseil. C'est dire qu'une forte personnalité pouvait tailler dans le texte constitutionnel un rôle à sa mesure. Ce qui ne

1. 200 sont élus par les députés, les conseillers généraux et de « grands électeurs » dans chaque département. Les autres le sont par l'Assemblée nationale et ses groupes. Les buts de la loi sont clairs : maintenir la proportionnelle, sacrifier la représentation locale aux impératifs stratégiques nationaux des grands partis.

manquerait pas de susciter des conflits avec le véritable responsable de la politique nationale, le président du Conseil. C'est lui qui bénéficie personnellement (art. 45) de la confiance de l'Assemblée sur un programme, après que l'initiative du chef de l'État l'a désigné : à des lois constitutionnelles de 1875 qui l'ignoraient, les constituants opposent un leader décidé à appliquer une politique, partant seul à la rencontre d'une majorité selon des règles qui ne sont pas très éloignées du contrat de législature. En retour, pour souligner la solennité de l'engagement des deux parties, son investiture ne peut être acquise qu'à la majorité absolue des députés, soit 314 voix, quel que soit le nombre de votants.

Sous quelque angle que l'on examine la Constitution, on bute donc sur un contrôle ou une intervention de l'Assemblée nationale. Dominant le Conseil de la République, contribuant à élire le président de la République, maîtresse des lois et du budget, elle contrôle le gouvernement sans que les contrepoids qui eussent institué un véritable régime parlementaire puissent jouer avec efficacité. Qu'elle n'ait pas eu sous la IVe République à prendre l'initiative de motions de censure contre les gouvernements démontre *a contrario* qu'elle les tient en main sans peine. A l'inverse, la question de confiance que lui pose le gouvernement, décidée en Conseil des ministres, votée après un délai d'un jour de réflexion et acquise à la majorité absolue, et qui devait marquer une solennelle rupture du contrat d'investiture, jouera bien plus souvent. Au reste, bien des présidents du Conseil sentant l'humeur des partis changer renonceront sans user de cette procédure officielle. En retour, les mécanismes de dissolution de l'Assemblée ne peuvent jouer qu'avec peine, presque par accident : elle n'intervient pas dans les 18 premiers mois de la législature; il faut deux votes de défiance en 18 mois pour que le décret de retour devant les électeurs soit signé en Conseil des ministres, et pendant la période électorale, ultime précaution, le gouvernement intérimaire est dirigé par le président de l'Assemblée, le ministère de l'Intérieur est désigné avec l'accord du bureau de celle-ci, et les groupes non représentés au gouvernement dépêchent à Matignon un ministre d'État! Quel gouvernement prendra ce risque? On est loin de la dissolution automatique qui marque un authentique régime parlementaire.

C'est vers un régime d'assemblée qu'achemine la Constitution.
Et derrière l'assemblée souveraine, il faut voir les partis qui la
peuplent. On retrouve ici la conjoncture politique qui a présidé
à l'élaboration du texte : le tripartisme, pensent ses acteurs, témoigne d'une maturité nouvelle de la vie politique forgée dans les
épreuves de la guerre et de la Libération, qui remet à des partis
peu nombreux, puissants et efficaces, la charge de représenter
le peuple. Sous son écriture figée court la conviction que la situation de 1945 et de 1946 a installé le pays dans une vigoureuse
stabilité, que la modernité passe par une démocratie organisée
dans les partis de masse. Il est facile d'ironiser rétrospectivement
sur ce pari audacieux ou chimérique. Sur l'heure, il témoigne à sa
manière d'un optimisme auquel la Résistance a donné quelque
noblesse et d'un fort patriotique souci de réconcilier enfin les
Français avec leur siècle.

Le malentendu entre le pays et les partis tient peut-être à la
brutalité de cette injection d'idéologie partisane dans un corps
politique à évolution traditionnellement lente. Qu'aux heures de
l'humiliation, de la souffrance et de l'héroïsme succèdent si tôt,
sans solution de continuité, au milieu des difficultés matérielles,
celles de l'activisme civique et de la démocratie orchestrée, a
sans doute suffi à désarmer bien des volontés et a accéléré le recours
aux vieilles attitudes réconfortantes. Les réactions de rejet ou de
désenchantement n'en ont été que plus fortes. A bien lire les
sondages — ce que ne faisait pas alors la classe politique —, on
s'aperçoit que la brutalité des réponses aux référendums tient plus
aux circonstances qu'aux projets. Dès juillet 1945, près de 40 %
des Français se seraient contentés d'une Constitution de 1875
aménagée en douceur. A la démocratie d'interpellation partisane
à répétition, ils persistent à répondre, comme dans un soupir,
qu'ils ne souhaitent qu'une chose, être gouvernés : 50 % d'entre
eux souhaitaient en novembre 1945 un président de la République
élu au suffrage universel, 48 % en mars 1946 voulaient qu'il joue
un rôle politique important. Certes, il fallait sortir du provisoire,
et le tripartisme, pressé par les circonstances, n'a pas eu loisir
de laisser décanter une situation exceptionnelle. Mais ce décalage
entre la fébrilité des partis et la soif de stabilité des Français
ombrage la nouvelle République.

C'est donc sans enthousiasme superflu que sont accomplies les formalités électorales après l'adoption du texte constitutionnel. Au malentendu de fond s'ajoute l'équivoque de circonstance : l'installation du régime coïncide chronologiquement avec la dislocation du tripartisme qui l'a imposé.

Le 10 novembre 1946, à l'élection de l'Assemblée nationale, l'abstentionnisme devient non seulement important (près de 22 %) mais géographiquement et socialement homogène, signe d'une lassitude générale. Les blocs se figent, avec une nette minorité pour la gauche. Les modérés et les radicaux ont stabilisé leur audience, les gaullistes n'émergent pas, tandis que le MRP — qui a fait campagne sur le slogan « Bidault sans Thorez » — colmate les brèches du référendum sans retrouver la cohésion. A gauche, sur le nouveau recul de la SFIO, et dans une atmosphère sociale tendue, le PC progresse légèrement et redevient le premier parti de France.

inscrits : 25 053 233 ; suffrages exprimés : 19 203 060 (76,6 %) abstentions, blancs et nuls : 5 850 173 (23,4 %)

	voix	% des suffrages exprimés	sièges	gains ou pertes
PCF	5 524 799	28,8	165	+ 19
MRP	5 053 084	26,3	158	— 3
SFIO	3 480 773	18,1	91	— 24
indépendants	2 953 692	15,4	76	+ 13
radicaux	2 190 712	11,4	54	+ 17

Le tripartisme reste majoritaire, mais ses divisions désormais étalées au grand jour rendent délicate la formation d'un gouvernement. Au « Bidault sans Thorez » du MRP s'oppose le « Thorez sans Bidault » murmuré par le PCF : seule, malléable, la SFIO peut sauver la mise. Léon Blum accepte de jouer au patriarche sauveur, renonce à l'Union nationale devant la mauvaise volonté des partenaires et constitue le 16 décembre un gouvernement de transition socialiste homogène, qui ne démérite pas dans le domaine social et en politique extérieure. Le 24 novembre et le 8 décembre, les élections du Conseil de la République sont un triomphe pour les deux partis dominants et désormais antagonistes, le MRP et le PCF (62 et 61 conseillers, contre 37 aux socialistes, 25 au RGR et 20 aux indépendants et au PRL). Fort logiquement, un MRP, Champetier de Ribes, en reçoit la présidence contre le communiste Georges Marrane, soutenu *in extremis* par les socialistes.

Le collège électoral est donc constitué pour élire le président de la République. Le 16 janvier 1947, à Versailles, Vincent Auriol est élu dès le premier tour par 452 voix contre Champetier de Ribes, 242 voix, et Michel Clemenceau, modéré, 60 voix : un socialiste du Sud-Ouest, obstiné et convaincu, voit ses vertus conciliatrices récompensées. D'entrée, il refuse d'être un « président-soliveau » ou un président personnel, et ne dissimule pas ses intentions de veiller scrupuleusement à l'application d'une Constitution qui lui laisse peut-être une marge de manœuvre. Las! Le 21 janvier, Édouard Herriot lui succède au fauteuil de président de l'Assemblée nationale, renouant avec ses fonctions de l'avant-guerre. Blum remet la démission de son gouvernement, et Auriol désigne son camarade Paul Ramadier, ancien ministre du Ravitaillement. Lequel s'empresse de prendre acte du déclin du tripartisme en constituant un gouvernement d' « accord général » qui adjoint aux trois partis majoritaires les radicaux, l'UDSR et les indépendants; la solution d'attente est installée. Investi à l'unanimité par l'Assemblée le 21 janvier, Ramadier renoue avec la coutume instituée par Félix Gouin : il accepte le 28 de répondre à des interpellations sur la composition de son gouvernement, lesquelles débouchent sur un vote de confiance suscité par les présidents des groupes de la majorité parlementaire! Le mauvais pli est pris, dont nul ne songe, en dehors de Vincent Auriol[1], à souligner qu'il viole la Constitution. Les partis, même désunis, sont maîtres du jeu.

1. V. Auriol (8) 1947, p. 38-39.

8
La double fracture
de 1947

Il faut marquer l'étape de 1947. Car la France est le seul pays au monde à recevoir aussi brutalement cette année-là la marque de tous les affrontements. La première fracture, celle des débuts de la guerre froide et de la marche vers la décolonisation, est largement accidentelle : réduite, on l'a vu, au rôle d'un Grand de seconde zone, la France subit une évolution mondiale et n'est responsable que de ses médiocres vues à court terme. La seconde, spectaculairement marquée par le renvoi des ministres communistes du gouvernement Ramadier et la peur sociale, est plus délibérée. Rétrospectivement, on perçoit que l'une comme l'autre ont fixé le destin de la nouvelle République.

Entrée en guerre froide.

En 1946, la tension s'est accrue entre les États-Unis et l'URSS : la possession de l'arme atomique du côté américain ne suffit pas à compenser la puissance des forces classiques de l'Armée rouge maintenues sous les drapeaux; Staline reste énigmatique; en Grèce, en Iran, en Europe orientale, les accords de Yalta peuvent être à tout moment remis en cause. Le 5 mars, à Fulton, Churchill a pris le ton de Cassandre pour constater que « de Stettin sur la Baltique à Trieste sur l'Adriatique un rideau de fer s'est abaissé à travers le continent » : le mot fait fortune, l'avertissement effraie. Le 19 septembre, à Zurich, il avance que la liberté et la sécurité passent par l'édification des États-Unis d'Europe. Nul n'est dupe : cette offensive verbale vise à faire sortir les États-Unis tout court de leur vieux penchant à l'isolationnisme.

La « doctrine Truman » vient répondre à cette situation et à ces adjurations. Le président des États-Unis, dès janvier 1947, récuse la politique de confiance en Staline préconisée par Henry Wallace et rejoint le camp des faucons, James Forrestal, Dean Acheson et George Kennan, écoute les avertissements du Pentagone et des « kremlinologues ». Il nomme secrétaire d'État un héros puritain, le général Marshall. La doctrine américaine de *containment* se fixe ainsi, d'une biblique simplicité : les peuples soumis ou en voie de soumission en Europe orientale sont abandonnés à leur destin, car leur libération provoquerait une nouvelle guerre mondiale, mais tout doit être mis en œuvre pour contenir Staline et empêcher le « monde libre » de basculer dans son camp. L'Europe de l'Ouest et du Sud étant au cœur du conflit, les États-Unis l'aideront à retrouver son équilibre économique et politique pour y désamorcer la tentation communiste. Le 12 mars, Truman s'engage à découvert devant le Congrès en demandant une aide financière, diplomatique et militaire pour la Grèce en pleine guerre civile et la Turquie menacée sur ses frontières du Nord; il préconise en outre une aide similaire en faveur des États menacés par le totalitarisme. Parmi ces derniers, la France occupe une place de choix. « En France avec quatre communistes dans le gouvernement dont l'un au ministère de la Défense [1], avec les communistes contrôlant les plus grands syndicats et noyautant les usines et l'armée, avec près d'un tiers de l'électorat votant communiste et avec des conditions économiques en constante aggravation, les Russes pourraient ouvrir la trappe à tout moment qu'ils choisiraient », déclare le 22 février le sous-secrétaire d'État Acheson.

L'échec de la conférence des Quatre à Moscou en mars-avril conforte ces analyses. L'irréversible n'y est certes pas accompli et Bidault peut s'enorgueillir d'un cordial entretien avec Staline. Mais sur tous les points, traités de paix avec l'Allemagne et l'Autriche, réduction des troupes d'occupation, réparations, futur gou-

---

1. Les communistes avaient mis comme condition à leur participation au gouvernement Ramadier l'obtention d'un des trois grands ministères que de Gaulle leur avait refusé en 1945, Affaires étrangères, Intérieur ou Défense. François Billoux reçoit donc ce dernier portefeuille, mais, pour calmer les inquiétudes des autres partis, son ministère est démembré et court-circuité : Ramadier se réserve les questions importantes, Paul Coste-Floret (MRP) reçoit la Guerre, Louis Jacquinot (indépendant) la Marine et André Maroselli (radical) l'Air.

vernement allemand, rectification de frontières, rien n'aboutit. Les Soviétiques, par les *niet* de Molotov, entendent marquer leur mauvaise humeur devant la doctrine Truman, imposer de lourds prélèvements économiques dans toutes les zones d'occupation, Ruhr comprise, sans renoncer encore à une Allemagne centralisée. Face à cette détermination, Bidault n'a pu que répéter des propositions françaises déjà largement hypothéquées les mois précédents. A l'évidence, la décentralisation politique de l'Allemagne n'aboutira pas, les Alliés cèdent déjà sur le relèvement de ses productions lourdes, consentent à lui accorder une plus forte part de son charbon. Les seuls points positifs, une Sarre mise en orbite économique de la France et des importations de charbon, sont négociés entre Occidentaux. La politique des blocs se profile à l'horizon. De Moscou, Bidault, amer, rapporte « un peu de charbon » et un solide anticommunisme.

Voici donc la France insensiblement liée au bloc occidental. En mars, un traité d'amitié signé à Dunkerque avec la Grande-Bretagne a conforté la vieille Entente cordiale. En juin, avec l'annonce du « plan Marshall », l'appel d'air devient très vif. Car à Harvard le secrétaire d'État prend acte que les besoins de l'Europe sont plus grands que leur capacité de paiement, que leur « dollar-gap » peut à terme menacer le commerce américain et promet, pour une période qui s'étendra du 2 avril 1948 au 30 juin 1952, une aide gratuite, massive et librement négociée des États-Unis pour y créer les conditions de la stabilité et de la paix. Le plan Marshall n'est donc « dirigé contre aucun pays, aucune doctrine, mais contre la famine, le désespoir et le chaos », la zone d'influence soviétique n'en est pas exclue. Mais d'autres déclarations américaines, d'Acheson en particulier, laissent entendre qu'elle s'appliquera en priorité aux peuples libres qui cherchent à préserver leurs institutions démocratiques contre les pressions totalitaires intérieures ou extérieures. De fait, en France, des murmures s'élèvent en ce sens, au MRP, chez les radicaux, les modérés et certains socialistes : les prêts américains iront-ils volontiers et en proportion convenable à un pays qui garde ses ministres communistes? Et de Gaulle annonce une guerre mondiale imminente. Le renvoi des ministres communistes de mars à mai en Belgique, au Luxembourg, en France et en Italie est lié à ce contexte.

L'offre de Marshall vient à point. Elle oxygène à la fois la politique de Troisième Force ouvertement préconisée à l'automne et une économie déficiente au point de susciter une violente agitation sociale dont pourraient profiter largement les communistes. Car, pour accroître la production et assurer la modernisation selon les normes du plan Monnet, il faut payer d'énormes importations, chiffrées à 11 milliards de dollars jusqu'en 1949, compenser les déséquilibres de la balance commerciale, redresser les finances publiques pour mieux ventiler les aides et faire face aux engagements monétaires internationaux. L'aide extérieure devient impérative, note Jean Monnet au printemps 1947, pour corriger l'optimisme du Plan et faire face à une conjoncture difficile sans hypothéquer l'avenir. Or, à l'été, le gouvernement n'a plus que 240 millions de dollars, résidu des prêts antérieurs, pour faire face à un excédent d'importations vitales — du blé, du charbon, du pétrole, des matières premières — évalué à 450 millions de dollars. La promesse de l'aide Marshall touche un pays qui doit en août réduire la ration de pain à 200 grammes — contre 275 au plus dur de la guerre, en janvier 1942 — et suspendre ses importations faute de dollars pour les payer. Il n'est donc pas si sûr que l'examen des contraintes idéologiques dont elle est assortie paraisse urgent et décisif à de nombreux Français. Le drame économique et social donne, mois après mois, de puissants arguments aux plus déterminés des « Occidentaux ».

La France ne choisit donc pas avec une détermination particulière une place de choix dans le « bon » camp de la guerre froide qui s'annonce. Elle saisit avec avidité la bouée qui lui est tendue. Seuls les plus lucides, comme Jean Monnet [1], démontent les engrenages d'un engagement nécessaire mais irréversible. Ils sont, de fait, redoutables dans leur logique de rupture. Dès le 17 juin, Français et Anglais ont certes décidé de ne pas répondre à l'offre américaine sans prendre contact avec Moscou. Mais la conférence de Paris à laquelle Molotov assiste se sépare sur un échec le 2 juillet : Moscou n'accepte une répartition de l'aide américaine qu'aux

---

1. Voir le texte de son mémorandum remis à Bidault à la fin de juillet, dans V. Auriol (8) 1947, p. 695-699, et les commentaires de P. Nora, p. XLII-XLIII.

seules victimes de l'Allemagne nazie et affûte ses arguments hostiles à l'impérialisme américain. Dès lors, les pays de l'Europe « libre » ne peuvent que prendre acte du retrait de l'Est : de juillet à septembre, de nouveau à Paris, les blocs sont constitués. Les Seize[1] peaufinent leur réponse favorable, tandis que la Finlande refuse avec regret et que la Tchécoslovaquie doit rentrer dans le rang après que Gottwald eut été semoncé à Moscou. Le camp des « valets de l'impérialisme » se soude, des commissions économiques européennes fonctionnent, l'union douanière des Seize s'installe, les experts se rencontrent et multiplient les contacts avec Washington.

La France ne peut plus désormais courir simultanément deux lièvres, l'aide américaine et le contrôle d'une solide part des ressources allemandes. L'aube de la guerre froide scelle donc l'échec antérieur de sa politique allemande. Au long de 1947 Bidault cède sur tous les points auxquels de Gaulle avait accordé une attention sourcilleuse : pas d'autonomie de la Rhénanie et de la Ruhr, acceptation de la bizone anglo-américaine et incorporation de la zone française dans sa souveraineté face aux Soviétiques. En dédommagement, les Anglo-Saxons laissent la France maîtriser la Sarre, l'isoler par un cordon douanier, y introduire le franc, retirer du pool allemand son charbon et l'acheminer vers les usines françaises, surveiller par un haut-commissaire sa détermination à rompre politiquement avec l'Allemagne. Les menaces de Molotov sur la Sarre à la Conférence de Londres n'y font rien : la France est solidement ancrée au camp anglo-saxon, elle devra bien vite se soumettre à l'idée d'une Allemagne de l'Ouest séparée de celle de l'Est et économiquement renforcée par l'aide américaine.

A cette docilité, les États-Unis répondent superbement. L'os de la Sarre fait oublier l'échec sur la Ruhr ; le problème du charbon n'est pas réglé, mais des dollars frais permettront d'en acheter. Mieux encore : les mécanismes du plan Monnet, grippés par la crise économique et sociale jusqu'à l'automne 1947, trouvent dans l'aide Marshall un remarquable lubrifiant. La « soudure » est

---

1. France, Grande-Bretagne, Italie, Portugal, Irlande, Grèce, Pays-Bas, Islande, Belgique, Luxembourg, Suisse, Turquie, Autriche, Danemark, Suède et Norvège. La France avait tenu à ce que l'Espagne — où Franco s'est maintenu — n'y figure pas.

assurée sans rechigner : sur injonction de Truman, le Congrès débloque les crédits d'une aide intérimaire d'urgence pour une Europe si affamée et si menacée qu'elle ne peut guère attendre la mise en place des mécanismes du plan Marshall. La France en recevra environ 60 %, qui s'ajouteront aux habituels emprunts sur l'Export-Import Bank, aux avances de trésorerie et aux restitutions d'or volé par les nazis consentis par les autorités fédérales américaines. Ces dollars lui permettent de financer ses achats de première nécessité et d'arriver à bon port au printemps 1948. La France n'a donc plus à choisir son camp quand se déchaîne alors la guerre froide [1]. C'est dire que la création du Kominform en octobre 1947 a été perçue sans émotion particulière comme l'inévitable réplique de Moscou au plan Marshall. Mais la guerre idéologique à laquelle il convie par la voix de Jdanov, nul n'a besoin de se convaincre qu'elle existe. La situation intérieure française en porte la marque, car le PCF en traduit très fidèlement les exigences combatives.

L'Union française est mal partie.

Le 15 août 1947, l'Inde et le Pakistan deviennent indépendants dans le cadre d'un Commonwealth rénové; la Birmanie, Ceylan et la Malaisie suivent la même voie; en Indonésie, l'idée d'une fédération indépendante progresse : la Grande-Bretagne et les Pays-Bas sont en passe de réussir la décolonisation de leur Empire. La France, elle, révèle son incapacité à animer le vaste corps de l'Union française, juxtapose des politiques contradictoires et s'enlise dans la guerre en Indochine.

A Madagascar, elle révèle son visage répressif, dont bien des traits réapparaîtront quelques années plus tard en Algérie. Malgré la famine endémique, le marché noir et le travail forcé illégalement maintenu, les chances d'une évolution pacifique n'y étaient pourtant pas négligeables. Patronné par les députés malgaches et toléré par l'administration française — qui favorise ouvertement le parti des déshérités de Madagascar —, le Mouvement démocratique de la rénovation malgache (MDRM) progresse en

1. Voir G. Bossuat, « L'aide américaine à la France après la Seconde Guerre mondiale », *Vingtième Siècle. Revue d'histoire,* n° 9, janv.-mars 1986, p. 17-35.

effet depuis sa création en février 1946, s'impose aux élections provinciales locales de janvier 1947, a de solides appuis dans l'opinion progressiste de métropole par l'intermédiaire d'un vivant Comité franco-malgache. Avec ses 300 000 membres environ, il contrôle les syndicats et entraîne dans son sillage les sociétés secrètes violemment nationalistes, la Jina et le Panama (parti national malgache, clandestin depuis 1941) : il a quelques chances d'entraîner vers une évolution sans violence au sein de l'Union française les éléments les plus durs. Mais, depuis l'automne 1946, l'insurrection est dans l'air : incidents et provocations se multiplient, des noyaux activistes se soudent, souvent à l'initiative d'anciens sous-officiers de l'armée française de retour au pays. Dans la nuit du 29 au 30 mars 1947, elle éclate [1]. Le soulèvement généralisé échoue, la masse de la population ne suivant pas. Mais des zones de guérilla s'implantent au sud et au centre du haut pays, elles s'étendront en tache d'huile jusqu'à l'été, avant d'être difficilement cernées et réduites, faute de chefs et de ravitaillement, en décembre 1948. Les insurgés sont responsables d'environ 550 morts européens et de 1 900 Malgaches. Leur guerre d'indépendance, sainte et patriotique, pèche par excès de confiance dans une intervention américaine qui la soutiendrait aussitôt, par impréparation militaire et politique. Mais, jusqu'à la caricature avec sagaies et sorciers, elle a remis en honneur des valeurs malgaches originelles avec lesquelles les élites urbaines éclairées qui conduiront plus tard le pays à l'indépendance doivent désormais compter.

Du côté français jouent aussitôt, comme en Indochine, des mécanismes alarmants. Une administration très soumise aux grands colons, une presse revancharde, des militaires qui accaparent les pouvoirs civils, un gouvernement qui s'en remet à un corps expéditionnaire de 18 000 hommes débarqués en avril et préfère crier victoire plutôt que de renouer un dialogue avec ceux qui peuvent encore y croire. La répression fut exemplaire : 89 000 morts annoncés par l'état-major, carte blanche laissée aux troupes d'élite, légionnaires et paras, pour ratisser la brousse, amorce de guerre psychologique, formation de groupes d'autodéfense, regrou-

---

1. Voir J. Tronchon (198), p. 70-71. Le 27 mars, le MDRM avait recommandé le sang-froid à ses militants.

pements de populations, « corvées de bois » et tortures[1]. Avec
cette violence déchaînée de part et d'autre, mais à laquelle la
supériorité en armement — blindés et aviation compris — donne
une redoutable efficacité du côté français, le mur d'incompréhen-
sion devient infranchissable. Pour Paris, la responsabilité du
MDRM est complète et, comme telle, châtiée. Les élus malgaches
sont emprisonnés, leur parti dissous après que le Parlement, sur
rapport de René Coty, eut lâchement consenti (à l'exception des
communistes et d'une part des élus d'outre-mer) à lever leur immu-
nité parlementaire en juin et août, sans les entendre. Malgré la
tenue d'un meeting de solidarité le 5 juin et la campagne d'opinion
lancée par leur avocat Pierre Stibbe[2], tout dialogue est rompu
avec l'élite nationaliste francisée. Sur place, sur directive de Marius
Moutet, le haut-commissaire Marcel de Coppet auquel succède
en 1948 Pierre de Chevigné tentent de désarmer l'ardeur sangui-
naire d'une minorité de colons regroupés par la Ligue des intérêts
franco-malgaches, mais doivent couvrir les exactions et se contenter
de déplorer qu'une chappe de lourd silence s'abatte sur l'île.

Le dialogue ne s'instaure pas davantage en Afrique du Nord.
Là encore, point de politique à long terme. Tandis qu'au Caire,
où il débarque le 31 mai après une rocambolesque évasion depuis
la Réunion où la France le retenait depuis 1926, s'élève, véhémente,
la voix du vieux rebelle Abd el-Krim, le sultan du Maroc Sidi
Mohammed ben Youssef a soigneusement préparé son éclat de
Tanger le 10 avril : dans son discours, dont les termes avaient
été pesés comme à l'ordinaire par le résident général, il omet de
citer la phrase qui rendait hommage à la France et ajoute un
vibrant paragraphe sur les vertus de la Ligue arabe. L'incar-
tade entraîne le départ du résident Eirik Labonne, un libéral
qui a réussi à lancer une économie dynamique. Le 15 mai
lui succède le général Juin, bien accueilli par les colons et pressé
d'en découdre avec l'Istiqlāl. En Tunisie, la grève de Sfax du
5 août, ordonnée par l'UGTT pour protester contre la faiblesse

---

1. Sans oublier les sursauts de conscience d'officiers qui condamnent
ces méthodes : voir *Réforme* du 9 octobre 1948. Bref, une répétition
générale de la guerre d'Algérie.
2. Voir P. Stibbe, *Justice pour les Malgaches*, Éd. du Seuil, 1954.

des salaires, dégénère en émeute. Le sang-froid de la troupe limite ses effets à 29 morts, mais on sent qu'une agitation souterraine prend corps, tandis que les réformes voulues par Mons tournent court : l'administration directe garde les faveurs des fonctionnaires français. Dès janvier 1948, la création au Caire d'un Comité de libération de l'Afrique du Nord, avec Abd el-Krim, Bourguiba et Allal el-Fassi, laisse entendre que la Ligue arabe apportera aide directe aux nationalismes maghrébins et que l'ONU pourrait être saisie du dossier.

En Algérie, le prix de la guerre est mieux mesuré et une approche plus scientifique de la réalité sociale offre les premières bases de raisonnement pour une politique ambitieuse. Le commerce reprend, les équipements suivent, mais l'équilibre de l'agriculture indigène est toujours à la merci d'une sécheresse, les prix galopent, les salaires stagnent et les données du problème démographique chez les musulmans révèlent de lourdes exigences [1] : accroissement naturel dépassant 2 % par an, soit 150 000 personnes, mortalité infantile galopante, médiocre état sanitaire, main-d'œuvre sousqualifiée, lourd tribut à l'exode de travailleurs vers la France, ration alimentaire de 1 520 calories par jour. C'est dans ce climat qu'intervient le vote du Statut depuis longtemps promis et laborieusement adopté le 27 août par une Assemblée clairsemée [2].

Quatre projets s'affrontent. Le gouvernement, par la voix de Depreux, ministre de l'Intérieur, souhaite un statut départemental, un gouverneur général représentant Paris et une Assemblée chargée de gérer auprès de lui les intérêts proprement algériens. Les communistes veulent faire de l'Algérie un territoire associé dans le cadre de l'Union française, refusent l'indépendance mais proposent que l'Assemblée ait des pouvoirs plus étendus. Les socialistes, prenant volontiers à contre-pied leurs camarades du gouvernement, restreignent un peu les pouvoirs de l'Assemblée mais substituent un ministre résident à Alger au gouverneur général. Les élus musulmans d'Algérie, divisés eux aussi, oscillent entre le refus de discuter sans que les populations aient été consultées

1. Voir L. Chevalier (189), étude modèle portant sur les trois pays du Maghreb.
2. « L'intérêt n'y est pas », note sobrement *l'Année politique* (4) 1947, p. 150.

et la proposition de l'autonomie avec Assemblée souveraine dans le cadre de l'Union française. Le gouvernement impose difficilement la discussion de son seul projet et doit tenir compte des injonctions de la SFIO, des dérobades d'un MRP fort divisé et des exigences des formations nouvelles, radicaux, UDSR et indépendants dont l'agglomération à la Troisième Force est en cours. De Gaulle accroît la confusion en faisant marche arrière sur les dispositions de l'ordonnance du 7 mars 1944 et de la loi du 5 octobre 1946 : il revient au cloisonnement strict des collèges européen et musulman, décevant les musulmans mais enthousiasmant les colons, comme en témoigneront les succès du RPF outre-mer[1]. Au terme d'une longue discussion sans grandeur portant par priorité sur l'homogénéité de chaque collège électoral et la préservation d'une majorité fidèle dans les votes à l'Assemblée algérienne, au prix d'habiles manœuvres de Ramadier qui évite à plusieurs reprises la crise ministérielle, le projet gouvernemental très amendé est adopté à la fin d'août et transcrit dans la loi du 20 septembre 1947.

L'Algérie constitue désormais « un groupe de départements dotés de la personnalité civile, de l'autonomie financière et d'une organisation particulière ». Ses départements sont coiffés par un omnipotent gouverneur général, représentant direct à Alger du gouvernement, dépendant de l'Intérieur, ayant la haute main sur les préfets et les administrations (à l'exception de la Justice et de l'Éducation nationale pour les Européens). Les seules structures originales sont un Conseil du gouvernement de six membres, organe-tampon entre le gouverneur général et l'Assemblée algérienne. Celle-ci est divisée soigneusement en deux collèges de 60 membres, le premier élu par 464 000 citoyens de statut civil français et 58 000 musulmans assimilés, le second par 1 400 000 Algériens ayant conservé leur statut personnel. Elle reçoit des attributions financières médiocres, assure la mise en application en territoire algérien de la législation française et désigne les six élus à l'Assemblée de l'Union française. Sont également prévus par le texte la suppression des communes mixtes

_____

1. Voir F. L'Huillier, « Les gaullistes et l'Union française : action et réflexion (1943-1953) », *Études gaulliennes*, n⁰ 22, avr.-juillet 1978, p. 71-79.

privées des libertés locales, la fin du régime spécial pour les régions sahariennes, la reconnaissance future du droit de vote des femmes et un plan de scolarisation, en français et en arabe. Cet « effort d'intelligence française », selon Léon Blum, marque donc une avancée dans le refus de l'assimilation, mais ses compromis ne satisfont personne. Les gros colons le jugent déshonorant, les musulmans boudent, l'opinion française mal informée ne sait que penser.

L'initiative est ailleurs. Le MTLD, fort de la présence physique de Messali Hadj libéré en octobre 1946, remporte de beaux succès aux élections générales de novembre 1946 et aux municipales d'octobre 1947. L'UDMA de Ferhat 'Abbās elle aussi progresse et le parti communiste algérien, après un spectaculaire virage à l'été 1946, renonçant aux consignes apaisantes que lui a longtemps imposées le PCF, retrouve force et audience en plongeant dans une politique de reconnaissance du combat national et de l'identité culturelle algérienne [1]. L'audience des nationalistes s'élargissant, le statut tombe à contretemps. Eut-on au reste jamais l'intention de l'appliquer honnêtement pour sauver les minces chances d'un dialogue constructif? Le renvoi du gouverneur Yves Chataigneau, détesté par les Français d'Algérie et pourfendu au sein du cabinet Schuman par le ministre des Finances, l'élu de Constantine René Mayer, son remplacement le 11 février 1948 par un très jacobin socialiste alsacien, Marcel-Edmond Naegelen, annoncent un retour aux solutions autoritaires. Sous l'impulsion de ce dernier, la chasse aux nationalistes est ouverte, et de « bonnes » élections sont préparées pour dessiner une Assemblée algérienne au profil flatteur. Tandis que la violence messaliste reprend, l'administration sélectionne des candidats officiels, multiplie les fraudes et truque les résultats [2] : au soir du 11 avril 1948, les résultats dépassent les

1. Voir E. Sivan, *Communisme et nationalisme en Algérie*, Presses de la Fondation nationale des sciences politiques, 1976, p. 154 *sq.*
2. A la veille du scrutin, 32 candidats du MTLD sur 59 sont emprisonnés; à Guelma et à Sétif, les résultats ne sont pas communiqués; ici les urnes sont bourrées, là le bureau de vote est présidé par le commissaire de police, sans parler des communes quadrillées par les blindés et l'aviation. Le second tour corrige les « méfaits » du premier : ainsi à Bône, le MTLD recueille 6 544 voix le 4 avril et 96 le 11, l'UDMA respectivement 4 186 puis... zéro. Voir R. Aron *et al.* (192), p. 275 *sq.*

espérances de Naegelen et des Européens. Dans le premier collège, les listes d'Union algérienne de droite et du centre, flanquées du RPF, écrasent socialistes et communistes, avec 54 sièges sur 60. Dans le second collège, les candidats de l'administration ont 41 sièges et n'en concèdent que 9 au MTLD, 8 à l'UDMA et 2 aux socialistes. Jusqu'en 1958, aucune élection ne fera désormais problème pour Paris et les Européens d'Algérie. Après ce succès, on conçoit mieux que le Statut ait été oublié : les communes mixtes subsistent, les réformes agraires, les plans d'éducation et les promesses sociales piétinent. Dans un contexte économique, démographique et social explosif, une administration flotte sans inquiétude, le nationalisme n'attend plus rien de l'action légale : en Algérie, la Troisième Force a rendu impossible tout dialogue.

En Indochine, plus gravement encore, atermoiements et manœuvres détruisent les dernières chances de négociation, affrontent les Vietnamiens entre eux et installent la guerre. Double langage et solutions dilatoires s'entremêlent, la politique intérieure française interférant aussitôt après le coup d'Hanoi. Socialistes et communistes restent favorables à l'ouverture de négociations, mais le MRP et la droite entendent profiter de la « trahison du 19 décembre » pour renoncer au dialogue avec le gouvernement vietnamien. Moutet, dépêché en mission à Hanoi aux premiers jours de janvier, joue à cache-cache avec Hô Chi Minh (de fait, la lettre de ce dernier ne lui est pas transmise), tressaille devant les horreurs de la guerre et conclut, à la grande satisfaction de l'amiral d'Argenlieu, que la France ne peut traiter « qu'en toute sécurité ». Leclerc, découragé, renonce. Dès lors, la politique française ne vise qu'à reprendre l'initiative militaire et à susciter chez les nationalistes et les catholiques des interlocuteurs valables qu'on opposera au Viêt-minh. Les colonnes blindées débloquent une à une les villes, Hanoi, Hué, Nam Dinh, et balaient les axes stratégiques, en particulier la terrible Route nationale 4, abandonnant la jungle aux maquisards : à la mi-mars 1947, le contact étant perdu avec l'armée régulière viêt-minh, l'état-major conclut que la situation est redressée. Paris consent un effort financier considérable, mais le vote des crédits militaires à l'Assemblée, acquis le 22 mars, a brisé l'unité de l'équipe gouvernementale : sur le vote de confiance au gouvernement les ministres communistes votent favorablement tandis que le groupe communiste s'abstient; Billoux, ministre de la Défense, a refusé auparavant de s'associer à un hommage au corps expéditionnaire et Thorez a ostensiblement quitté le banc du gouvernement. Ramadier, ulcéré par « ces astuces subalternes », est dès cet instant décidé à se séparer des communistes.

Cette attitude renforce la détermination des adversaires de la négociation. Voici Hô Chi Minh — on laisse courir le bruit de sa mort — hors du jeu. Ses sept appels pour une trêve, du 21 décembre au 5 mars, n'ont pas reçu de réponse et il n'a plus de soutien communiste au sein du gouvernement après le 5 mai. D'Argenlieu, trop encombrant, a certes été remercié et remplacé par un radical fort gaullien, Bollaert, le 5 mars. Mais sa politique a laissé des traces. L'armée rêve de contre-guérilla, de quadrillage systématique, coûteux en hommes et en moyens : les premiers postes s'installent dans la brousse. Les civils et les colons du Sud entretiennent l'effervescence au sein d'un « Front de l'Union nationale du Vietnam », antimarxiste, auquel on laisse l'espoir d'une union des trois Ky pour peu qu'il soit prêt à se rallier à la solution miracle sur laquelle, au fil des mois, l'accord se fait : la restauration de Bao-Daï. En France la SFIO flotte, le MRP, installé avec Paul Coste-Floret au ministère de la Guerre, tient la victoire militaire pour acquise et annonce l'extinction du Viêt-minh. Le lancement du RPF renforce le camp du refus. Les négociations de Bollaert s'inscrivent donc dans un cadre fort étroit : instaurer « l'ère de l'amitié » dans le cadre de l'Union française, tout en considérant que le gouvernement dirigé par Hô Chi Minh n'est plus représentatif.

A l'appel d'Hô Chi Minh le 26 avril, proposant une nouvelle fois la cessation immédiate des hostilités et l'ouverture de négociations, il est fait opposer par Paul Mus de très draconiennes conditions que le Viêt-minh ne peut accepter sans déshonneur. Qu'importe si, le 19 juillet, Hô Chi Minh, inquiet devant les progrès de Bao-Daï dans l'opinion internationale et frappé par la lassitude des populations, donne de nouveaux gages en modifiant son gouvernement, élimine Giap et étoffe l'équipe des non-communistes. Si, quelques jours plus tard, il accepte de collaborer avec Bao-Daï. La doctrine est fixée : avant de construire et de négocier, « il faut, affirme Bollaert, que cesse cette guérilla insensée ». Dans son

discours programme du 10 septembre à Hadong — longtemps
retardé par le MRP —, le mot « indépendance » a été rageusement
rayé par Bidault : la Troisième Force est résolue à éliminer les
communistes, en Indochine comme en France, de toute négociation. Entre Hô Chi Minh et les nationalistes anticommunistes, le
gouvernement, Bollaert, les militaires et les administrateurs coloniaux s'entendent pour enfoncer sans délai le coin Bao-Daï. A
cet homme jugé faible sera remis un Vietnam uni : l'idée d'une
Fédération indochinoise est abandonnée. Ce qu'on avait refusé
à Hô Chi Minh à Fontainebleau lui est accordé : l'anticommunisme a ses contraintes. Après de longues négociations, les accords
de la baie d'Along le 5 juin 1948 entérinent l'opération. Mais sur le
terrain la grande offensive d'automne du général Valluy n'a
pas réussi à accrocher le Viêt-minh. La « sale guerre » s'est
installée.

Aux Madagascar, en Algérie, en Indochine, le destin de l'Union
française est donc mal engagé : le contact est rompu avec les
nationalismes indigènes. A Paris, dans la logique de l'évolution
de la politique intérieure, sous couvert d'anticommunisme, les
bravaches saluent les pacifications militaires définitives et les
inquiets déplorent l'évanouissement des interlocuteurs valables.
L'Assemblée de l'Union française qui se réunit pour la première
fois solennellement à Versailles, le 10 décembre 1947, après
de « bonnes » élections mais sans qu'on ait encore pu trouver
d'État associé qui puisse y siéger, n'est déjà qu'une coquille vide.

La République amputée.

Aux faiblesses à l'extérieur s'ajoutent les difficultés intérieures.
En quelques mois, elles privent la République issue de la Résistance de ses deux forces principales de légitimation, le communisme et le gaullisme. Cette grave amputation, prévisible dans les
soubresauts d'agonie du tripartisme, déséquilibre un pays touché
dans ses forces vives : l'économique et le social envahissent
l'actualité.

Car la situation est inquiétante après de longs mois d'efforts et
de privation. 1947 paie les factures mal réglées l'année précédente,
alors qu'un relatif équilibre économique et financier s'esquissait.

Le blocage des salaires n'a pas pu être tenu, rationnement et marché noir conjuguent leurs effets sur les prix, qui s'envolent. L'inventaire financier dressé pour le budget de 1947 est dramatique : les charges de la nation (budget de l'État, cotisations de Sécurité sociale, charges locales) représentent la moitié du revenu national. Il faut réunir une « Commission de la hache », tailler dans le vif, réduire les dépenses militaires, supprimer les subventions économiques, apurer une fonction publique pléthorique et attendre en pariant sur un essor de la production. Ce qui n'est possible qu'en enrayant la course des salaires et des prix et en stabilisant le coût de la vie : cercle vicieux. Blum et Philip l'ont compris. Ils imposent une baisse autoritaire de 10 % sur les prix, en deux étapes de 5 %, en janvier puis en mars. Mais leur expérience déflationniste échoue : l'hiver est rude, les Français impatients et affamés, les goulots d'étranglement en matières premières, en énergie et en main-d'œuvre toujours serrés, les déséquilibres de la balance commerciale s'accentuent, les réserves en devises fondent. Au printemps, la production a baissé d'au moins 10 %, les ouvriers grognent, les PME de Gingembre tiennent meeting, les caisses du Trésor sont pratiquement vides, les crédits américains dépensés au jour le jour. « Ramadiète » — le sobriquet court partout —, fort peu expert en matière économique, est ballotté entre dirigisme et liberté, signant par exemple en février un texte qui rend inévitable une hausse de 20 % du prix de la viande à l'heure où le deuxième train de baisse démarre! Les gelées ont détruit les récoltes de blé, les paysans refusent de nouveau de livrer leurs produits, les stocks s'épuisent.

À la soudure, en mai, des émeutes pour le pain se déclenchent dans le Centre tandis qu'à Paris les boulangers ferment le dimanche, que la ration quotidienne tombe, on l'a vu, à 250 puis 200 grammes en septembre, et qu'il faut réunir les hautes autorités morales de Vincent Auriol, du cardinal Suhard, du pasteur Bœgner et du grand rabbin pour convaincre les campagnes de participer à « la croisade du blé »!

Il a fallu prêter l'oreille aux revendications salariales : la grève déclenchée par une minorité de dirigeants trotskistes aux usines Renault le 25 avril, bien suivie par la base et « coiffée » *in extremis* par une CGT inquiète, a valeur d'avertissement après celle de la presse parisienne [1]. Le 1er Mai multiplie d'imposants cortèges, et à Paris, place de la Concorde, Frachon et Thorez laissent la foule huer Daniel Mayer, ancien et futur ministre du Travail. Quand les métallurgistes de Renault reprennent le travail le 16 mai, après avoir obtenu des indemnités substantielles, les gaziers, les électriciens et les cheminots menacent à leur tour. Le 23, un accord entre Mayer et la CGT relève le salaire minimum vital et déguise en primes à la production la reculade inévitable sur les salaires. De janvier à juillet, la circulation fiduciaire a augmenté de 46 %, les salaires légaux de 47 %, les prix de gros de 91 % et les prix au détail de 93 %. « Le mouvement giratoire de grèves », selon l'expression de Ramadier, marque dès juin l'échec de l'expérience Blum. Le président du Conseil tient néanmoins à l'attribuer à un « chef d'orchestre clandestin ».

De fait, il y eut plusieurs instrumentistes dans cette printanière cacophonie. La pugnacité de la CGT n'est pas feinte. Ses dirigeants communistes découvrent dans le péril gauchiste les signes d'impatience d'une masse ouvrière qu'il ne faut plus décevoir; ils entendent faire taire le murmure anticommuniste qui s'enfle dans la centrale; tous ses militants admettent qu'il est nécessaire de monnayer enfin la caution de paix sociale qu'elle offre à la Reconstruction depuis 1944 [2]. Le gouvernement, à l'évidence, pris en tenaille entre l'impatience à l'intérieur et les nouvelles exigences de la vie internationale, entretient lui-même l'inquiétude en monopolisant sans scrupule la radio, en usant largement de la presse pour dénoncer les scandales ou les complots du jour, et lancer des appels à l'apaisement d'un ton désespéré. L'affaire Joanovici, ce ferrailleur d'origine roumaine qui a édifié une coquette fortune en vendant des métaux aux Allemands tout en finançant le mouvement

1. Voir Ph. Fallachon, « Les grèves de la Régie Renault en 1947 », _le Mouvement social_, no 81, oct.-décembre 1972, p. 111-142.
2. La CGT redoute enfin une chute d'influence. Car aux premières élections des conseils d'administration des caisses de la Sécurité sociale et des Allocations familiales, le 24 avril, elle n'a recueilli que 59 et 61 % des voix, alors que les estimations la créditaient d'au moins 75 %. La CFTC en a 26 et 25 %. Nombre d'électeurs CGT ont en outre « panaché » et éliminé ou rétrogradé sur les listes des syndicalistes communistes en vue.

de Résistance « Honneur et Police », défraie la chronique et provoque la suspension d'un préfet de police; l'affaire Hardy, un résistant dont un procès à épisodes révèle qu'il fut sans doute à l'origine de l'arrestation de Jean Moulin, les lourdes peines qui tombent sur des exécutants dans les procès d'épuration, éclaboussent la Résistance : on découvre une imposante colonisation communiste au ministère des Anciens combattants; la police dénonce un « complot des couvents » où des religieuses abritaient des miliciens, révèle l'existence de dépôts d'armes clandestins connus d'anciens FTP, annonce la reconstitution de mystérieuses « Brigades internationales » sur le sol français. Depreux parle volontiers d'un « nouveau 6 Février » et Auriol prend pour argent comptant des rapports alarmistes que les services secrets et la Sûreté accumulent sur son bureau. Dans le nouveau contexte international, le thème d'un coup de force imminent des communistes prend ainsi corps dès le mois de mars et le nouveau chef d'état-major, le général Revers, avec l'accord du seul Ramadier, met en alerte des forces d'intervention sûres.

Sur ces entrefaites, de Gaulle lance l'attaque contre le régime. Il a médité sur son erreur tactique de janvier 1946 : le pays s'accommode fort bien de son silence. Il décide dès janvier de fonder un mouvement, le Rassemblement du peuple français. De Gaulle peut-il rester impuissant et impassible quand une nouvelle guerre est inévitable et que la gangrène communiste, après avoir pourri l'État, prépare ouvertement sa subversion? Il lance donc à Bruneval le 30 mars, puis à Strasbourg le 7 avril, l'appel à une nouvelle résistance contre un régime illégitime. Les thèmes d'action sont dans la continuité de l'œuvre gaullienne depuis 1940, mais le raidissement est net. En économie, la part de l'État doit être rognée et l'esprit d'entreprise encouragé ; la politique sociale se réduit à l'association du capital et du travail contre le collectivisme ; l'action impériale dans le cadre de l'Union française insiste sur la présence française et s'éloigne des générosités du discours de Brazzaville ; la France enfin est posée, indépendante et forte hors des blocs en formation, mais son apport à l'Occident est souligné. Le RPF qui naît officiellement le 14 avril peut donc séduire des publics divers, anciens des réseaux et de Londres qui se remobilisent dans la joie, « travaillistes » déçus qui se souviennent des ordonnances sociales de 1944-1945 et surtout une vaste clientèle à ponctionner sur le MRP, le centre et la droite, grâce aux thèmes nationalistes, aux appels à la liberté et à l'anticommunisme affiché dès le premier jour. Des ouvriers et des petites gens déçus aux bourgeois apeurés du vieux vichysme, en passant par les héros et les fidèles, les « compagnons » seront légion : « Le RPF, c'est le métro », dira Malraux, délégué à la Propagande. De fait, malgré une condamnation unanime et immédiate de l'entreprise par les trois partis majoritaires qui interdiront à leurs membres la double appartenance, ce « rassemblement qui ne sera pas un parti de plus », ce transport public devient une « vague levée », qui déferle : au 1er Mai, 810 000 demandes d'adhésions et peut-être un million de membres fin décembre[1].

On pouvait croire que l'explosion du RPF ragaillardirait le tripartisme dans un réflexe défensif. Il y eut bien de vaillantes déclarations des communistes sur la nécessaire vigilance républicaine face au nouveau Badinguet, auxquelles fit écho le Comité directeur de la SFIO, tandis que Ramadier chantonne : « il n'y a pas de Sauveur Suprême », et que le MRP, ébranlé, donne dans la dignité offensée. Les ministres communistes, malgré des dissensions entre Thorez, homme d'État heureux, Billoux, soucieux de maintenir l'appareil, et Tillon, impatient et moins « soviétique », soupèsent mal l'hostilité que le nouveau visage du gaullisme et la crise économique et morale suscitent contre eux : jusqu'à la mi-mars, ils maintiennent, et parfois contre leurs camarades, que rompre l'alliance gouvernementale précipiterait le pays dans le camp américain, que Bidault négociant à Moscou a leur confiance. Certes, au soir du débat sur l'Indochine, on l'a vu, le siège de Ramadier est fait : les communistes ne peuvent plus être à la fois dans l'opposition et au gouvernement. Pourtant, à l'issue de la conférence de Moscou, rien n'est définitivement engagé et les dirigeants du parti français ne savent encore pas quel destin Staline leur réserve. Nul doute, en revanche, que le feu des grèves

1. Mais les sondages tempèrent ce triomphalisme : 43 % des Français contre 34 % (et 23 % qui ne se prononcent pas) désapprouvent alors la fondation du RPF. (Voir J. Charlot, *les Français et de Gaulle*, Plon, 1978, p. 76.)

ait déclenché chez eux le vieux réflexe défensif : éviter un déborde-
ment par l'ultra-gauche, tendre de nouveau les ressorts d'une
pratique de la grève et de l'influence syndicale qui a soudé depuis
1936 ce léninisme instinctif qui fait l'originalité du parti et l'enracine dans sa « fonction tribunicienne [1] ». A l'évidence, ce ressource-
ment au cœur d'une classe ouvrière souffrante et active n'était pas
plausible si des ministres communistes cautionnaient plus longtemps la politique gouvernementale des salaires et des prix : de
fait, plus que sur l'Indochine ou Madagascar, c'est sur la politique
sociale qu'en Conseil des ministres Thorez est le plus cassant dans
les dernières semaines. Non seulement le PC est en porte à faux,
mais l'évolution d'une situation intérieure et extérieure dont il ne
maîtrise plus les données révèlent crûment l'absence de politique
à long terme qui le caractérise depuis la Libération. Impuissant,
il attend.

Le renvoi des ministres communistes le 5 mai 1947 est donc
unilatéralement le fait de Ramadier qui tire les conséquences de
leur refus de voter la confiance la veille à l'Assemblée sur la politique économique et salariale. Les communistes sont pris de court :
avant d'être autoritairement « démissionnés », ils envisageaient
une « grève sur le tas »; Georges Marrane, ministre de la Santé
mais conseiller de la République, qui n'est donc pas concerné par
la mesure de renvoi, attend 24 heures avant de se solidariser avec
ses collègues. En mai et juin, Duclos fait des déclarations apaisantes et le congrès du Parti à Strasbourg demande la formation
d'un gouvernement démocratique où les communistes occuperont
la place qui leur est due.

La mise en forme idéologique de l'événement n'interviendra
qu'à l'automne. Mais, outre que leur départ ne manque ni de
dignité ni de grandeur, chez Thorez en particulier, les communistes
témoignent par leur calme d'un instinct ouvrier fort vif : à l'Assemblée leurs dernières déclarations ont affiché cette volonté de défendre
jusqu'au bout les travailleurs. Dans l'attente d'une claire percep-
tion de la politique de Staline, elle légitime l'action quotidienne

1. C'est-à-dire l'organisation et la défense des classes plébéiennes
exclues du système politique et culturel. Voir G. Lavau dans *le Communisme en France*, Colin, 1969, p. 18.

du parti, lui évite d'entrer aussitôt dans l'opposition, préserve à la fois son potentiel électoral et les chances de frayer une « voie française » au socialisme. Les socialistes aussi ont pris un risque, se couper de la classe ouvrière en rompant avec le Parti qui prétend l'incarner et ruiner toute possibilité d'union de la gauche. Ramadier et le groupe parlementaire, malgré leurs divisions, ont mis la SFIO devant le fait accompli. Mais, pour préserver l'avenir, ne fallait-il pas quitter le gouvernement? Guy Mollet le soutient contre Blum et Ramadier. Au terme d'un vif débat au Conseil national du 6, par 2 529 mandats contre 2 125, la SFIO se prononce pour le maintien du gouvernement, sauf « s'il devait être soutenu par une majorité réactionnaire ». Ce qui paraissait inconcevable aux heures chaudes de la Libération est accompli : les socialistes consentent à gouverner sans les communistes. Nul doute qu'ils n'aient alors ressenti la nécessité de défendre le régime contre le double assaut prévisible du RPF et du PC. Mais, rétrospectivement, ils devront admettre que la date fut décisive pour le destin de leur parti.

Le tripartisme meurt, comme il est né, d'une crise où les partis s'érigent en juges suprêmes de l'intérêt national. Le 6 mai, une poignée de mandats des fédérations socialistes libère la voie pour la Troisième Force. Sur la rive opposée, l'homme du 18 Juin a pris le risque de discréditer un régime légitime et prépare une nouvelle résistance. Les autres formations se partagent entre le soulagement et l'attentisme. Nul n'a songé à consulter sur-le-champ les Français.

La grande peur d'automne.

Sous l'aiguillon de l'entrée en guerre froide et des grèves qui ne cessent pas depuis le printemps, les glissements s'accélèrent. Depuis le 5 mai les jours du gouvernement Ramadier sont comptés : harcelé par les instances dirigeantes de la SFIO, soutenu à bout de bras par Auriol, toujours aussi hésitant sur la politique économique et sociale, il flotte. Les efforts pour bloquer les prix font disparaître les produits, les augmentations de salaires arrachées secteur par secteur relancent l'inflation, Robert Schuman ministre des Finances prêche l'abandon des subventions et un fort classique équilibre budgétaire tandis qu'André Philip maintient un dirigisme diamétralement opposé; le président du Conseil n'arbitre pas :

« Je n'attache qu'un intérêt relatif à la querelle académique du dirigisme et du libéralisme, lance-t-il le 4 juillet. Je prends mon bien où je le trouve. » La vie quotidienne de la ménagère devient dramatique. En septembre, la production de charbon ralentit, les importations sont plus chères, le blé se raréfie après une mauvaise récolte, le kilo de pommes de terre taxé à 9 francs est négocié couramment à 16 et à 20 francs; à Verdun et au Mans, voici des émeutes pour le pain et le sucre. Le 15, Auriol note : « L'affolement n'est plus loin de la panique... Le gouvernement ne paraît pas toujours armé pour faire respecter son autorité[1]. »

C'est que les grèves font tache d'huile, partant de l'ensemble du secteur public pour gagner la métallurgie, les banques, les grands magasins et les transports[2]. La vague de mai-juin est-elle à peine désamorcée par des accords passés pendant l'été entre la CGT et le CNPF, qui prévoient une hausse de salaires de 11 %, qu'elle repart en septembre dans le secteur public, qui exige à son tour les mêmes avantages, puis relance l'agitation dans le secteur privé : la spirale est-elle sans fin? Les actions naissent le plus souvent à la base, la CGT s'empressant d'encadrer quand elle le peut. Les revendications sont précises et d'ordre strictement économique, traduisant l'obsession du ravitaillement : relèvement des bas salaires, reclassements catégoriels sur les grilles indiciaires, abattements de zones, primes à la production, parité du public et du privé, acomptes provisionnels, plafonnements des cotisations pour la Sécurité sociale. Le gouvernement a certes désavoué l'accord de l'été sur les 11 %. Il impose sans relâche les calculs de ses commissions paritaires et son arbitrage grâce à Daniel Mayer, qui n'a jamais perdu le contact avec les syndicats. Mais il doit céder en octobre, accordant les 11 % au secteur public et une révision avantageuse des coefficients hiérarchisés des grilles de salaires.

La psychose du complot subversif trouve un nouvel aliment dans cette agitation. Pendant l'été, la découverte d'un « Plan bleu » révèle que des nostalgiques de Vichy décidés à défendre par la violence la Chrétienté menacée par le communisme ont

1. V. Auriol (8) 1947, p 441.
2. Voir D. Holter, « Politique charbonnière et guerre froide, 1945-1950 », et M.-R. Valentin, « Les grèves des cheminots français au cours de l'année 1947 », *le Mouvement social,* janv.-mars 1985.

des antennes dans les milieux militaires et patronaux. Les nouvelles de l'Est ne sont pas plus rassurantes : le 16 août, Petkov, le chef du parti paysan bulgare, est pendu; en Pologne, en Hongrie, les partis non communistes sont en passe d'être laminés. A l'évidence, Moscou accélère le processus de domination communiste sur l'Europe de l'Est et lance dans la guerre froide les partis communistes occidentaux. Tenue en secret du 22 au 27 septembre à Szlarska-Poreba en Pologne, une réunion des responsables des neuf partis européens prépare le lancement du Kominform et officialise la politique des blocs antagonistes. Au cours de la discussion, Djilas et Jdanov prononcent un réquisitoire violent contre la politique menée par les Français et les Italiens depuis la Libération. Duclos et Fajon, abasourdis et sur la défensive, se voient taxés de « crétinisme parlementaire » et cloués au pilori des « valets maladroits de l'impérialisme ». Les effets de la remontrance ne se font pas attendre : dès octobre, les communistes passent dans l'opposition. A l'opposé, de Gaulle brandit toujours un catastrophisme planétaire qui dérive fort logiquement en anticommunisme violent. A Rennes, le 27 juillet, il dénonce le « parti séparatiste » dont la seule raison d'être est de soutenir en France les intérêts d'une Union soviétique et de son bloc allié, dont la frontière « n'est séparée de la nôtre que par 500 kilomètres, soit à peine la longueur de deux étapes du Tour de France cycliste ». Contre un « système » incapable de faire face à ce danger, contre « les petits partis qui cuisent leur petite soupe au petit coin de leur feu », est-il précisé à Vincennes le 5 octobre[1], le RPF s'organise et s'installe aux carrefours d'une vie politique qui pourtant lui répugne : un intergroupe parlementaire de 41 députés est constitué à la fin d'août, et des listes « comprenant des hommes et des femmes de tendances diverses » seront présentées sous son sigle aux élections municipales d'octobre.

Ces dernières cristallisent la crise. La campagne est dure : des incidents violents opposent gaullistes et communistes; le RPF se glisse partout, débauche des parlementaires et porte à la perfection sa technique du meeting de masse; les communistes mesurent déjà leur isolement et l'effet désastreux de la conférence

---

1. Ch. de Gaulle (223), p. 108 et 135.

polonaise. Au soir du 20 octobre, le RPF fait une percée spectaculaire, encaisse 38 % des voix, surtout dans les grandes villes,
s'installe aux mairies de Bordeaux, de Rennes et de Strasbourg,
domine le Conseil de Paris qui sera présidé par le propre frère
du général, Pierre de Gaulle. Mais la sélection des candidats n'a
pas toujours été heureuse et son électorat est bien plus à droite
que ses fondateurs. Le MRP s'effondre devant la poussée gaulliste :
environ 10 % des voix, abritées dans les fiefs catholiques d'Alsace
et de Bretagne. Ce scrutin marque le début de sa dislocation et la
fin de ses ambitions de grand parti de masse. Au contraire, la
gauche reste stable. Les socialistes résistent à l'assaut communiste et
gaulliste, le PC empoche les résultats de son ouvriérisme : il maintient son audience en fixant près de 30 % des électeurs. Dans les
jours qui suivent, la désignation des maires accentue le glissement
à droite et vérifie la force des coalitions anticommunistes. Ainsi,
grossièrement, la France semble divisée par tiers : gaullistes, communistes, future Troisième Force. Le tripartisme est bien enterré,
mais la solution d'avenir dépend des radicaux et des modérés.

En simple arithmétique parlementaire, la soustraction des
165 voix communistes et d'une quarantaine de gaullistes rend
en effet impossible toute solution tripartite, mais les 249 voix addi-
tionnées des socialistes et du MRP sont insuffisantes pour assurer
à un gouvernement les 314 voix fatidiques pour l'investiture :
SFIO et MRP ne peuvent constituer une Troisième Force fidèle
à la République qu'en recevant le secours d'une centaine de radicaux et de modérés. Or ceux-ci ont souvent soutenu le RPF ou se
sont abstenus de lui opposer des candidats aux municipales. La
survie du régime ne tient qu'à leur refus de la dissolution de l'Assemblée, exigée pourtant avec fracas par de Gaulle dans un « ulti-
matum » hasardeux le 27 octobre. Radicaux et modérés pèsent
alors les vertus de la proportionnelle (le RPF exige le scrutin
majoritaire), le danger communiste et les charmes du pouvoir :
ils acceptent de tenter l'expérience. Le balancier se stabilise au
centre. De Gaulle, dans son impatience, n'a pas compris que le
temps travaillait pour lui : il manque son premier « 13 mai ». Le
22 octobre, Ramadier remanie sans grand espoir son gouvernement.
Il donne des gages en écartant ses encombrants camarades Philip,
Tanguy-Prigent et Moutet. Un indépendant, Marcel Roclore,

reçoit l'Agriculture en pleine crise du ravitaillement, Robert Schuman est confirmé aux Finances. Le vote d'investiture, acquis de justesse par 20 voix de majorité le 30 octobre, ouvre tous les espoirs à la Troisième Force. L'UDSR est disloquée, le MRP divisé, les radicaux retrouvent vigueur au sein du RGR : les centristes en ébullition lancent les grandes manœuvres pour le pouvoir.

La Troisième Force s'installe sur les dépouilles de Ramadier épuisé et condamné par Guy Mollet, tandis que la tension sociale monte. Celle-ci impose d'occuper le pouvoir sans solution de continuité : élection est un mot tabou, la « défense républicaine » craint les réactions de grossière impatience des deux tiers de l'électorat. Poussé par Auriol et Mollet, Blum le 21 novembre fait l'amère expérience des sous-entendus idéologiques de la modération : pour avoir mis sur le même pied le danger communiste et celui du général, il manque son investiture de neuf voix, toutes centristes. La droite et le centre arbitrent donc impitoyablement et n'entendent pas céder sur leur objectif majeur, l'anticommunisme. En revanche, le glissement vers le centre droit se fait sans heurt le 22 : bien appuyé par les indépendants, les radicaux et l'UDSR, rassurant les gaullistes, assuré des soutiens unanimes de ses amis MRP et d'une bonne marge de manœuvre chez les socialistes, Robert Schuman est investi à une très large majorité et constitue un vaste ministère axé sur le MRP, au sein duquel se pressent tous les grands noms des années à venir[1]. Mais les espoirs des techniciens de la crise ministérielle restent intacts : entre son investiture personnelle et le vote de confiance à son gouvernement le 27, Schuman perd 90 voix. L'attribution des portefeuilles a fait tressaillir le ventre mou de l'Assemblée et chacun a pris date : ce n'est donc point un hasard si, dans les 90 défections, on compte 32 PRL, 11 UDSR, 12 indépendants et 8 radicaux[2]. Mais sur l'heure, ce président du Conseil catholique et lorrain rassure tandis qu'à l'Intérieur un socialiste décidé et méthodique, Jules Moch, reçoit la charge de rétablir l'ordre.

Car la situation frise l'insurrection. Dans leur troisième vague de novembre-décembre, les grèves ont pris l'allure d'affrontements

1. Voir J. Fauvet (17), p. 163.
2. Voir (4) 1947, p. 222.

politiques. A Marseille, du 10 au 12 novembre, une grève généralisée à l'occasion d'une hausse des tarifs de tramway décidée par la nouvelle municipalité dominée par le RPF, dégénère en émeute, tandis que le service d'ordre des CRS — où les communistes sont nombreux — intervient mollement : le maire Carlini est blessé, des bâtiments publics sont envahis, des bars saccagés, un jeune manifestant sympathisant communiste tué [1]. Le 15 novembre la grève éclate dans les Houillères du Nord après la démission de leur président Duguet et la révocation de Delfosse, secrétaire de la Fédération du sous-sol de la CGT et administrateur : une dure bataille s'engage entre les mineurs organisés par la CGT, épuisés par la bataille de la production mais qui retrouvent les réflexes de la Résistance face aux CRS puis à l'armée, bien vite mobilisés par Jules Moch [2]. La violence disloque le front des grévistes, les « rouges » chassant impitoyablement les « jaunes », multiplie les provocations et les brutalités du service d'ordre souvent flottant, oppose les communistes aux socialistes et, dans un plat pays tenu militairement, laisse des morts. Le 3 décembre l'express Paris-Tourcoing déraille, faisant 21 victimes et clôturant une longue liste de sabotages aux auteurs non identifiés. Partout, les meetings contradictoires mobilisent les services d'ordre « musclés » du PC et du RPF, les bruits alarmistes circulent sur un coup de force communiste, tandis que des grèves embrasent de nouveau la métallurgie, le textile, la chimie, l'alimentation, le bâtiment, les transports, les services publics et que, le 28 novembre, vingt fédérations CGT en lutte se constituent en « Comité central de grève ». La grève générale insurrectionnelle s'annoncerait-elle [3]?

La République décidée à écarter le danger communiste organise la riposte. Le gouvernement mobilise toutes les forces de l'ordre, rappelle les réservistes et le contingent de la classe 1943, couvre

---

1. Voir M. Agulhon et F. Barrat (80), 3e partie, et leur débat avec R. Gallissot dans *le Mouvement social*, no 92, juill.-septembre 1975, p. 49-91.
2. Voir J. Moch (165), chap. 14 et 15.
3. Bon exemple régional analysé par J. Merley et M. Luirard, « Les grèves de 1947 à Saint-Étienne », dans *Histoire, économies, sociétés*, Presses universitaires de Lyon, 1978, p. 151-185.

la brutale détermination de son ministre de l'Intérieur et fait voter à grand-peine par l'Assemblée, après six jours de débats ininterrompus, émaillés de violences et d'injures [1], le 4 décembre, des mesures de « défense républicaine » qui garantissent la liberté du travail. Mais l'échec du mouvement tient aux réticences de plus en plus vives que manifestent sur le terrain les habituels silencieux et les non-communistes devant ces grandes manœuvres violentes. Jour après jour, à partir du 15 novembre, le premier sursaut de colère passé, des ouvriers refusent l'intimidation communiste, exigent des votes à bulletin secret pour la poursuite de la grève. Des délégations des syndicats autonomes, de la CFTC et des groupes Force Ouvrière de la CGT, demandent l'arrêt de l'action, l'ouverture de négociations et affrontent délibérément les piquets de grève : cet effritement des énergies laisse le champ libre aux forces de l'ordre pour faire évacuer les entreprises et lance les procédures officielles d'arbitrage. Aux premiers jours de décembre, le déploiement d'une violence systématique, à Saint-Étienne, à Béziers, à Nice, à Valence notamment, coïncide trop exactement avec la régression générale de la grève pour que la direction communiste de la CGT ne sente le vent tourner et ne consente, sur invitation ferme de Daniel Mayer, à donner l'ordre de repli stratégique le 9, suivi par celui de reprise générale du travail le 10. La République d'Auriol et de Robert Schuman est sauvée. La classe ouvrière, affaiblie, divisée et inquiète, retourne à la production : lassitude, sagesse ou désenchantement?

Cette flambée sociale conduit à poser de nouveau la question qui était déjà dans tous les esprits trois ans plus tôt, mois pour mois : que veulent les communistes? Il n'est pas certain que, dans un contexte tout différent, les éléments de la réponse aient sensiblement évolué. Le PC s'est volontiers plié aux directives du Kominform, qui ne le jettent pas dans l'assaut contre la République bourgeoise, quoi qu'aient pu en penser à chaud ses adversaires et quelque argument qu'aient donné à cette thèse des décla-

1. Ce débat « historique », qui couvre 250 pages du *Journal officiel*, voit le député communiste de l'Hérault, Raoul Calas, expulsé de l'hémicycle après avoir occupé la tribune une nuit entière et chanté l'hymne à la gloire du 17e de ligne mutiné à Béziers en 1907. Voir G. Elgey (19), p. 365-372.

rations bouillantes de certains militants. Immergé dans un pays du camp impérialiste, il doit « prendre en main le drapeau de la défense nationale et de la souveraineté », faire échouer le plan américain d'asservissement de l'Europe pour appuyer la lutte du « camp démocratique ». En clair, oui à l'agitation, non à la subversion. Dès la fin d'octobre, Thorez a donc fait son autocritique et Duclos entonné une dénonciation d'une extrême violence verbale contre le plan Marshall, mais les consignes de la direction prennent grand soin d'éviter tout dérapage vers une tentative d'insurrection. Cette stratégie générale du bloc socialiste est pourtant adaptée à la réalité française. La politique de « démocratie avancée » n'est pas désavouée mais mise en veilleuse, le nationalisme jacobin de la Résistance et de la Libération est réinvesti dans la lutte pour l'indépendance nationale contre les Américains. Un activisme sans mesure et sans but immédiat permet en conséquence de concilier les exigences de Moscou et les acquis engrangés depuis 1936. Il maintient l'audience électorale, comme en témoignent les municipales, forge une nouvelle génération de militants et de responsables, vérifie l'état des transmissions des directives du parti vers la classe ouvrière par le canal syndical et affine encore sa stratégie de la grève. Dans cette volte-face idéologique sans programme et cette violence subversive privée de révolution, les dirigeants communistes, comme en 1944-1945, ne visent sans doute qu'un but : préserver le parti, sacraliser son identification à la nation et à la classe ouvrière [1].

Jeu dangereux, et sans doute mauvais calcul, car le mouvement syndical sort brisé de l'affrontement. Toutes ses composantes ont certes pris en 1947 conscience d'une évolution générale, amorcée en 1936. Le rôle déterminant du secteur public, fortement syndicalisé, dans l'initiative et le déroulement du combat, témoigne à la fois des transformations de l'État, souvent désormais moins disposé à céder que le CNPF, et érige le syndicalisme en groupe de pression sur les pouvoirs publics autant que sur le patronat. Mais les heurts ont été trop forts pour que l'unité de la CGT puisse résister, l'anticommunisme trop excité pour qu'une idéolo-

1. Voir R. Gallissot, « Les leçons de l'année 1947 », *Politique aujour-d'hui*, 1978, n° 3-4, p. 59-80.

gie syndicale minimale masque plus longtemps les divergences politiques. Le 18 décembre les groupes Force ouvrière tiennent leur deuxième conférence nationale : les délégués de la base choisissent de faire scission et de constituer une nouvelle centrale indépendante de la CGT. Aboutit ainsi à la rupture un patient travail de rassemblement des énergies anticommunistes amorcé dès 1938, abrité souvent au sein des groupes socialistes d'entreprises et cheminant depuis l'automne 1946.

Autour de Léon Jouhaux, accueillie favorablement par la SFIO et largement financée par les syndicats américains et même la CIA, la CGT-FO naît en avril 1948 [1]. Au même moment la puissante Fédération de l'éducation nationale se constitue, entraînée par le Syndicat national des instituteurs et bien décidée à défendre la laïcité et ses œuvres sociales. Ici, une division conduirait à l'impuissance : la sagesse condamne donc les enseignants à ne pas choisir et à se réfugier dans l'autonomie « provisoire [2] ».

Cette division syndicale, spectaculaire et qui engage l'avenir d'un mouvement déjà particulièrement faible en France depuis des décennies, masque le silence qui s'abat sur un monde ouvrier rentré dans le rang. La République victorieuse est trop livrée aux combinaisons de la Troisième Force pour comprendre qu'elle devrait s'en inquiéter. Du moins, au cours de cette « année terrible », dira de Gaulle paraphrasant Victor Hugo, par ces temps de « Grand Schisme » annoncés par Raymond Aron, une minorité politique qui tient les clés des solutions parlementaires oppose un moindre mal à la double fracture et désamorce l'engrenage de la peur. L'esprit de la Libération s'efface. Dans un pays qui repart courageusement à l'assaut de la reconstruction et de la croissance, ceux qui étaient le plus dépourvus d'idéologie triomphent et tentent de démontrer qu'entre gaullisme et communisme il y a quelque chose. Une République du moindre mal prend la France à témoin de son dévouement et la guide à pas mesurés sur le chemin de l'Ouest.

1. Voir A. Bergounioux (163), et J. Kantrowitz, « L'influence américaine sur Force ouvrière », *Revue française de science politique*, août 1978, p. 717-739.
2. D. Sapojnik, « La FEN choisit l'autonomie », *Le Mouvement social*, nº 92, juill.-septembre 1975, p. 17-47.

9

Le chemin de Washington

De 1948 à 1952, les fractures de l'année 1947 ne sont pas réduites. La guerre froide s'installe, les blocs se cristallisent et s'affrontent, frôlant la rupture. En France comme dans le reste du monde il faut compter désormais avec cette peur d'un conflit généralisé et suicidaire, amplifiée par les médias, qui périodiquement ameute les gouvernements et mobilise les ménagères devant les épiceries. On en connaît les manifestations les plus spectaculaires : « coup de Prague » en février 1948; purges, excommunications et pendaisons dans les démocraties populaires; blocus de Berlin de juin 1948 à mai 1949; maccarthysme aux États-Unis; naissance des deux Allemagnes et du pacte Atlantique; tempêtes du communisme en Chine et en Indonésie; guerre ouverte enfin en Corée de juin 1950 à novembre 1951, avec, en arrière-plan, les champignons atomiques de la bombe A soviétique et de la bombe H américaine.

Sur la France, ce contexte mondial a des effets plus stimulants qu'on pourrait l'imaginer. Ouvrir le parapluie de la protection économique et militaire des Américains n'y dispense pas de s'interroger sur la vocation atlantique et l'indépendance nationale. La hantise d'un relèvement allemand n'y conduit pas au repli frileux et excite au contraire les initiatives européennes. Mais les bienfaits d'une situation matérielle nettement améliorée plongent les Français dans une relative euphorie qui desserre l'angoisse accumulée depuis dix années : quelques « décideurs » discrets ont les mains libres à l'extérieur. L'escalade de la tension est donc moins forte, les alignements sont moins mécaniques qu'en d'autres pays. Pourtant, la guerre d'Indochine rappelle implacablement que l'illusion ne suffit pas à bâtir une politique.

Le parapluie américain.

Les choix de 1947 ont aligné la situation de la France, sa sécurité et sa prospérité ne peuvent plus être assurées sans l'aide américaine. Les effets bénéfiques du plan Marshall en offrent l'immédiate démonstration. On l'a vu, l'aide intérimaire assure un meilleur ravitaillement de la France en pétrole, en charbon et en farine; grâce à elle l'hiver est moins rude et la fin des restrictions s'annonce. De Washington, l'Economic Cooperation Administration (ECA), nouvel organisme chargé d'administrer le plan, délègue des missions dans les capitales européennes. A Paris, les fonctionnaires de sa mission spéciale, passionnés par la construction de l'Europe, se gardent de toute ingérence dans les affaires du Quai d'Orsay mais offrent un appui déterminant à l'équipe de Jean Monnet, commissaire au Plan de modernisation : l'intervention directe dans la vie administrative et économique du pays n'est pas niable. Le 28 juin, au reste, le débat parlementaire sur la ratification de l'accord bilatéral souligne qu'avec ses engagements précis sur la stabilité financière, sur la protection des firmes américaines désireuses d'investir en France et son interdiction d'exporter vers les pays de l'Est des produits stratégiques, il ne met pas à l'abri d'une « colonisation ». L'aide américaine jette la France dans le courant commercial de l'Ouest, fort libéral en philosophie et en pratique, mais nettement délimité dans la nouvelle géographie mondiale des rapports de force.

Mais sa contrepartie économique est très profitable. Nous en verrons plus loin les effets internes sur la reconstruction et la modernisation du pays. La massivité de l'aide doit cependant être soulignée : elle constitue un argument de poids dans la conduite de la diplomatie. D'avril 1948 à janvier 1952, en effet, la France a reçu 2 629 millions de dollars, dont 2 212 en subsides gratuits, soit 20,2 % des crédits américains en Europe, contre 24,4 % pour la Grande-Bretagne, mais seulement 11 % à l'Italie et 10,1 % à l'Allemagne de l'Ouest. Elle vient en tête de tous les pays pour les subsides (23,8 % du total), sans doute à la fois pour la dédommager du prix diplomatique qu'elle doit payer sur la question allemande et en signe de reconnaissance pour ses initiatives décisives en faveur de l'Europe. Ces dollars, pour la même période, représentent 48 % des ressources du Fonds de modernisation et d'équipement. Ils arrivent au moment décisif, donnant le coup de fouet à l'investissement et à la planification [1]. En outre, le contrôle par les Américains de la gestion de cette aide a été peu sourcilleux, et nos fonctionnaires ont eu toute latitude pour la ventiler dans les différents secteurs de l'économie. Accroissement de la production industrielle, libération des échanges, réduction du *dollar gap*, modernisation de l'appareil productif : nul ne peut nier l'efficacité économique de l'aide Marshall.

Les réticences françaises à en reconnaître les bienfaits, en conséquence, étonnent. Avant d'en rechercher les causes, il convient d'observer que la volonté française d'élargir à l'Europe bénéficiaire de l'aide Marshall le volontarisme du plan Monnet, donc d'adopter en commun un programme de relèvement coordonné, n'a pas abouti. L'Organisation européenne de coopération économique (OECE) créée à Paris le 16 avril 1948 et installée au château de la Muette regroupe certes, sur volonté expresse des États-Unis, les 16 États qui ont accepté leur aide, auxquels s'adjoint la future Allemagne de l'Ouest le 31 octobre 1949. Mais bien vite il est clair que les Européens ne présenteront pas un front uni, et, par défaut, les missions de l'ECA doivent tenir compte des indéfectibles cadres nationaux. Les travaillistes au pouvoir en Grande-Bretagne, en particulier, n'entendent pas lier leur sort aux gouvernements de Troisième Force ou démocrates-chrétiens qui dirigent la France, l'Italie et bientôt l'Allemagne fédérale, préfèrent négocier directement avec l'oncle Sam et n'ont pas renoncé à faire de la livre la monnaie forte de l'Europe. Et les pays du Benelux entendent recueillir seuls les fruits de leur récente union économique. La France met donc en berne ses espoirs. Robert Marjolin, jeune adjoint de Jean Monnet, devient, il est vrai, secrétaire général de l'OECE, mais Paul-Henri Spaak en est nommé directeur général dès octobre 1948. Les structures de la nouvelle organisation sont peu efficaces. Les décisions prises à l'unanimité par son Conseil des ministres ne sont pas exécutoires dans un pays dont la délégation se serait abstenue au moment du

---

1. Voir A. Grosser (44), p. 95 *sq.*

vote. Les experts qui y fournissent un utile travail de documentation et de prospective sont ligotés par leurs gouvernements. L'OECE ne sera jamais dotée de la moindre parcelle de ce pouvoir supranational qui aurait peut-être pu dialoguer plus hardiment avec Washington. Jamais elle n'a donc pu imposer un plan unifié de reconstruction de l'Europe : en février 1949, une initiative belge tourne court, en avril il s'avère que les bases d'une union économique franco-britannique n'existent pas ; en 1950, les plans Petsche, Stikker et Pella sur l'investissement européen n'ont pas eu de suite ; pas davantage en 1951 et en 1952 ceux sur les transports et l'agriculture. Le nationalisme y tue toute initiative.

A son actif cependant, non pas l'union douanière (les Britanniques la refusent avec obstination en raison de leurs liens privilégiés avec le Commonwealth), mais de sérieux progrès dans la libération des échanges. Profitant des ajustements de parités monétaires indispensables après la dévaluation de la livre de septembre 1949, l'OECE fait adopter le mois suivant un Code qui, sans toucher aux droits de douane, engage les partenaires à supprimer à terme ces contingentements dans les échanges, dont ils s'étaient armés depuis la crise des années trente. Dès 1951, il a permis de les abolir sur 75 % des importations totales. Mieux encore, en juillet 1950, elle crée l'Union européenne de paiements, qui permet la compensation entre banques centrales des États membres et leur propose automatiquement des crédits exprimés en unités de compte. Étendu à la zone franc et à la zone sterling, cet organisme de *clearing* a incontestablement permis d'affiner les politiques commerciales et amorcé une solidarité financière européenne face au FMI et aux investisseurs américains. Sans pouvoir néanmoins orienter les flux du crédit et de l'investissement [1]. De ces échecs, la Grande-Bretagne porte une large responsabilité, mais l'inflation chronique en France, stimulée par les coûts de la guerre d'Indochine et la hausse des prix des matières premières consécutive à la guerre de Corée, bloque elle aussi toute évolution.

---

1. Voir P. Mélandri, *les États-Unis et le « Défi européen » 1955-1958*, PUF, 1975, p. 21-32.

De fait, les réticences françaises tiennent pour l'essentiel au système d'alliance militaire qui double l'aide Marshall. En ce domaine, l'Europe qui relève à grand-peine ses ruines, la France qui engage ses meilleures troupes en Indochine, ne peuvent guère prendre l'initiative quand la guerre froide impose des solutions d'urgence. Sur un cadre européen mal assuré dans les structures molles de l'OECE et du Conseil de l'Europe, se superpose à la hâte un cadre atlantique qui militarise la procédure d'engagement des États-Unis sur le vieux continent.

A l'origine les Américains ne montraient aucun signe d'impatience « impérialiste ». A la fin de 1947, ils subordonnaient simplement leur aide à la construction d'une coopération réelle entre pays libres d'Europe. Et ce sont Bidault et Bevin qui quémandaient déjà leur appui militaire, non plus contre l'Allemagne mais contre le danger soviétique. C'est l'initiative européenne qui a répondu à l'attente de Washington. Britanniques et Français s'opposent certes sur les buts de la construction européenne. Les premiers, par la déclaration Bevin du 22 janvier 1948, aspirent toujours à une union politique formelle et estiment que la présence physique des Américains est une garantie suffisante contre tout relèvement agressif de l'Allemagne. Les seconds jouent la carte du fédéralisme, rêvant d'une Europe capable d'échapper un jour à l'attraction des blocs et reconnaissant le rang de la France à la tête de l'entreprise de construction. Mais le « coup de Prague » du 20 février met la Tchécoslovaquie sous la botte soviétique et accroît la tension entre l'Est et l'Ouest : la psychose de guerre coupe court aux tergiversations et aux arrière-pensées. Le pacte de Bruxelles, signé le 17 mars pour cinquante ans, crée donc l'Union occidentale, simple conseil facultatif des ministres des Affaires étrangères de la France, de la Grande-Bretagne et du Benelux à l'origine, en fait pacte militaire à cinq prévoyant assistance automatique en cas d'agression contre l'un des signataires en Europe et outre-mer. On parle même d'élargir les effets au plan économique, social et culturel. Ambassadeurs et experts se réuniront en comité permanent à Londres; dès l'été un état-major commun des Cinq s'installe à Fontainebleau, dirigé par Montgomery, de Lattre recevant la responsabilité des forces terrestres. Mais nul n'est dupe : que peuvent faire les 9 divisions anglaises, françaises et belges contre les forces soviétiques, sinon tenter de tenir sur le Rhin ? Seule l'armée américaine peut donner crédibilité au pacte de Bruxelles. Face au péril immédiat, une défense européenne ne peut être qu'atlantique pour sauver en commun, affirmait dès le 4 mars Bidault à Marshall dans un message personnel, « la seule civilisation qui vaille ».

Dès lors, la réponse américaine ne se fait plus attendre. Le 11 juin, le Sénat vote la résolution Vandenberg qui autorise le gouvernement à conclure des alliances militaires en dehors du continent américain par temps de paix : éclatante rupture avec l'isolationnisme et signe avant-coureur d'une politique d'expansion. Le début du blocus de Berlin par les Soviétiques le 22 — la ville sera ravitaillée et défendue à l'aide d'un gigantesque pont aérien jusqu'à la fin de la crise en mai 1949 — vérifie la justesse de cette ligne nouvelle et donne une dramatique urgence à l'ouverture des négociations entre Washington et les Cinq. Elles seront longues, butant sur la gratuité des fournitures d'armements, sur l'intégration des territoires d'outre-mer au futur système défensif et surtout sur l'automatisme des interventions. La réélection de Truman en novembre lève les obstacles. Le 4 avril 1949, le traité de l'Atlantique-Nord est signé à Washington par les Cinq, les États-Unis et le Canada, auxquels s'adjoignent la Norvège, le Danemark, l'Islande, le Portugal et l'Italie (la Grèce et la Turquie seront admises en 1952). Présenté aux opinions européennes comme un heureux complément au pacte de Bruxelles, il le vide en fait de toute substance, tout comme, parallèlement, l'OECE offre le seul cadre à une éventuelle coopération économique. Les efforts obstinés de Bidault, puis de Schuman qui lui succède aux Affaires étrangères en juillet 1948, ont donné priorité absolue à la recherche du soutien américain. Ils sont récompensés : « Les États-Unis, proclame ce dernier, reconnaissent qu'il n'y a ni paix ni sécurité pour l'Amérique si l'Europe est en danger. »

Pourtant, les silences du traité sont inquiétants. Son article 5 exclut tout automatisme dans l'intervention militaire d'un pays si un partenaire est attaqué : le Département d'État a tenu à respecter la souveraineté du Congrès sur toute décision d'intervention américaine, et les cosignataires doivent s'incliner. La diplomatie française observe une très pudique réserve sur la compati-

oit éviter de faire usage de l'ultime recours, la
a-dire la frappe atomique de l'US Air Force.

t ainsi l'implacable enchaînement des traités et
e poids des circonstances — sans les coups de bou-
oriental, à Prague, à Berlin, en Corée, y aurait-il eu
nt hégémonie américaine? —, on laisserait trop
croire que la Troisième Force se laisse entraîner par
et sans résistance dans le camp atlantique. Il y aurait
logique interne de l'anticommunisme ou de l'impuis-
s partis : les communistes et les gaullistes plaident sur-le-
en ce sens. Le PC et ses « compagnons de route [1] », bientôt
par les minoritaires de la « bataille socialiste » exclus de
IO, identifient l'indépendance nationale à la résistance
re la « colonisation » américaine : le plan Marshall et l'OTAN
assalisent » l'Europe, livrent la France au capitalisme des
onopoles et aux hystériques de l'anticommunisme primaire [2].
e RPF aurait fait volontiers chorus si, au fil des mois, son anticommunisme ne l'avait conduit à trouver quelque vertu à un
atlantisme de raison. Mais cette opposition souvent tumultueuse
n'a pas assez de prise sur l'opinion pour menacer les tenants de
l'atlantisme et de l'activisme européen, le MRP, grand maître des
Affaires étrangères, la majorité des socialistes traumatisés par le
coup de Prague, les radicaux, les modérés et la droite, bref, tous
les « gouvernementaux ».

Mais les circonstances politiques qui soudent des majorités
pour ratifier les traités, le halo de silence entretenu autour des
décisions d'experts qui engagent l'avenir, ne doivent pas faire
oublier ce qui nous apparaît clairement aujourd'hui par l'étude
des sondages d'opinion : les Français, continûment, ont entretenu de 1948 à 1952 le très ferme espoir de sauver à l'intérieur de
l'alliance occidentale une belle part d'indépendance nationale.
Si les partisans d'une union de l'Europe sont très largement majoritaires dans le pays, l'opinion visiblement répugne à l'alignement
inconditionnel dans un camp. Dès juillet 1949, au fort de l'aide

1. Regroupés dans l'Union progressiste où voisinent Emmanuel
d'Astier, ancien fondateur de « Libération », Pierre Le Brun, de la CGT,
Pierre Cot, ancien radical, Gilbert de Chambrun et nombre de résistants.
2. Voir H. Claude, *le Plan Marshall*, Éditions sociales, 1948.

bilité du pacte avec le tr̶
L'optimisme de Sch̶
des rapports entre cet̶
construction[1]. Car le tr̶
qui forment l'ossature de̶
(OTAN). Son organe exécutif̶
d'un Conseil des suppléants, d'̶
et financière, d'un Comité mili̶
Surtout, il rend sans objet le Comit̶
financements des budgets nationaux̶
occidentale sont subordonnés aux plan̶
dès le 20 décembre 1949, les Cinq ne peu̶
facto à l'OTAN les charges militaires qui l̶
guerre de Corée accélère le processus : une fois e̶
l'angoisse qu'il fait naître, ont commandé. Que ̶
les 12 divisions et les 1 000 avions de l'OTAN st̶
en Europe face aux 27 divisions et aux 6 000 avions ̶
La diplomatie française fait donc chorus avec tous le̶
qui veulent défendre l'Europe entre Rhin et Elbe, accep̶
l'aide Marshall soit relayée par une assistance militaire, ava̶
buter sur la question de fond : le Pentagone exige que des troup̶
allemandes soient intégrées dans l'armée atlantique en gestation.
Au printemps de 1951, l'état-major de l'OTAN est sur pied, le
Supreme Headquarters of Allied Powers in Europe (SHAPE)
s'installe à Rocquencourt, près de Versailles, Juin y reçoit le
commandement du centre-Europe[2]. Le parapluie américain est
en place, le cadre des querelles européennes ayant été débordé
par la menace de la guerre généralisée. La stratégie de l'OTAN
vise désormais à installer en Europe un « bouclier » de forces
classiques assez solide pour supporter le premier choc des forces
soviétiques et les contraindre à l'escalade vers la *major attack*.
Alors, impériale, se déploierait la politique du *deterrent*, subtile

---

1. « Dans les conseils du gouvernement dominait la tendance à se complaire dans le rôle d'ami privilégié et choyé des États-Unis », note R. Massigli dans (180), p. 143.
2. Le 28 mars, autorisation est donnée aux États-Unis d'installer une importante base aérienne à Châteauroux. A partir de juillet, 7 bases au Maroc seront concédées.

Marshall, les sentiments sont très partagés : « une bonne chose » répondent 25 % des personnes interrogées, « plutôt bonne », 20 %, « mauvaise » ou « plutôt mauvaise » soutiennent 23 %, tandis que 32 % n'ont pas d'opinion. Une majorité est déjà installée dans une indifférence qui pourrait dériver vers l'hostilité. La militarisation du secours américain aggrave la confusion : en septembre 1952, 45 % des Français soutiennent qu'en cas de guerre entre les États-Unis et l'URSS leur pays ne devrait pas prendre parti, contre toute logique des traités; 36 % s'enrôleraient dans le parti américain et 4 % seulement pencheraient du côté de l'Union soviétique[1]. Sur ce thème vital, on le voit, les clivages d'opinion ne recoupent pas le rapport de force partisan : les électeurs communistes ne soutiendraient pas l'URSS, les partis proaméricains n'obtiennent pas de consensus massif.

Mais l'aspiration au non-engagement reste en arrière-plan dans les préoccupations des citoyens et ne trouve pas de transcription politique. Ainsi s'explique que le débat sur le neutralisme reste confiné dans les cercles restreints du pouvoir et des intellectuels. Le constat initial qui le fonde est certes inattaquable : « Le réarmement de l'Allemagne est contenu dans le pacte de l'Atlantique comme le germe dans l'œuf », avertit Sirius dans *le Monde* du 6 avril 1949. Lancé, relancé par les articles du philosophe Étienne Gilson dans *le Monde* d'avril 1948 à septembre 1950, qui plaident pour le désengagement et le non-alignement de la France, il reste confiné dans la presse de gauche indépendante des partis et, sans perspectives concrètes, ne mobilise guère : une défense politique de la paix conduirait à soutenir implicitement les communistes, le respect du non-alignement supposerait un effort militaire en solitaire que l'état de l'économie française rend impossible[2]. La faible combativité des « majorités silencieuses » acquises à une indépendance ombrageuse laisse donc le champ libre aux gouvernements. Elle les contraint sans doute aussi à prendre des

---

1. *Sondages*, 1958 (1-2).
2. Voir J. N. Jeanneney et J. Julliard (132), chap. 3. On trouvera dans le numéro spécial d'*Esprit* (avril 1948) sur *le Plan Marshall et l'Avenir de la France* un large éventail d'opinions. Le neutralisme est à l'origine de la naissance de l'hebdomadaire *l'Observateur* à partir du 13 avril 1950.

initiátives. Paradoxalement, l'alignement laisse ainsi aux gouvernements de la Troisième Force une marge de manœuvre.

Initiatives européennes.

La construction de l'Europe et la question allemande sont les deux points d'ancrage, complémentaires, d'une diplomatie française originale, offensive et impulsée par le MRP. Ses partenaires reconnaissant implicitement à la France un droit de regard déterminant sur le destin de l'Allemagne, elle pouvait bloquer les constructions européennes et les alliances. Quoi qu'en aient dit ses adversaires, la Troisième Force a su non seulement user avantageusement de cette rente de situation mais tenter des paris raisonnés.

Elle prend acte des piétinements de l'idée européenne et des conditions nouvelles que la guerre froide pose à son épanouissement. Les résistances contre l'ennemi commun, le fascisme, avaient donné vigueur à l'idée d'une Europe démocratique qui réhabiliterait un idéal commun souillé par « l'Ordre nouveau » européen des nazis. Après 1945, la prise de conscience de l'effacement de l'Europe sur la scène internationale avait mis en effervescence des groupes politiques, économiques ou idéologiques très divers dans lesquels des résistants se retrouvèrent [1]. Ils avancent des propositions et décident de coordonner leurs efforts en décembre 1947. Les encouragements ne leur ont jamais manqué du côté des politiques : de Gaulle, en septembre 1945, ne négligeait pas l'idée d'un regroupement, Van Zeeland a continûment plaidé le dossier du fédéralisme et Churchill lui-même, le 19 septembre 1946 à Zurich, souhaitait la constitution d'une petite Europe où Français et Allemands se seraient réconciliés et que la Grande-Bretagne bénirait de loin. La guerre froide et le démarrage des politiques

---

1. L'Union européenne des fédéralistes de Brugmans, le Mouvement socialiste pour les États-Unis d'Europe, les Nouvelles Équipes internationales démocrates chrétiennes, le Conseil français pour l'Europe unie, la Ligue européenne de coopération économique vantant le libéralisme, l'Union parlementaire européenne, sans parler des groupes nationaux, des rassemblements de syndicalistes ouvriers, agricoles ou patronaux.

de reconstruction économique actualisent leurs aspirations. Au congrès de La Haye de mai 1948, ces mouvements, qu'ils soient fédéralistes ou unionistes, parlent de Charte européenne des Droits de l'homme, de Cour suprême de justice et d'Assemblée européenne délibérante. Le Mouvement européen qui en est issu dès octobre 1948, présidé par Churchill, Blum, Spaak et De Gasperi, entame une campagne d'opinion, nourrit les dossiers politiques, économiques et culturels, s'érige en groupe de pression sur les gouvernements. Du côté français, ce n'est guère utile : dès le 19 juillet 1948, Bidault avait proposé aux Cinq du pacte de Bruxelles d'étudier un projet d'union économique et d'Assemblée européenne. Malgré les réticences britanniques, un accord se dégage entre les gouvernements pour tenter l'aventure d'une création : une Assemblée européenne consultative, tribune pour les mouvements d'opinion et lieu commode de rencontres et de coopération parlementaires et ministérielles.

Ainsi naît le 5 mai 1949 et s'installe à Strasbourg le Conseil de l'Europe, la première organisation internationale issue d'une volonté propre des Européens. Idéaux communs de civilisation et progrès à venir, droit et liberté figurent en bonne place dans ses statuts. Outre les Cinq, y adhèrent dès la fondation le Danemark, Norvège, la Suède, l'Irlande et l'Italie, auxquels s'adjoindront en 1949 la Grèce, la Turquie et l'Islande, puis la Sarre et l'Allemagne fédérale en 1950 et 1951 : la démocratie affichée rassemble des pays libres et exclut l'Espagne et le Portugal. Mais l'enthousiasme de l'été 1949 retombe bientôt. Au plan économique, le terrain est solidement occupé par l'OECE et ses dollars; dans le domaine culturel, les commissions de l'ONU et l'UNESCO animent les projets les plus indispensables. Et surtout, le but premier du Conseil, « créer une autorité politique européenne ayant des fonctions limitées mais des pouvoirs réels », est sans avenir. A l'Assemblée consultative, où siègent par familles politiques, toutes nationalités confondues, des députés désignés par leurs parlements nationaux, Britanniques et Scandinaves s'opposent aux initiatives françaises, italiennes, belges ou néerlandaises qui pouvaient jeter, session après session, les bases d'un fédéralisme européen. Cette Assemblée sans pouvoirs réels crée certes des habitudes communes dans la classe politique, signe des conventions et avance des projets bien élaborés auprès des gouvernements. Mais le Comité des ministres, organe imposé par les Britanniques, sait opposer son veto à toute initiative qui empiéterait sur les prérogatives des parlements et des gouvernements. La spectaculaire démission le 10 décembre 1951 du premier et enthousiaste président de l'Assemblée, Paul-Henri Spaak, révèle — sans que les opinions publiques manifestent une quelconque émotion — que l'unification politique de l'Europe ne naîtra pas dans le forum de Strasbourg.

En France, à l'exception des communistes qui ont refusé de ratifier la création du Conseil de l'Europe et qui, au reste, ne seront pas conviés à y siéger, toutes les forces politiques ont suivi l'expérience avec attention. Mais ses limites sont bientôt soulignées, et force est d'admettre que la question allemande y constitue un point de blocage particulièrement fort. La politique de contrainte et de fermeté inaugurée par de Gaulle et suivie par Bidault sur l'Allemagne n'est-elle pas, murmure de plus en plus haut la Troisième Force, la meilleure façon de faire renaître un nationalisme allemand? Faut-il s'obstiner à humilier un peuple vaincu que la guerre froide place géographiquement désormais aux avant-postes de la défense des valeurs occidentales face à la menace soviétique? A Londres, par de laborieux compromis qui traînent du 23 février au 1er juin 1948, les Trois se sont mis d'accord sur un statut des zones d'occupation et sur la convocation d'une Assemblée constituante, mais la France a dû abandonner définitivement son plan de détachement politique de la Ruhr et d'internationalisation de ses industries. La restauration politique et économique de l'Allemagne est en route : le blocus de Berlin, qui ruine toute possibilité concrète de négociation entre les Quatre malgré les spectaculaires propositions de la diplomatie soviétique en juin 1949 sur la paix, en souligne l'urgence. A la suite des accords de Washington en avril 1949, la République fédérale allemande naît en septembre et Konrad Adenauer en devient le premier chancelier. Dès le 7 octobre, une République démocratique allemande surgit de l'autre côté du rideau de fer : l'espoir de l'unification s'envole. Le 22 novembre, par les accords de Petersberg, l'Allemagne d'Adenauer s'engage à refuser toute militarisation mais arrache en compensation d'importantes concessions économiques et le droit à afficher sa souveraineté nationale : les

Alliés n'exigeront plus d'elle des réparations. Bousculée par les Anglo-Saxons qui souhaitent un rapide relèvement de l'Allemagne de l'Ouest, la diplomatie française ne peut que marchander âprement et manifester sa méchante humeur. Elle n'obtient satisfaction que sur la Sarre politiquement autonome depuis 1947, mais dont le charbon lui revient entièrement à partir du 1er avril 1949. Mais elle doit conclure une « convention provisoire » le 3 mars 1950 qui y réduit les pouvoirs du haut-commissaire français, tandis que le gouvernement de Bonn propose de son côté une union douanière et réclame déjà le retour de la Sarre à l'Allemagne.

Ces deux blocages, la Sarre, l'échec politique de l'Europe seront pourtant contournés hardiment par Robert Schuman, ce Lorrain réservé et pieux, ce « Boche » calomnié par les communistes, ce vieux parlementaire, qui considère que la méfiance de la IIIe République envers l'Allemagne a fait son temps. Le contrôle de la démilitarisation, l'autorité internationale sur la Ruhr, le rattachement économique de la Sarre sont illusoires : seules comptent la réhabilitation morale d'un pays qui retrouve le goût de la démocratie et la volonté française d'une coopération loyale à égalité de droits [1]. Au printemps 1950, tout selon lui rend urgente une détente. Les Américains attendent que l'Europe montre qu'elle est capable de surmonter ses crises. La menace d'une crise de surproduction d'acier — révélant l'échec de l'OECE —, la recherche d'un accord de cartel entre les trusts sidérurgistes européens tracassent les experts. La tension internationale pourrait être réduite par l'affirmation d'un dynamisme européen. Sans oublier les impératifs de politique intérieure : la situation en Indochine est inquiétante, les socialistes quittent le gouvernement en février, la situation sociale est tendue et les élections générales approchent. Robert Schuman saisit ce faisceau de circonstances favorables, comprend qu'il donne une immense valeur diplomatique au très neuf projet de Haute Autorité commune du charbon et de l'acier élaboré dans le même temps par Jean Monnet et son

---

1. Voir R. Schuman, *Pour l'Europe*, Nagel, 1963, p. 153 *sq*. Portrait éclairant de l'homme dans L. Noël, *la Traversée du désert*, Plon, 1973, p. 63 *sq*., et R. Rochefort, *Robert Schuman*, Éd. du Cerf, 1968.

équipe, et dont il prend connaissance le 29 avril. En quelques jours, il arrache un accord du bout des lèvres à son fort « atlantique » président du Conseil, Georges Bidault, qui a pris l'initiative solitaire de proposer la création d'un « Haut Conseil atlantique pour la paix » le 16 avril ; court-circuite ses hauts fonctionnaires du Quai d'Orsay comme les milieux professionnels ; ignore superbement les Britanniques mais recueille les approbations d'Adenauer et d'Acheson. Le Parlement ne sera pas consulté, le Conseil des ministres l'est à la dernière heure et donne son accord sans avoir soupesé le dossier. Spectaculairement, le 9 mai 1950, dans le salon de l'Horloge du Quai d'Orsay, Schuman rend publique l'offre française[1].

« Cette proposition réalisera les premières assises concrètes d'une fédération européenne indispensable à la préservation de la paix », prédisait le texte de Jean Monnet. Sa force est d'être hardie, de prendre acte de l'échec d'une construction européenne amorcée au plus haut niveau du politique et de promouvoir un progrès sectoriel, une première intégration partielle mais profonde : « Le gouvernement français propose de placer l'ensemble de la production franco-allemande de charbon et d'acier sous une haute autorité commune, dans une organisation ouverte à la participation des autres pays d'Europe. » Ce marché commun limité à deux produits majeurs, libérés des droits de douane, modernisera la production, éliminera les entreprises non rentables, favorisera une planification souple sans toucher à la propriété mais sans céder aux appétits des grands producteurs. La Haute Autorité, composée de personnalités indépendantes désignées par les gouvernements, prendra des décisions exécutoires.

Si l'URSS condamne aussitôt le projet, les États-Unis acquiescent, convaincus qu'il lève le principal obstacle au relèvement allemand si nécessaire à la défense du monde atlantique. Tous les pays d'Europe occidentale lui sont favorables, à l'exception de la Grande-Bretagne où les travaillistes n'entendent pas mettre en compétition leur sidérurgie et leurs houillères fraîchement nationalisées. En France, les communistes et la CGT y voient une machine

---

1. Voir P. Gerbet, « La genèse du plan Schuman », *Revue française de science politique*, 1956 (3) ; le témoignage de J. Monnet (170), chap. 12, 13 et 14 ; de P. Uri dans *le Monde* du 9 mai 1975. Dossier complet dans *30 jours d'Europe*, n° 202, mai 1975.

de guerre contre l'URSS et soulignent les risques de chômage qu'implique la rationalisation de la production. De Gaulle dénonce ce « méli-mélo » trop supranational. Les socialistes, quoique inquiets devant l'allant de cette Europe « noire » des démocrates-chrétiens Schuman, Adenauer et De Gasperi, sont favorables sans plus[1]. Les radicaux sont partagés, les indépendants conjuguent antigermanisme et peur du dirigisme. Seul le MRP salue à peu près unanimement l'initiative. Mais l'hostilité la plus déterminée vient des sidérurgistes, soutenus par le CNPF, qui souhaitaient organiser eux-mêmes un marché avantageusement cartellisé. Alors l'intervention du secteur nationalisé, les Charbonnages de France, puis la SNCF et la Régie Renault, forts consommateurs d'acier, donna un atout maître à Schuman et aux techniciens de la planification.

Seuls six gouvernements acceptèrent de s'engager dès juin 1950 sur le principe d'une telle autorité supranationale : Paris, Bonn, Rome, Bruxelles, La Haye et Luxembourg. Les négociations, rondement menées sous l'autorité de fait de Jean Monnet, malgré le déclenchement de la guerre de Corée, qui ruine largement les espoirs de détente internationale que portait l'initiative de Schuman, surmontent le plus grave obstacle, la décartellisation de la sidérurgie allemande, et débouchent sur le traité signé à Paris le 18 avril 1951, instituant la Communauté européenne du charbon et de l'acier. Certes, un Conseil des ministres doit donner son aval aux décisions les plus importantes, une Assemblée de parlementaires contrôle, une Cour de justice arbitre les litiges, mais la Haute Autorité conserve une sérieuse marge d'initiative : la réalité de la CECA ne sera pas trop éloignée de la proposition du 9 mai 1950. Belle victoire pour Robert Schuman. Malgré les efforts conjugués des communistes et des gaullistes, la ratification du traité en décembre fut possible dès lors que les indépendants, par la voix de Paul Reynaud, se rallièrent. Le 10 août 1952, s'installe à Luxembourg la Haute Autorité. Elle porte à sa présidence son père spirituel, Jean Monnet. Dès 1953, le marché commun du charbon et de l'acier sera ouvert : grâce à la France,

---

1. Voir P.-J. Schaeffer, « Recherche sur l'attitude de la SFIO à l'égard de l'unification européenne », *Travaux et recherches* du Centre des relations internationales de l'université de Metz, n° 5, 1973/2.

l'avenir de l'Europe se joue désormais aussi à Luxembourg[1].

La formule communautaire contenue dans le plan Schuman fut délibérément appliquée, mais sans succès comparable, à l'épineuse question du réarmement allemand. Le temps presse. La guerre de Corée ruine les velléités de neutralisme. Le redressement économique et politique de l'Allemagne de l'Ouest prend de vitesse les revanchards ou les attentistes. Sous la pression des Américains, qui combattent le communisme sous la bannière de l'ONU, le monde libre européen est contraint de se mobiliser. La France, pour sa part, envoie à partir d'août 1950 un bataillon sur le nouveau front d'Extrême-Orient, sans parvenir à jouer un rôle de premier plan dans les délibérations sur la conduite de la guerre et sur l'armistice laborieux qui y met fin à l'automne 1951. Mais, dans le camp atlantique, elle subit la pression d'un concert de voix unanimes à souhaiter une participation allemande à la défense commune : Churchill, Adenauer, l'Assemblée de Strasbourg, Acheson enfin qui, à la conférence des Trois à New York le 12 septembre 1950, ne mâche pas ses mots : « Je veux des Allemands en uniforme pour l'automne 1951. » Faut-il céder au chantage américain, renier les espoirs de la Libération, donner à l'Europe un bouclier allemand alors que les meilleures troupes françaises sont engagées en Indochine? Peut-on, à l'inverse, prendre le risque de créer une crise au sein de l'OTAN quand la guerre générale semble inévitable?

Pour gagner du temps et reprendre l'initiative, Pleven, président du Conseil, présente devant l'Assemblée nationale le 24 octobre 1950 un plan militaire communautaire, jumeau du plan Schuman et à l'élaboration duquel a veillé Jean Monnet, qui applique aux armées les règles en cours d'expérimentation sur le charbon et l'acier : créer une armée européenne, placée sous la responsabilité d'un ministre commun de la Défense contrôlé par une Assemblée européenne, avec un budget militaire et des programmes d'armement eux aussi communautaires, intégrant des unités nationales au plus bas niveau possible de commandement. Contingents intégrés,

---

1. Par contre, échouent toutes les tentatives de création d'un « pool vert » pour les produits agricoles. Voir G. Noël, « Les tentatives de communauté agricole européenne (1947-1955) », *Revue d'histoire moderne et contemporaine*, octobre-décembre 1979, p. 579-611.

logistique supranationale, idéaux défensifs communs, la solution
est ingénieuse, écarte pour un temps le spectre d'une armée nationale allemande et ordonne le débat autour d'un projet français.
Son vice de forme tient à donner une armée à une Europe politiquement dans l'enfance. Surtout, elle installe un lourd malaise en
France. Communistes et gaullistes s'unissent une fois encore dans
le refus, mais tous les groupes tiennent ferme dans la volonté de
rendre impossible la reconstitution d'une armée et d'un état-
major allemands. A l'étranger, l'accueil fut tout aussi mitigé. A
la Maison-Blanche, au Pentagone comme à l'OTAN, les Américains soulignent l'irréalisme du projet et ne dissimulent pas leur
dépit. Mais, au fil des mois, quand la France refuse toutes les solutions négociées qui prévoient la constitution d'unités allemandes
séparées, quand Bonn se rallie, Washington en vient à considérer
le plan Pleven comme la seule solution raisonnable permettant
de sortir du dilemme : réarmer les Allemands sans effrayer les
Français[1]. Le prestigieux général Eisenhower, devenu en avril 1951
commandant suprême de l'OTAN, s'en laisse persuader par Jean
Monnet. De tête-à-tête discrets en rapports de comités d'experts,
l'affaire chemine sans bruit, tandis que l'étau de la guerre
froide se desserre après l'armistice de Pam Mun Jon en Corée.

Lancé en février 1951, un long débat parvient donc à contourner
péniblement les principaux obstacles du plan, taille des contingents
intégrés, nature précise de la supranationalité, hostilité britannique.
Un fragile accord est conclu à Paris en février 1952. Les unités de
base nationales comprendront environ 13 000 hommes, l'intendance et l'armement pourront être européens, mais le recrutement,
l'instruction et la gestion des réserves relèveront des défenses
nationales. Les organismes communautaires (un Commissariat qui
reproduit la Haute Autorité de la CECA, un Conseil des ministres,
une Assemblée et une Cour de justice) ont des pouvoirs restreints :
l'armée européenne coalise plus qu'elle n'intègre. Le traité créant
sur ces bases la Communauté européenne de défense, signé à Paris
le 27 mai 1952, après accord en février du Bundestag et des signataires du pacte Atlantique réunis à Lisbonne, demeure fort imprécis
aux yeux des Français qui en furent les parrains : douze divisions

---

1. Voir P. Mélandri, « Les États-Unis et le plan Pleven », *Relations
internationales*, nᵒ 11, automne 1976, p. 201-229.

allemandes, fussent-elles commandées en chef par des non-Alle-
mands, annoncent une vraie Bundeswehr face aux 14 divisions
françaises; la durée du stationnement des troupes britanniques et
américaines en Europe n'est pas précisée; les institutions communautaires sont faibles et le ministre commun a disparu. La contradiction éclate au niveau du commandement suprême, placé dans le
cadre de l'OTAN et revenant donc nécessairement à un Américain : le parapluie du Pentagone coiffe un mélange d'espoir mal
fondé, d'imprudence parée des vertus de l'initiative et d'échec
potentiel. L'Allemagne de Bonn est définitivement émancipée de
la tutelle des vainqueurs de 1945, la puissance américaine pourra
saisir à pleines mains l'instrument fragile de la CED.

L'Europe militaire née des propositions françaises rejoint donc
l'Europe économique et politique au rayon des ambiguïtés. Le
Parlement l'a bien senti au cours du débat de février 1952 qui
autorise à une faible majorité le gouvernement d'Edgar Faure à
négocier le traité de Paris. L'opinion s'éveille, les arguments se
simplifient déjà, pour ou contre la CED : la ratification du traité
est loin d'être acquise. Cette querelle qui monte sanctionnera
durement la politique des coups de force spectaculaires et solitaires, courageux mais sans audience populaire, qui a caractérisé
pendant cinq années l'apport de la France au débat européen.

Impuissance outre-mer.

Outre-mer, l'événement commande, révélant l'absence de vues
à long terme et contribuant à ruiner les efforts déployés sur les
fronts de l'atlantisme et de l'Europe. Certes, les institutions de
l'Union française fonctionnent, et Vincent Auriol prend fort au
sérieux sa présidence. Mais, à Matignon comme au ministère de la
France d'outre-mer, les modérés se contentent de régler les affaires
courantes. Les MRP Coste-Floret — inamovible dans cinq ministères — et Letourneau tiennent la scène rue Oudinot, relayés par
un indépendant, Jacquinot, après les élections de 1951 : la presta-
tion est terne. Seul Mitterrand, ministre UDSR des cabinets Pleven
et Queuille de juillet 1950 à juillet 1951, tente d'entrer en contact
avec l'opinion métropolitaine et recherche en Afrique noire des
interlocuteurs valables en réhabilitant les leaders du RDA. Il
échoue, face aux administrateurs désuets, aux affairistes sans génie

et aux Français indifférents [1]. Un consensus mou s'établit pour refuser d'examiner en face la décolonisation, de méditer les exemples indien ou indonésien, de chiffrer les écarts économiques grandissants entre la métropole et l'Union française. La «colonie» demeure une terre d'asile pour capitaux en mal de placement, un recours en cas de panique et un territoire sur lequel on saupoudre un peu au hasard des fonds publics : l'investissement reprend en direction de l'AOF, le Maroc reçoit des capitaux discrets au long de la crise coréenne, le Fonds d'investissement pour le développement économique et social des Territoires d'outre-mer (FIDES) créé en avril 1946 répand environ 50 milliards par an sans que le développement des territoires concernés semble en être particulièrement affecté.

L'attention générale est très médiocrement attirée par l'orage qui monte en Afrique du Nord. En Tunisie, la mort en septembre 1948 du bey Moncef exilé à Pau fait de Lamine bey un souverain légitime, parlant au nom d'un peuple, alors que l'échec des réformes de 1947 devient patent. Dès lors, sur le vide de la politique de Paris, les nationalistes progressent, galvanisés par le retour de Bourguiba en septembre 1949. Ils soutiennent la négociation avec Paris engagée par le bey, qui supplie Auriol de faire évoluer le protectorat dans le sens d'une coopération. Bourguiba lui-même, en avril 1950, plaide à Paris un plan en sept points qui séduit la gauche socialiste et communiste et secoue l'apathie générale. La situation semble se débloquer lorsque Schuman, le 10 juin, donne à Périllier, successeur de Mons, la mission « de conduire la Tunisie vers le plein développement de ses ressources et vers l'indépendance qui est l'ultime objectif pour tous les territoires de l'Union française [2] ». Mais le gouvernement Bidault n'a pas les moyens d'imposer sa volonté conciliatrice aux Français de Tunisie qui se mobilisent contre tout ce qui pourrait conduire à une indépendance à terme. La presse amie de métropole, les milieux de droite et du centre, les militaires déclenchent un violent tir croisé qui contraint le gouvernement à renoncer sans gloire à sa poli-

1. Il s'en explique dans *Présence française et abandon*, Plon, 1957. Grâce à lui cependant a progressé l'idée qu'une évolution en Afrique noire n'y favorisera pas inévitablement le communisme.
2. Voir L. Périllier, *la Conquête de l'indépendance tunisienne*, Laffont, 1979.

tique dès l'automne. Aussitôt, des troubles graves, avec émeutes à Enfidaville le 25 novembre, montrent que le Néo-Destour et l'UGTT ne sont pas dupes : la reculade de Paris fait monter les enchères. En 1951, malgré la mise en place d'une réforme administrative en février, le bey s'enhardit à parler d'une « souveraineté nationale intégrale » et ses ministres portent le problème à la connaissance de l'ONU. Un Néo-Destour qui affirme sa volonté d'indépendance, une Assemblée de l'ONU qui demande avec insistance l'ouverture de négociations, des Français mobilisés en Tunisie contre toute évolution, le terrorisme des fellagha et le contre-terrorisme de la Main Rouge secouant le pays : au début de 1952, Paris a perdu l'initiative.

Au Maroc, les gouvernements laissent les mains libres à Juin qui se heurte au sultan dès que ce dernier refuse un programme de réformes aboutissant à la cosouveraineté. Menacé en permanence de destitution par le résident, harcelé par l'Istiqlāl, étroitement surveillé par les grands féodaux, caïds ou pachas hostiles au pouvoir central, Ben Youssef a une marge d'action très faible. Une atmosphère économique et sociale détériorée à partir de 1948, une répression sévère contre les nationalistes et les communistes : on s'achemine vers l'épreuve de force. Au cours d'un voyage officiel en France en octobre 1950, le sultan ne parvient pas à arracher d'Auriol la promesse d'une transformation du protectorat. En décembre, Juin fait éliminer les nationalistes du Conseil du gouvernement de Rabat. En janvier, il fait donner ses alliés : Thami el-Glaoui, pacha de Marrakech, docile et pieux « sultan du Sud », prend la tête d'une mobilisation des tribus berbères qui viennent camper sous les murs de Rabat pour contraindre le sultan à désavouer l'Istiqlāl au nom du Maroc éternel. Le cabinet Pleven, divisé et impuissant, laisse faire, Auriol rompt avec le sultan, qui doit s'incliner et se désolidarise des nationalistes pour sauver son trône. Cette politique de prétorien eut des effets désastreux sur l'opinion marocaine, elle soude tous les nationalistes au sein d'un Front national marocain et excite la vindicte de la Ligue arabe. Le rappel de Juin en août 1951 ne règle rien : il a imposé au gouvernement son successeur, le général Guillaume, aussi cassant et inefficace que lui. Tandis que l'ONU est saisie de l'affaire marocaine par les États arabes, un mémorandum du sultan demandant le 20 mars 1952 un véritable gouvernement chérifien est repoussé. Grèves, protestations, impuissance : la tension monte sans qu'un espoir de solution apparaisse.

Le fracas de la guerre d'Indochine couvre les signes annonciateurs de l'embrasement au Maghreb. Les Français, cette fois, sentent confusément qu'une affaire d'outre-mer prend mauvaise tournure. La « solution Bao-Daï », lancée par les accords signés en baie d'Along en juin 1948, fait long feu. Car ses contradictions éclatent bientôt. Le MRP s'y accroche, dans une conception paresseuse et anachronique du pouvoir et du nationalisme, mais la SFIO soutient le général Xuan, chef du gouvernement et plus républicain. La force de Bao-Daï est d'avoir arraché aux Français ce qu'ils avaient refusé à Hô Chi Minh, la promesse de l'indépendance et de l'unité des trois Ky. Mais Paris n'est plus en mesure d'imposer cette solution à l'armée, aux colons et à leurs groupes de pression en métropole. Au long de l'été 1948, le gouvernement André Marie se laisse intimider par ces derniers, refuse au Vietnam de Bao-Daï la cession de la Cochinchine et à Xuan le transfert des services civils tenus par l'administration coloniale française. Avec un aveuglement méthodique, les gouvernements au sein desquels le MRP impose sa loi détruisent une à une toutes les cartes dont pouvait user le nouveau souverain. On tergiverse de part et d'autre avant de l'installer enfin en mars-avril 1949, après accord solennel paraphé par Auriol. On fait surgir aux alentours des États associés au sein de l'Union française, à la souveraineté quasi nulle, le Laos en juillet et le Cambodge en novembre 1949. Et surtout, les échecs militaires comme les campagnes de presse « brûlent » Bao-Daï auprès de l'opinion vietnamienne : tout espoir de paix est écarté, les Américains qui soutenaient le nouveau souverain sont découragés, la rupture du nouveau Vietnam avec le gouvernement communiste du Nord est saluée avec joie. Dès 1950, tandis que Hô Chi Minh est ainsi rejeté dans les bras des communistes chinois, Bao-Daï apparaît comme un fantoche manipulé par les Français, incapable de prendre en main l'administration du pays, de lever une armée nationale efficace, de mettre fin aux fructueux trafics sur la monnaie nationale, la piastre. Son « régime de palais », corrompu, sans légitimité démocratique, privé des attributs de l'autorité, tenu à bout de bras par l'armée française, ruine dans sa lente agonie dorée toute chance d'une solution nationaliste.

Des patriotes vietnamiens de droite rêvent déjà d'un secours américain, ceux de gauche rejoignent le Viêt-minh.

Dans le même temps, l'espoir d'une solution militaire s'estompe. Jusqu'au printemps 1949 la situation est certes stabilisée, car chacun attend une solution politique. Mais la guérilla s'installe : attaques de convois français, comme à Dalat en mars 1948, avec protection solide des grands axes de circulation en réplique; consolidation des réduits viêt-minh au Tonkin; généralisation en Cochinchine des vieilles méthodes de Gallieni par saupoudrage de postes isolés dans les campagnes. Illusoire pacification! Morne activité des hommes de garde, levée de milices indigènes, attente du courrier et des provisions, patrouilles dangereuses, jusqu'à la nuit finale où le poste est submergé par les « Viets » en noir, invisibles depuis des semaines, fondus dans la population et qui ont souvent trouvé des complices à l'intérieur du poste. Seul le prompt secours d'une colonne motorisée peut alors sauver parfois les Français. Avec des effectifs trop faibles, un haut commandement divisé, une tactique inadaptée face à l'ennemi insaisissable, le corps expéditionnaire s'est enlisé, la guerre se traîne. Mais la violente offensive de Giap au Tonkin en mars 1949 révèle que le Viêt-minh, malgré ses difficultés de ravitaillement, est prêt à profiter de la nouvelle situation créée par la victoire de Mao en Chine. Dépêché à la hâte pour une inspection, le chef d'état-major, le général Revers, conclut sagement qu'une solution par les armes est exclue mais préconise de résister jusqu'à l'inévitable intervention des États-Unis : la solidarité scellée au même moment par le pacte Atlantique doit passer par l'Indochine. Mission aussitôt accomplie par le corps expéditionnaire. Dans l'hiver 1949-1950, une offensive viêt-minh est enrayée au Sud, et le delta tonkinois définitivement quadrillé.

A l'été 1950, cette guerre coloniale archaïque devient ainsi une guerre contre le communisme, et le conflit coréen l'internationalise. A Paris, à Saigon, dans les états-majors, l'occasion est inespérée : l'immobilisme devient soudain ténacité, l'argent et les armes des Américains sont bienvenus, le soutien ouvert accordé par l'URSS et surtout la Chine à l'oncle Hô donne l'ombre d'une légitimité nationale à Bao-Daï. Bref, l'impuissance se pare d'idéologie. Les désastres de l'automne accélèrent l'évolution. Car le Viêt-minh passe à l'offensive au Nord-Tonkin, prenant les postes qui surveillaient la frontière chinoise, trop éloignés des bases françaises et dont l'évacuation, décidée depuis des mois, a été retardée par les atermoiements du général Carpentier : après Dong Khé en septembre, Cao Bang tombe en octobre, puis Langson; des colonnes sont exterminées, tout le dispositif défensif du Nord est transpercé, le delta et Hanoi sont menacés. Pour enrayer ce désastre, la nomination en décembre d'un chef prestigieux, de Lattre, suffit à galvaniser les troupes françaises : le 18 janvier 1951, l'assaut viet contre Hanoi est stoppé à Vinh Yen; en juin, Giap a perdu la bataille dans le delta hérissé de blockhaus et il renonce aux batailles classiques pour relancer ses unités vers la guérilla. Tout est sauvé, mais rien n'est réglé. Le « roi Jean », dont l'ardeur électrise civils et militaires, le sait : « Je suis venu ici pour accomplir votre indépendance », déclare-t-il aux Vietnamiens le 19 avril. L'armée française et l'armée vietnamienne la défendront contre le communisme international. Pour y parvenir, il faut convaincre Washington : en septembre, il y arrache du matériel et des dollars. A la fin d'octobre, le chef d'état-major américain est à ses côtés pour inspecter le front d'Indochine.

Ces armes et cet argent soulagent la France : sur les 830 milliards de francs engagés de 1945 à 1951, près du tiers viendra de l'aide américaine. Blindés, aviation, camions équipent le corps expéditionnaire, mais tout autant la jeune armée vietnamienne, soumise aux militaires français, et dont Bao-Daï n'a pas renoncé à faire un outil de l'indépendance. Tenus à l'écart, les « conseillers » américains ne pourront pas rester éternellement muets. De Lattre meurt sur ces entrefaites, le 11 janvier 1952 : son panache ne dissimulera plus désormais l'humiliation inscrite dans les faits. Sur place, 54 000 soldats français, officiers et volontaires, noyés au milieu des troupes coloniales ou des légionnaires du corps expéditionnaire (120 000 hommes) et des forces vietnamiennes (260 000 hommes environ) : décimés, amers, oubliés, ils croient livrer un combat inutile ou se réfugient dans l'anticommunisme le plus désespéré. En métropole, cette guerre qui absorbe plus de 40 % du budget de défense trouble le jeu politique mais n'émeut pas en profondeur l'opinion publique. Pourtant, elle a déjà révélé au monde l'impuissance de la France et ramené ses dirigeants sur le chemin de Washington.

10

La Troisième Force
ou la raison du moins fort

Depuis 1934 le pays avait la fièvre. Voici qu'elle tombe, que les « politiques de principe » cèdent le pas aux « affirmations négatives » et à une résistance contre les extrêmes : cette analyse revient sans cesse sous la plume d'André Siegfried préfaçant *l'Année politique* de 1948 à 1952. Cette opiniâtreté douceâtre de la Troisième Force à préserver le régime contre les vertiges centrifuges, cet équilibrisme de bon sens, colorent la période en gris. Le demi-deuil en effet s'impose à ceux qui rêveraient encore aux espoirs éclatants de la Libération. Que faire quand les extrémistes ne constituent plus une opposition mais veulent abattre le régime? Et qu'ils rassemblent continûment une majorité potentielle du corps électoral? Une République à base sociale et politique très amoindrie, une majorité artificiellement resserrée au centre par les chocs de 1947 : l'attentisme devient à la fois une tactique et la seule politique raisonnable.

Égrener le long chapelet des ministères et des crises qui les font naître laborieusement révèle certes la fragilité du système[1]. Mais la continuité est dans les hommes, qui se succèdent souvent à eux-mêmes aux postes clés, et dans cette obstination à refuser l'aventure par tous les moyens. Sous un ciel économiquement clément, le pays retrouve la santé et se laisse détourner pour un temps de la politique des empoignades.

---

1. A savoir les ministères R. Schuman (24 novembre 1947-19 juillet 1948), A. Marie (24 juillet-28 août), R. Schuman (5-7 septembre), H. Queuille (11 septembre 1948-6 octobre 1949), G. Bidault (28 octobre 1949-24 juin 1950), H. Queuille (2-4 juillet), R. Pleven (12 juillet 1950-28 février 1951) et H. Queuille (10 mars-10 juillet 1951).

Des extrémistes majoritaires.

L'exclusion du parti communiste a sans nul doute favorisé cette lassitude. Sa docilité et sa fierté à brandir bien haut son drapeau stalinien le réduisent de nouveau à cette image de « parti de l'étranger » dont le tournant de 1934 l'avait utilement débarrassé. Sa fidélité aux ordres du Kominform donne donc une large part de volontarisme à cette exclusion. Mais en retour un anticommunisme multiforme l'entretient sans relâche. Situation sans issue : le Parti doit s'isoler de la réalité française sous peine de perdre son identité, son application fidèle des directives de Moscou lui interdit d'avoir une stratégie originale et adaptée à la réalité nationale qui lui permettrait de sortir de cet exil intérieur. Le pain quotidien de sa politique est donc le calque fidèle de la doctrine Jdanov constitutive du Kominform. La paix ne tenant qu'à « un fil », est-il rappelé une nouvelle fois par Thorez au XIIᵉ Congrès du PCF d'avril 1950 à Gennevilliers, sa préservation est devenue l'objectif prioritaire, pour un salut du monde qui ne se distingue pas de celui de l'URSS : au Parti de coordonner l'action des forces pacifiques qui conjureront la guerre. En conséquence, son second objectif est la lutte « nationale » contre l'impérialisme américain et contre « l'aile marchande » du « parti de Washington », la SFIO. Redoutable décalage, quand les socialistes soutiennent de plus en plus mollement la Troisième Force et que l'immense majorité des Français ne perçoit qu'une menace tangible, celle du communisme, et considère que le danger de guerre s'éloigne [1] !

Spectaculaire et impuissante, sa politique de l'année 1948 donne la tonalité générale. D'un côté, une approbation ampoulée du « coup de Prague » en février : le bureau politique salue « la magnifique victoire de la démocratie tchécoslovaque » et, puisque ce pays se lance si joyeusement dans un « pacifique labeur de reconstruction », *l'Humanité* s'empresse de souligner que la France, elle, « s'enfonce chaque jour davantage dans la misère et dans la crise » et que Blum s'en réjouit [2]. Suivent, avec la même

---

1. 35 % des Français croient à une guerre proche en juillet 1947, 14 % en juillet 1949 (*Sondages*, 1956, nº 3, p. 40).
2. Voir F. Fejtö, *le Coup de Prague, 1948*, Éd. du Seuil, 1976, p. 255-259, citant *l'Humanité* du 28 février 1948.

logique et sur le même ton, l'approbation de la condamnation du schisme titiste par le Kominform en juin, celle de tous les procès sanglants dans les démocraties populaires. D'un autre côté une dure détermination à préserver l'image du « parti-de-la-classe-ouvrière », seule garantie pour l'avenir. L'occasion saisie fut la violente grève des mineurs de l'automne, en pleine crise de Berlin et au plus fort des négociations sur le charbon de la Ruhr. Dans un contexte social très morne, avec des grèves dans la sidérurgie, les transports et les services publics, le PCF tente délibérément de démontrer que la classe ouvrière française pourrait conduire le pays au refus de l'atlantisme. Le socialiste R. Lacoste, ministre de l'Industrie dans le cabinet Queuille, s'étant attaqué à l'absentéisme et au suremploi dans les mines, menaçant même une coopérative ouvrière de Beaumont-en-Artois, les dirigeants communistes de la Fédération CGT du sous-sol réagissent violemment, font voter la grève à une forte majorité pour le 4 octobre et, malgré la reculade du gouvernement et de la direction des Houillères, maintiennent dans l'action ces combattants acharnés de l'année précédente.

A contretemps dans le contexte français mais au moment opportun dans le cadre de la stratégie du Kominform, abandonnés par les autres centrales syndicales, les communistes de la CGT organisent la garde de tous les bassins, certains retrouvant les méthodes et les armes clandestines de la Résistance face aux 60 000 CRS et soldats que Jules Moch, ministre de l'Intérieur, mobilise aussitôt contre les 15 000 grévistes. Au sommet, Frachon condamne le plan Marshall; à la base, la chasse aux militants FO, socialistes ou « jaunes » est lancée, les puits encerclés sont défendus pied à pied. Le 16, les équipes de sécurité sont supprimées, et ce sabotage vise à afficher la volonté insurrectionnelle. A partir du 20, une bataille s'engage pour étendre la grève aux cheminots et collecter des soutiens financiers. Malgré le soutien des dockers, au début de novembre elle est perdue : les transports et la métallurgie ne suivent pas, l'argent fait défaut, la reconquête brutale des carreaux et des corons par la troupe — qui utilise automitrailleuses et tanks — est acquise le 2 novembre, faisant deux morts dans la Loire et dans le Gard. La CGT ordonne la reprise du travail le 29 : « Vous êtes les vainqueurs de demain », titre *l'Humanité*. Ces grandes manœuvres de la guerre sociale jettent un manteau de deuil et de colère sur les mineurs et leurs familles. La répression, d'une exceptionnelle brutalité, a fait jouer la solidarité ouvrière mieux que les consignes des syndicalistes, les 2 000 licenciements qui suivent confirment la détermination de la Troisième Force à en finir avec l'hypothèque communiste, aux applaudissements des nantis paniqués : le napoléon a atteint le chiffre record de 6 000 francs. Le PCF estime avoir fait son devoir. Mais, derrière ses mineurs meurtris, la classe ouvrière a pris congé de la République. Peut-être même a-t-elle au passage perdu le goût de certaines luttes trop « exemplaires ».

Qui pouvait penser que du choc de classes sortirait un gouvernement rompant avec les États-Unis? Qui croira désormais que les communistes ont un projet à long terme pour la France? L'insurrection brutale dont ils semblent rêver ne pourra réussir, disent ses adversaires, qu'avec le secours des chars soviétiques, comme dans les pays de l'Est. Ayant épuisé ses munitions pour vérifier que la courroie de transmission syndicale fonctionnait bien, ruinant dix ans d'efforts démocratiques, le PCF entre dans l'ère glaciaire du stalinisme strict. Sa fonction tribunitienne joue encore, mais ses effets politiques sont moins clairs. Jusqu'en 1952, manifestations de rue contre l'impérialisme américain et la guerre d'Indochine, meetings dans les entreprises, violences verbales et parfois physiques face aux multiformes « ennemis de classe », heurts particulièrement durs avec les militants du RPF, guérilla parlementaire[1], ne débouchent sur rien. La maladie de Thorez et son départ pour l'URSS en novembre 1950 aggravent l'immobilisme du Parti, confié dans l'intérim à Duclos et à Fajon. Au fil des Congrès, de 1947 à 1952, ses dirigeants admettent qu'il passe de 900 000 à 500 000 adhérents environ[2]. Mais ses adversaires

1. Les violents incidents entre Lecœur (qui lance « CRS-SS ») et Moch le 18 décembre en témoignent. Ils reprennent en mars 1950 à propos du vote de mesures contre le « sabotage ».
2. Chiffres comme toujours discutables : toutes les cartes expédiées de Paris et placées dans les fédérations ne sont pas réellement délivrées à des adhérents. On note un effondrement du même ordre dans la presse contrôlée par le Parti : de 1946 à 1952, ses tirages globaux passent de 7,5 à 3,8 millions d'exemplaires. *L'Humanité* régresse de 380 000 à 180 000 exemplaires quotidiens. Voir B. Legendre, « Les communistes et leur presse (1944-1958) », *Silex*, n° 20, octobre 1981, p. 127-136.

triomphent trop vite et s'apercevront en 1951 que son potentiel électoral demeure pratiquement intact : décidément, un parti communiste a une raison d'être dans ce pays puisqu'un électeur sur quatre lui accorde son vote. C'est que son emprise sociale reste forte, grâce à ses organisations parallèles qui conservent une audience et une efficacité dans les milieux qui, précisément, s'éloignent du champ politique « bourgeois ». La contre-société communiste entretient les foyers de vie, oxygène le vivier de militants, diffuse l'information et permet de mobiliser l'électorat dans les pires conditions. Élus, animateurs d'associations, syndicalistes, infatigables pourvoyeurs de mieux-être et de prompte défense des intérêts matériels et moraux pour les plus démunis jouissent, même par temps de gel, d'une inépuisable rente de situation.

L'impuissance du Parti est donc patente en politique intérieure. Tout autant, son combat sur le front intellectuel, son soutien aux causes de la paix et de la décolonisation le placent à l'avant-garde du camp communiste et ne lui permettent guère de conserver des positions avantageuses en France. Mais gardons-nous de donner rétrospectivement une trop grande part à ces joutes si souvent décrites par des intellectuels communistes en rupture de parti ou des compagnons de route déchirés : la masse des Français s'intéresse peu alors aux tourments des écrivains, des artistes ou des philosophes, et les organisations de masse qui brandissent la « colombe de la paix » dessinée par Picasso rassemblent peu d'ouvriers, de paysans et d'employés. Et si une « culture de guerre froide[1] » émerge, les reclassements qu'elle provoque ne seront clairement perçus qu'après 1952. Sur le terrain, les communistes ont certes plus souvent l'avantage que ne laisseraient croire la médiocrité de leurs intellectuels de service et la fixité toute militaire de leurs arguments : l'invective est rentable à chaud. Mais elle disqualifie à terme.

Dans les rassemblements pour la paix, les intellectuels communistes s'imposent en première ligne. En août 1948, à Wroclaw en Pologne, est né le Mouvement de la paix, qui entend mobiliser les

---

1. Voir B. Legendre, « Quand les intellectuels partaient en guerre froide », *L'histoire*, nº 11, avril 1979, et D. Caute (233).

masses à l'appel des forces de l'intelligence pacifiste, progressiste et communiste du monde occidental [1]. Paris eut l'honneur d'accueillir le premier congrès mondial des Partisans de la paix en avril 1949, solidement tenu en main par les communistes après une intense campagne de propagande. Aux cris de « Vive la paix », Joliot-Curie, président du Mouvement, Ehrenbourg, Yves Farge et Aragon condamnent la course aux armements, l'impérialisme américain et le colonialisme : un antifascisme nouvelle manière fait tressaillir l'intelligentsia progressiste. Au passage, le neutralisme est vidé de sa capacité militante : le squelettique Rassemblement démocratique révolutionnaire fondé en 1948 par Sartre et Rousset s'éteint et, on l'a vu, la bataille menée dans les colonnes du *Monde* ou du jeune *Observateur* ne mobilise guère. Mais l'emprise communiste sur son combat interdit tout développement massif au Mouvement de la paix, qui ne rassemblera que 72 000 adhérents en 1950. La campagne en faveur de l'appel de Stockholm contre la bombe atomique, qui recueille des millions de signatures, assortie de violentes attaques contre le titisme et les socialistes vendus à l'Amérique, prolonge fort opportunément ses activités à partir de mars 1950 [2].

Les communistes découvriront néanmoins un terrain de rencontre qui leur permettra de sortir quelque peu de leur isolement : la lutte contre la guerre d'Indochine. Ce que la guerre froide leur refuse, l'anticolonialisme le leur accordera. L'affaire Henri Martin donne à cet égard une précieuse indication pour l'avenir. La défense de ce marin condamné en octobre 1950, puis en juillet 1951, pour avoir milité contre cette guerre injuste et affiché ses sympathies pour la résistance vietnamienne avait été prise en main au début par les communistes et la CGT. Mais le soutien décidé de

---

1. La délégation française, où voisinent communistes (Picasso, Eluard, Joliot-Curie, Léger, Daquin, Daix, etc.) et compagnons de route (Vercors, Autant-Lara, J.-L. Barrault, Martin-Chauffier), y subit sans broncher le jdanovien assaut du romancier soviétique Fadeiev contre Sartre, « cette hyène dactylographe ». Voir D. Desanti (229), p. 112 *sq.*

2. Le Mouvement de la paix et de la liberté, plus prolétarien dans son recrutement et lancé de sa propre initiative par le PCF, a été derechef mis en veilleuse. Voir les regrets de son animateur Ch. Tillon (124), p. 474 *sq.*

Sartre, de nombreux intellectuels fort éloignés du communisme, de la Ligue des Droits de l'homme, permettra d'obtenir la libération du jeune condamné en août 1953 [1]. Mince consolation, qui ne fait pas oublier le cri bien univoque de la colombe de la paix.

Par ailleurs, le Parti se félicitant d'être à l'avant-garde de la guerre froide idéologique, son combat d'idées lui aussi l'a isolé et a contribué à développer une atmosphère de délation et d'impuissance dans ces milieux intellectuels qui s'étaient si volontiers ralliés à sa cause en 1944. Désormais, personne ne peut être convaincu par l'autre, le débat devient procès, l'argument une arme et le doute une trahison. Quelques semaines après le coup de semonce de Wroclaw, l'affaire Lyssenko démontre que le PC subordonne la recherche de la vérité scientifique à la joie d'encenser la version stalinienne du progrès en biologie : seuls Jacques Monod et Marcel Prenant sauvent l'honneur [2]. De janvier à avril 1949, le procès de Kravchenko — auteur d'un best-seller dénonçant le système soviétique, *J'ai choisi la liberté* — contre *les Lettres françaises* voit affluer le Tout-Paris de l'intelligence progressiste, drapée dans les souvenirs de la Résistance, qui nie devant les juges que le stalinisme ait pu jamais exercer quelque brutalité sur le peuple soviétique : Kravchenko gagne son procès, mais ceux que cette servilité des compagnons de route écœure se taisent, tandis que la presse et la radio distillent un anticommunisme qui, en l'espèce, semble assez bien fondé à de nombreux Français [3]. Les mêmes mécanismes jouent en décembre 1950 à l'occasion du procès qu'intente David Rousset aux *Lettres françaises* sur l'existence des camps de concentration en URSS.

1. Voir *l'Affaire Henri Martin*, commentaire de J.-P. Sartre, Gallimard, 1953.

2. Voir D. Lecourt, *Lyssenko*, Maspero, 1976, p. 23-44.

3. Voir, plus de trente ans après, les souvenirs divergents des deux accusés, Claude Morgan, directeur des *Lettres françaises*, dans *le Don Quichotte et les Autres* (Roblot, 1979), et André Wurmser, éditorialiste à *l'Humanité*, dans *Fidèlement vôtre* (Grasset, 1979). Parmi les témoins qui déposent contre Kravchenko, F. Grenier, P. Courtade, Vercors, J. Cassou, J. Baby, E. d'Astier, A. Bayet, W. Pozner, R. Garaudy, P. Cot, J. Bruhat, Y. Farge, Fr. Joliot-Curie, *J'ai choisi la liberté* a été réédité en 1980 chez O. Orban, avec en préface les repentirs de P. Daix. Voir J.-P. Rioux, « Le procès Kravchenko » dans (230 bis), p. 148-164.

La violence de la fidélité stalinienne, la hargne de procureurs patentés comme Wurmser, Kanapa, Garaudy ou Daix, s'accroissent quand le PC prend la tête de la bataille contre le titisme et justifie les purges dans les démocraties populaires. Dès lors, les compagnons de route s'égaillent. Sartre rompt pour un temps en janvier 1950 sur l'affaire des camps, Camus dénonce l'univers du procès l'année suivante dans *l'Homme révolté*, Merleau-Ponty suit déjà *les Aventures de la dialectique*, Vercors, Cassou et Martin-Chauffier s'éloignent en silence. Tandis que la Troisième Force passe à l'offensive tout au long de 1950, révoquant Joliot-Curie de ses fonctions au Commissariat à l'énergie atomique et retirant leurs pouvoirs aux maires communistes de Paris, les équipes les plus conséquentes du progressisme, à *Esprit* et aux *Temps modernes*, s'interrogent sur leurs fidélités des dernières années : les amis de Sartre se taisent pendant deux ans, ceux de Mounier cessent tout flirt avec les communistes [1]. Il faut attendre la fin de la guerre de Corée, l'affaire Henri Martin et les manifestations contre Ridgway en mai 1952 pour que le dialogue soit très laborieusement renoué. En ce domaine encore, dix ans d'effort auprès des intellectuels ont été ruinés en quelques mois. A « l'euphorie raisonnable » a succédé « l'opposition culturelle » [2]. Les militants communistes devront se contenter pour longtemps désormais des « héros positifs » d'André Stil, des toiles de Fougeron et pourront rêver sur l'*Ode à Maurice Thorez*. Les voix du silence passent par Moscou; la cohésion idéologique du Parti, marmoréenne, est définie depuis décembre 1949 dans *la Nouvelle Critique*.

Face aux communistes, l'autre grande opposition à la Troisième Force, le gaullisme organisé, n'a pas les mêmes capacités à fortifier dans l'épreuve sa cohérence. Mais gardons-nous une nouvelle fois de l'anachronisme : il est trop aisé de souligner l'érosion de son potentiel électoral, alors que le système des apparentements le privera d'une bonne part de sa représentation parlementaire en 1951; la traversée du désert et le recours à un général bien solitaire

---

1. Voir M. Winock (236), chap. 9 à 12, et D. Caute, *les Compagnons de route (1917-1968)*, Laffont, 1979 (fort confus mais riche en comparaisons internationales). Sur Sartre et *les Temps modernes*, voir M.-A. Burnier (235).
2. Voir E. Morin (230).

en 1958 laissent trop facilement penser qu'en dehors des discours et de l'œil vigilant de son chef, le RPF n'eut aucune consistance idéologique et organisationnelle; l'état des travaux ne permet pas de conclure solidement. Sur l'heure, la Troisième Force ne s'y trompe pas, qui le considère comme son principal adversaire. Ne rassemble-t-il pas plus d'un million d'adhérents au début de 1948? Ses « compagnons » ne sont-ils pas capables de sillonner le pays, de forcer les portes des entreprises, de tenir tête aux communistes dans les affrontements autour des estrades?

Son activité est soutenue. De Gaulle fait plusieurs Tours de France, consulte, tient des meetings aux mises en scène méticuleusement organisées par Soustelle et Malraux, galvanise ses troupes sans jamais céder sur l'essentiel en public : l'action du RPF est nationale et non « politicienne »; son combat tend à libérer l'État de la dictature des partis, non à conquérir des sièges ou à nouer des coalitions; ses vertus de rassemblement lui permettent de s'attacher prioritairement à la construction de formes nouvelles de démocratie par la consultation, l'association et la mobilisation des citoyens. Quoi qu'en disent ses adversaires, qui le classent volontiers à droite, à l'extrême droite, voire pour les communistes dans le camp « fasciste », le RPF, inséré dans la vieille tradition bonapartiste de notre histoire politique, transgresse largement le clivage gauche-droite, et ses formes d'organisation sont originales. Rassemblement, il n'installe pas de comité ou de sections capables de sélectionner de futurs élus, mais des groupements locaux ou professionnels au fonctionnement lâche, qui multiplient les contacts individuels et les réunions catégorielles. La hiérarchisation vient d'en haut, du général, du conseil de direction et du secrétariat de la rue Solférino nommés par lui, puis des dynamiques délégués régionaux et départementaux [1] : les conseils locaux et le Conseil national élus par les compagnons pèsent faiblement sur la vie du mouvement, les assises nationales — les premières se tiennent à Marseille en avril 1948 — sont plus un « épisode de la vie du monde » qu'un banal congrès, une grand-messe et une invitation à l'ardeur pour le peuple tout entier plus qu'une machine à fabriquer des motions et des majorités d'appareils.

---

1. Voir A. Astoux (226), pour le Nord-Est.

Bien que socialistes, républicains populaires et radicaux aient fait un contre-feu en interdisant à leurs adhérents la double appartenance, nombre de compagnons persistent à croire que leur action transgresse la vie partisane et ne répugneraient pas à une répartition des tâches entre le rassemblement et leur parti d'origine. Un enracinement est donc possible. En outre, son dynamisme vaut au RPF des succès certains en des domaines neufs. Son mensuel, *Liberté de l'esprit*, lancé en février 1949 et dirigé par Claude Mauriac, ne brille guère par l'originalité doctrinale et se contente de variations sur le salut public, mais ses articles d'information documentés, le prestige de ses grandes signatures — Jean Paulhan Roger Caillois, Gaëtan Picon, Raymond Aron — en font un organe écouté dans le monde de la culture et de l'intelligence où la gauche régnait sans partage depuis la Libération. Surtout, le thème central de l'association capital-travail, relancé par de Gaulle à Saint-Étienne en janvier 1948 puis à chaque meeting du 1er Mai, fait l'objet d'un projet de loi sans cesse repris de mars 1950 à décembre 1952[1] : il permet de passer à l'offensive dans les entreprises, d'y fonder plusieurs centaines de groupes de l' « Action ouvrière ». L'action sociale est complétée par une animation parfois originale chez les étudiants, les fonctionnaires, les anciens combattants ou les organisations familiales.

Au fil des mois, pourtant, l'espoir décline. Le Rassemblement obtient certes 58 élus sur 320 aux élections du Conseil de la République en novembre 1948, mais l'intergroupe qu'ils y constituent est envahi par des modérés et des radicaux. En mars 1949 aux cantonales, rafler environ 32 % des voix et le tiers des nouveaux élus peut entretenir l'illusion, malgré l'inquiétante profusion de candidats à double appartenance. Mais la Troisième Force détient l'arme absolue : gagner du temps en reculant l'échéance des législatives. Douillettement installés dans l'idée qu'il n'y a rien entre les communistes et eux, les dirigeants du RPF s'organisent donc pour « tenir » et coordonnent un activisme de piétinement : est-il possible de changer le régime sans sortir de la légalité, de

---

1. Voir P. Guiol, « L'association capital-travail : le projet de loi' genèse et destinée », *Espoir*, n⁰ 28, octobre 1979, et sa thèse sur *l'Action ouvrière du RPF*, CNRS, 1980, microfichée.

militer sans échéances, de parier que les élections trancheront d'un coup, de combattre à la fois les communistes et le pouvoir? Dès l'été 1949, on observe des signes d'alanguissement et de malaise : Malraux aurait ainsi résumé la situation : « Le général de Gaulle nous a menés jusqu'au Rubicon, mais pour nous faire pêcher à la ligne. » Des groupes locaux grognent contre l'autoritarisme parisien, des parlementaires radicaux, MRP ou de droite entrent au comité exécutif; *le Rassemblement,* hebdomadaire du mouvement, se place de plus en plus mal, les trésoreries se vident. Interdit à la radio, soumis parfois à des tracasseries ou des humiliations officielles lors de ses tournées, de Gaulle persiste à croire qu'on peut mobiliser pour une attente et joue le sort du RPF sur le maintien de son prestige personnel. Mais les contradictions éclatent. Peut-on soutenir le pacte Atlantique et se poser en héraut de l'indépendance nationale? Annoncer indéfiniment des catastrophes à un pays qui aspire à la paix et au bien-être? Prêcher la fraternisation, être au-dessus des partis, quand les militants nerveux et parfois douteux du service d'ordre exploitent le moindre incident et font le coup de main contre tous les « rouges »? Vanter indéfiniment les vertus de l'association et de l'intéressement dans les entreprises quand le patronat boude ostensiblement et que les compagnons attaquent systématiquement la CGT au nom de l' « ordre »? Diriger militairement un rassemblement composite? L'année 1950 est morne, les responsables s'opposent, l'argent fait défaut, les foules se déplacent moins facilement, le solennel appel du général le 17 août sur la défense nationale tombe à plat. A la veille des élections de 1951, le RPF ne compte plus que 350 000 adhérents, sa presse végète, ses groupes ont été souvent pris d'assaut par des candidats à la candidature avides d'arborer la précieuse étiquette gaulliste qui raflera des voix. La partie de poker est lancée. Le Rassemblement serait-il venu trop tard, dans une France trop calme?

La potion centriste.

Face à la double menace communiste et gaulliste la Troisième Force n'a qu'une obsession : durer, pour sauver le régime de la démocratie populaire ou du césarisme, pour se sauver aussi elle-même, puisqu'elle est minoritaire dans l'électorat. Isoler et essouffler l'agitation des extrêmes, user sans vergogne du contexte de guerre froide pour mettre les communistes au ban de la nation, tenter de débaucher les fidèles du général, reporter les échéances électorales (ainsi les cantonales prévues pour octobre 1948 sont repoussées à mars 1949) : la tactique de l'édredon soude des coalitions. Pour l'Assemblée née du tripartisme, trouver une solution gouvernementale de rechange est donc une nécessité absolue, et l'axe des majorités insensiblement pivote vers le centre, puis le centre droit. Car, on l'a vu, privés des 165 voix communistes, les présidents du Conseil ne peuvent atteindre les 314 voix fatidiques de la majorité absolue avec les suffrages des seuls socialistes et républicains populaires. Dans un premier temps, les radicaux et quelques modérés arbitrent, maîtrisent des cabinets de centre gauche; ensuite, quand les socialistes se dérobent, le balancier s'élance vers la droite « indépendante » pour accrocher les voix nécessaires, le centre droit s'installe. Quelques parlementaires décidés, quelque sous-groupe bien endoctriné, peuvent abattre un président du Conseil. Mais la majorité qui lui a fait défaut doit automatiquement se reconstituer quelques semaines plus tard, sous peine de mort. « La Troisième Force, observe A. Siegfried, tient par une sorte d'équilibre interne nécessaire, parce que tout roulis rétablit automatiquement la stabilité du navire[1]. » Les sautes de vent balaient les timoniers. La nécessité d'arriver à bon port avant l'orage renouvelle les équipe de quart.

La politique consiste désormais, comme l'aurait dit Queuille, « non à résoudre les problèmes, mais à faire taire ceux qui les posent », à garder le cap en louvoyant. Tous les cabinets comprennent, grossièrement, un tiers de MRP, un tiers de socialistes et un tiers de radicaux et modérés. Le président du Conseil est interchangeable, qu'il soit socialiste (Ramadier), MRP (Schuman, Bidault), radical (Queuille, André Marie) ou UDSR (Pleven). L'obligation de se coaliser, alors qu'ils ont des programmes de plus en plus opposés, conduit les partis à négocier une majorité par problème, dès qu'il faut enfin trancher en catastrophe. Sur la question scolaire, les socialistes qui sont pour le monopole, flanqués d'une part

1. A. Siegfried (52), p. 157.

des radicaux, ne peuvent pas contrebalancer une majorité qui, du MRP à la droite, défend l'école libre. Sur celle du dirigisme économique, la SFIO et le MRP équilibrent mal les radicaux et la droite tenant d'un libéralisme retrouvé. Le pion le plus exposé sur l'échiquier parlementaire, la SFIO, otage consentant tiraillé par le doute, est dès lors à l'origine de nombreuses crises gouvernementales pour se retenir de trop glisser vers le centre. Ses inquiétudes sur l'école et les crédits militaires en Indochine font tomber Schuman en juillet 1948. Ses ministres conduits par Blum abattent Marie en août en s'opposant aux projets financiers libéraux des indépendants entrés spectaculairement en scène avec Paul Reynaud aux Finances. Les divergences sur les politiques de salaires et de prix, la défense des fonctionnaires la conduisent de même à donner l'estocade à Queuille en octobre 1949, à Bidault en juin 1950, puis de nouveau à Queuille en juillet. Moins souvent à l'ouvrage, mais tout aussi efficaces, MRP, radicaux et modérés se contentent en revanche de briser net la tentative de Schuman en septembre 1948 dès qu'il prétend imposer le socialiste Christian Pineau aux Finances, puis celle de Pleven en février 1951 sur le mode de scrutin aux prochaines élections. Seul le Dr Queuille est assez subtil et efficace pour ne mécontenter personne pendant 389 jours, de septembre 1948 à octobre 1949. Il stabilise le franc, préserve la Troisième Force en bloquant la poussée du RPF aux élections du Conseil de la République comme aux cantonales, tient durement le PC en lisière. Ce Corrézien courtois et volontaire, qui avait été 19 fois ministre avant 1940, bat ainsi, pas à pas, le record de longévité ministérielle de la législature.

Dans cette monotonie, objet d'une régulation sourcilleuse par la classe politique au pouvoir mais bien anesthésiante pour l'opinion, qui se détourne insensiblement, un reclassement des forces s'inscrit pourtant, dont les élections de 1951 apporteront la révélation brutale. Les « idéologues » s'effondrent : la cure de centrisme gomme l'originalité que les républicains populaires et les socialistes s'étaient donnée dans la Résistance et à la Libération. Le MRP ne peut plus guère laisser croire qu'il demeure le parti de la fidélité au général et le champion de la résistance aux communistes : le RPF a pris sa place et nombre de ses électeurs ou de ses élus se rallient à lui en secret ou en public. Solidaire d'un système défensif, il se compromet à droite, perd son attrait novateur : ce jeune parti pour une république ardente dérive vers les eaux d'une démocratie-chrétienne affadie, se coupe des laïcs sur la question scolaire et se réfugie dans une mystique proeuropéenne qui ne mobilise guère les Français. Il séduit encore beaucoup de femmes, de cadres, de professions libérales et de fonctionnaires mais régresse chez les jeunes, les ouvriers et les petits agriculteurs : réduit aux classes moyennes, il y rencontre les radicaux, la droite et le RPF. Sa chute d'effectifs est sans appel : encore près de 100 000 militants actifs en 1947, 50 000 en 1948, 25 000 en 1950. Ce seuil critique ne sera guère dépassé : le MRP est nécessaire sur l'échiquier politique, mais il a perdu ce supplément d'âme qui mobilisait tant de Français à la Libération [1].

A ses côtés, la famille socialiste perd elle aussi une bonne part de son identité. Le décalage entre les militants, le comité directeur et les ministériables s'accroît. Les crises internes sont dures, dès qu'il faut se résigner à soutenir la Troisième Force : évanouissement des « Jeunesses » suspectées de sympathies trotskistes, condamnation en 1948 des collusions militantes avec le RDR ou le RPF, exclusion de la Bataille socialiste. Sur tous les grands problèmes, les socialistes sont à contre-courant. Le traumatisme du coup de Prague a trop éveillé leur anticommunisme pour qu'ils songent à renouer avec le PC, la responsabilité de Ramadier et de Moutet dans le déclenchement de la guerre d'Indochine rend peu crédibles leurs inlassables propositions de négociation avec Hô Chi Minh, leur atlantisme et leur soutien à la construction d'une Europe démocratique sont trop ardents pour qu'ils puissent faire immédiatement barrage contre l'idée d'un réarmement allemand. Humiliés et impuissants, ils pratiquent le soutien à éclipses, désertant peu à peu les allées du pouvoir. La cruelle expérience de Jules Moch, président du Conseil investi avec la bénédiction d'Auriol et de Blum le 14 octobre 1949 mais incapable de rassembler un gouvernement le 17, leur révèle qu'un socialiste ne s'installera plus à Matignon. Ils participent un peu à l'aveuglette aux

---

1. Voir les réflexions amères d'un père-fondateur, F. Gay, *les Démocrates d'inspiration chrétienne à l'épreuve du pouvoir*, Bloud et Gay, 1950. *L'Aube*, qu'il dirigeait, disparaît en octobre 1951.

gouvernements suivants, comptant à juste titre sur Daniel Mayer au Travail pour ne pas y dévaloriser leur image de parti ouvrier, font une fausse sortie de février à juillet 1950, perdent le ministère de l'Intérieur avant que Guy Mollet, secrétaire général, ne devienne ministre d'État du cabinet Pleven et ardent européen. Privée de Blum disparu en mars 1950, sur la défensive, la SFIO connaît une lente et sûre hémorragie. Sa surface sociale rétrécit, sa presse régresse, ses rangs s'éclaircissent, 280 000 adhérents en 1947, 190 000 en 1949, 130 000 à peine en 1951.

En compensation la Troisième Force permet le retour des hommes et des partis de la IIIe République largement discrédités en 1944 : les radicaux et la droite. Indispensable force d'appoint à l'Assemblée, les radicaux renouent avec le succès électoral en constituant en 1948 l'ossature du plus puissant groupe, le RGR, au Conseil de la République, en poussant leurs notables rafraîchis aux cantonales l'année suivante. Certes, ils condamnent rituellement chaque année avec trop d'insistance la double appartenance avec le RPF, pour que les sirènes de la bigamie n'aient été souvent entendues dans leurs rangs. Mais Herriot préside l'Assemblée, Monnerville le Conseil de la République, Daladier refait surface, des vétérans de la IIIe renouent avec Matignon, et cette cure de jouvence n'ancre pas le parti à gauche. Un « néo-radicalisme », professé dès le Congrès de 1946, anime les maîtres d'un appareil sans troupes, comme Martinaud-Deplat, Bernard Lafay ou Émile Hugues. Défenseur de la libre entreprise et de l'économie de marché, hostile à l'intervention d'État, aux nationalisations et à une protection sociale trop « oppressive », fort sensible aux arguments colonialistes de son lobby algérien mené par Borgeaud et René Mayer, européen et atlantiste, il ne se distingue plus guère du centre droit ou de la droite. L'anticommunisme donne une teinture idéologique à ce programme que ne désavoue pas un Paul Reynaud : c'est un radical, Jean-Paul David, qui anime la virulente organisation « Paix et liberté[1] ». Subsides électoraux fournis

1. Venant après des propositions de lois anticommunistes en février par Legendre (RPF) et Chevalier (radical), l'interdit prononcé par Mgr Feltin contre le très progressiste abbé Boulier et des opérations de police contre les communistes étrangers (espagnols surtout) résidant en France, soutenu discrètement par le gouvernement Pleven et probable-

par le CNPF, relâchement sur la laïcité avec André Marie : voici parachevé le reniement du vieux programme de Belleville.

Du coup la droite reprend vigueur. Ni la Fédération républicaine de Louis Marin, ni l'Alliance démocratique de Pierre-Étienne Flandin, ni même le PRL n'avaient réussi à s'installer dans le jeu politique avant 1948 : hommes usés jusqu'à la corde, idées nostalgiques sans prise sur la réalité nouvelle de l'après-guerre, la droite conservatrice n'avait plus d'avenir. Sur ses marges, les pétainistes se sont regroupés dès avril 1948 pour réclamer l'amnistie puis, après la mort du maréchal en juillet 1951, la réhabilitation et le retour des cendres du vainqueur de Verdun à Douaumont. Mais le culte d'un passé douteux ne fait pas une politique : aux élections de 1951, les listes d'unité des indépendants républicains conduites par Me Isorni ou l'amiral Decoux n'ont qu'un maigre succès d'estime[1]. La nouveauté vient de la droite libérale qui se redonne un appareil efficace et appelle à la fédération des droites sur un programme minimal intelligent[2]. Les circonstances l'aident. Le centre gauche a besoin d'elle pour résister à la pression du RPF, elle retrouve avec la question scolaire, la remise en ordre de l'économie et l'orthodoxie financière des terrains familiers où

_____

ment financé par le FBI, « Paix et liberté » est lancé le 8 septembre 1950. Il rassemble d'anciens communistes (Boris Souvarine, Angelo Tasca), des hommes de droite en transit par le RPF (Frédéric-Dupont, inamovible député du VIIe arrondissement de Paris depuis 1936) et des policiers (le commissaire Dides, Jean Baylot qui devient préfet de police en avril 1951). Introduit à la radio, diffusant ses brochures, il a peu d'effet sur l'opinion mais ses affiches — dues à des dessinateurs de talent comme Paul Colin — sont sans doute encore dans les mémoires (« Jo-Jo la colombe », « Passez vos vacances en URSS », « La pelle de Stockholm, etc.). Il disparaît en 1954. Ses rares militants se retrouveront dans d'autres combats, notamment en 1958. Voir R. Sommer, « Paix et Liberté : la quatrième République contre le PC », *L'histoire*, no 40, décembre 1981, p. 26-35.

1. Le retour du maréchalisme a traversé le RPF : le colonel Rémy ayant vanté le double jeu de Vichy dans un article de *Carrefour* le 11 avril 1950 doit quitter le Rassemblement. Mais la lutte contre le « système » rapproche sur le terrain de nombreux gaullistes des fidèles de Vichy.

2. Voir R. Rémond, « Droites classiques et droite romantique », *Terre humaine*, juin 1951, p. 60-69.

l'argument de bon sens et la défense de la liberté font mouche. L'entrée de Reynaud dans le gouvernement Marie marque une première étape : l'homme de 1940 assurera désormais la liaison entre tous les parlementaires de la droite. La présence à ses côtés d'un indépendant, René Coty à la Reconstruction, d'un PRL, Joseph Laniel, secrétaire d'État à l'Économie, et d'un « paysan », Maurice Petsche, secrétaire d'État au Budget, révèle que le pouvoir fédérera sans peine ses familles convalescentes et que le contrôle de la politique économique et financière ne leur échappera plus, au besoin sous couvert d'un radical. L'installation durable de Petsche rue de Rivoli de septembre 1948 à juillet 1951 rassure les milieux d'affaires et sonne le glas du dirigisme de la Libération. La constitution, officielle en janvier 1949 mais amorcée l'été précédent, du Centre national des indépendants sous l'impulsion de Roger Duchet, marque la seconde étape. La droite éternelle des amis de Flandin et des vichystes mal blanchis, les débris du PRL, célèbrent leurs retrouvailles avec les indépendants en avril à l'hôtel Lutetia : « l'élément le plus résistant à la démagogie », y déclare Reynaud, « ces modérés qui ne sont pas modérément républicains » disposent d'une souple structure d'accueil et d'une machine électorale bien huilée par les fonds patronaux, qui dispense les investitures à bon escient. Le groupe paysan de Paul Antier saute le pas à la veille des élections en s'apparentant avec Roger Duchet : le Centre national des indépendants et paysans naît le 15 février 1951. Les rivalités personnelles subsistent, des dissidents boudent, mais la « défense de toutes les libertés » a désormais les moyens de faire un beau score électoral.

L'exclusive politique de la droite est donc levée à l'ombre de la Troisième Force. Mieux encore, son audience ne se limite pas au Parlement. Des blocs entiers du monde de la presse et de l'intelligence, déjà fissurés par la vague gaulliste, basculent ou refont surface. Une pensée traditionnelle ou insolente, mais toujours anti-marxiste, peut s'exprimer plus aisément[1]. L'Action française, en attendant la libération de Maurras en avril 1952, fait eau de toutes parts mais flotte encore vaillamment. *Écrits de Paris* publient les

---

1. Voir une vue d'ensemble par des intellectuels non marxistes dans le riche numéro spécial *Ordre et désordre de la France, 1939-1949* de *la Nef*, déc. 1949-janvier 1950.

nostalgiques de Vichy. Le pétillant hebdomadaire *Arts*, la revue *la Table ronde* fondée en 1949 attaquent désormais sans gêne les papes de la gauche progressiste. Le lancement en janvier 1951 de *Rivarol* offre aux courants convergents de la droite une nouvelle tribune qui n'oublie pas *Gringoire*. Et dans l'ensemble de la presse, qui vit des années difficiles après l'euphorie de 1944, les idées modérées semblent mieux retenir l'attention des lecteurs : à Paris, tous les quotidiens de gauche s'effondrent, mais seuls *l'Aurore, le Figaro, le Parisien libéré* et *France-Soir* augmentent leur tirage en abandonnant le ton martial de la Libération.

L'échéance de 1951.

Ténacité et reclassements ne suffisent pas à définir la Troisième Force ni à expliquer son échec. L'immobilisme n'a pas que des vertus et les problèmes en suspens rendent les échéances pressantes. En 1951 vient l'instant de vérité.

La confiance dans le régime a été secouée par une série de scandales. Une commission d'enquête parlementaire met en mars 1950 Félix Gouin hors de cause dans le « scandale des vins » qui traîne depuis la fin 1946, mais son entourage et certains parasites de la SFIO n'en sortent pas indemnes. L'affaire des bons d'Arras, enfin plaidée en mai 1952, a démontré la vénalité d'un député gaulliste, Antoine de Récy. On murmure, dans une presse souterraine des « lettres confidentielles » qui se multiplient, que la classe politique serait parfois indirectement mêlée à de fructueux trafics sur la piastre indochinoise. Surtout, « l'affaire des généraux » inquiète les Français, humilie l'armée et donne des armes aux adversaires du régime[1]. La divulgation du rapport secret du général Revers au retour de sa tournée d'inspection en Indochine est patente en août-septembre 1949 : la radio viêt-minh en diffuse des extraits, des exemplaires circulent dans Paris. Peyré, « conseiller politique » des généraux Revers et Mast, inculpé, aurait monnayé son influence dans les couloirs de l'Assemblée et joué double jeu. Des officiers supérieurs et des parlementaires sont éclaboussés. L'étouffement de l'affaire déclenche une salve nourrie du côté du RPF comme du

1. Voir G. Elgey (19), p. 467 *sq*.

PC (qui réclame en vain que Jules Moch soit traîné en Haute Cour) : certains soupçonnent que tout aurait été machiné par le MRP Coste-Floret, ministre de la France d'outre-mer, contre des adversaires de sa politique indochinoise. Émergeant aux confins brumeux des petits trafics et des secrets d'État, des maladresses politiciennes et des « coups » d'une presse trouble, députés et policiers, généraux et agents doubles sont sévèrement jugés par l'opinion : le régime lui-même en pâtit.

C'est donc avec des précautions infinies que la Troisième Force entre en campagne électorale. Cahin-caha, au prix de six mois de discussions à l'Assemblée (le 21 février 1951, huit projets sont successivement repoussés) et d'un conflit ouvert avec le Conseil de la République qui tient pour le retour au scrutin majoritaire, l'obstination de Queuille impose le 9 mai une nouvelle loi électorale de combat. La proportionnelle est maintenue mais le système dit des « apparentements » la corrige. Différentes listes peuvent en effet s'apparenter avant le scrutin, leur alliance valant non pour le programme mais pour le décompte et la répartition des suffrages exprimés. Cette coalition — qui ne concerne que les listes présentes au moins dans 30 départements — permet au centre gauche comme au centre droit d'atteindre plus facilement le quotient électoral, de rafler les restes et même, en cas de majorité absolue pour des listes apparentées, d'enlever la totalité des sièges, ce qui, à l'évidence, est en contradiction avec la proportionnelle. Seine et Seine-et-Oise, trop douteux, sont exclus de la machination. Cette sélection impitoyable pour faire sortir des urnes une majorité n'est pas, sur le principe, incompatible avec la démocratie. Encore aurait-il fallu que les attendus du débat et la campagne elle-même n'eussent pas révélé qu'il s'agissait en fait de faire obstruction à l'expression des adversaires, gaullistes et surtout communistes. Affaiblir le PC permettait de persévérer dans la politique suivie depuis 1948 sans avoir à disloquer le bloc gaulliste et sans s'engager trop loin à droite. Stopper le RPF laissait libres toutes les combinaisons pour l'avenir. L'apparentement constitue donc le testament idéologique de la Troisième Force : rassembler d'abord ceux qui veulent faire vivre la IVe République, les mener à la victoire puis dégager des majorités sur une politique après les élections.

Les communistes, on l'imagine, refusent tout apparentement.

L'eussent-ils souhaité qu'on voit mal au reste qui aurait pu leur répondre favorablement. Le RPF résiste bien à la tentation, sur volonté expresse du général et parfois au grand regret de certains « fidèles » localement compromis au centre et à droite[1]. 95 circonscriptions sur 103 étant soumises à cette règle nouvelle, des apparentements sont conclus dans 87 d'entre elles (dont 36 totaux entre SFIO, MRP, RGR et indépendants). Accouplements à deux, à trois, sont la règle, au gré des enjeux locaux, sans que les états-majors nationaux de la Troisième Force puissent faire régner une discipline commune et rappeler quelques points de doctrine. Campagne sur l'indépendance nationale du côté communiste, catastrophisme planétaire et anticommunisme virulent chez les gaullistes, bilan pondéré et pari sur la sagesse des institutions chez tous les autres : chacun bégaie un peu en comptant et recomptant ses voix potentielles. Le verdict tombe le 17 juin.

Dans 39 circonscriptions, les listes apparentées de la Troisième Force se partagent tous les sièges[2]. Partout ailleurs le système fonctionne utilement. Mais, si les trois éléments du défunt tripartisme pourraient s'enorgueillir d'être majoritaires dans le pays (54,7 % des suffrages), les adversaires du régime, communistes et gaullistes, ont la faveur pratiquement de la moitié de l'électorat (47,7 %), et l'on trouverait sans doute bien des citoyens amers parmi les abstentionnistes. Glissement à droite, tassement de la gauche, poussée gaulliste sont les grands enseignements du scrutin. (Voir le tableau ci-après.) Toutes les formations sont bousculées par l'irruption du RPF qui engrange plus de 4 millions de voix malgré les apparentements[3]. Gagnant des abstentionnistes, dépos-

1. Il ne conclut que 13 apparentements, surtout dans l'Ouest, pour ne pas y morceler les modérés ni disperser les voix catholiques. Ailleurs, dans l'Yonne par exemple, où une exception a été consentie pour Léon Noël, le RPF n'y gagne rien.
2. La 2e circonscription de Lille, souvent citée, montre les effets fort peu démocratiques du système. Avec 240 000 voix sur environ 440 000 suffrages, la Troisième Force y emporte tous les sièges. La SFIO avec 107 000 voix a 5 députés, le MRP pour 84 000 voix en prend 4, mais le RPF avec 90 000 voix, le PC avec 106 000 n'en ont aucun.
3. On estime le manque à gagner à 9 % de voix pour le PCF, 15 % pour la SFIO, 11 % pour les radicaux, 44 % pour le MRP et 12 % pour les indépendants. Voir C. Leleu (117), p. 74.

LES ÉLECTIONS DU 17 JUIN 1951

1. Résultats

inscrits	24 530 523	
exprimés	18 966 967	(77,3 %)
abstentions	5 563 556	(22,7 %)
blancs et nuls		

	suffrages exprimés		sièges	
PCF	4 939 380	(26 %)	95	(— 70)
RPF	4 122 696	(21,7 %)	106	
SFIO	2 894 001	(15,3 %)	95	(+ 4)
indépendants et modérés	2 563 782	(13,5 %)	87	(+ 11)
MRP	2 534 105	(13,4 %)	84	(— 74)
RGR	1 913 003	(10,1 %)	77	(+ 23)

2. Quelques répartitions sociologiques du vote en %

	PCF	SFIO	RGR	MRP	RPF	modérés
ouvriers	47,8	14,8	4,4	11,5	15,9	5,6
employés	28	11	2	24	28	7
fonctionnaires	20	33	15	7	10	15
paysans	17	11	16	12	22	22

Sources : C. Leleu, *Géographie des élections françaises depuis 1936*, PUF, 1971, p. 76; *Partis politiques et classes sociales en France*, sous la direction de M. Duverger, Colin, 1955, *passim; Sondages*, mars 1952.

sédant la gauche d'un million de voix, le centre et la droite de plus de 2 millions, bien implanté au nord d'une ligne Bordeaux-Belfort, installé dans l'Est et dans l'Ouest, menaçant dans les secteurs ouvriers de la région parisienne, le RPF justifie ses ambitions de rassemblement au-dessus des clivages anciens du jeu politique, mais le raz de marée qu'attendait de Gaulle n'est pas venu. Le PCF ne perd que 600 000 électeurs, renforce ses bastions ouvriers, résiste à toutes les attaques, mais les apparentements le terrassent en lui faisant perdre 42 % de ses députés. Loin derrière, quatre forces à peu près égales se partagent les voix fidèles au régime. Le MRP, qui perd la moitié de son électorat et de ses élus, s'effondre, pâtissant du retour des radicaux et des modérés et surtout de la percée gaulliste : le vote catholique l'abandonne dans l'Est et dans l'Ouest, les classes moyennes retrouvent leur ventilation d'antan trop brouillée en 1944. La SFIO décline dignement, ayant perdu plus de 2 millions de voix depuis 1945, bousculée par les gaullistes, grignotant les communistes dans les départements ruraux orientés à droite, repliée sur ses bastions du Midi méditerranéen ou du Nord et sur ses notables qui prennent parfois le relais de radicaux encore convalescents. Le jeu des apparentements a enfin constitué une coalition disparate entre radicaux et indépendants, qui se partagent à l'amiable le reliquat, au Sud-Ouest pour les premiers, au Centre et dans l'Est pour les seconds : leur sage ascension politique est confirmée. Au total, la vieille défense républicaine a bien fonctionné, les apparentements n'ont pas semblé particulièrement immoraux, la France rurale a compensé par sa fidélité les victoires urbaines de ses adversaires : la Troisième Force est, en apparence, sauvée [1].

S'installe en fait une « assemblée hexagonale », affirme Queuille. Le recul parlementaire des communistes relâche un peu la tension, mais l'arrivée des élus RPF resserre le nœud : les quatre formations apparentées sont encore condamnées à vivre ensemble. Or, sur la question scolaire ou la politique économique, on ne peut bâtir que des alliances à trois, car les socialistes restent laïcs, les indépendants libéraux, le MRP évanescent. Et tandis que les communistes campent sur l'Aventin, le RPF joue au monolithe dévastateur. C'est donc une délicate alchimie qui aboutit le 10 août, après une longue crise qui augure mal de l'avenir, à la mise en route d'un gouvernement Pleven appuyé sur le MRP, les radicaux et les indépendants. Le soutien des socialistes est souhaité, mais ils ne sont plus conviés au banc des ministres : une solution de « Quatrième

1. Voir F. Goguel, « Géographie des élections du 17 juin 1951 », *Esprit*, septembre 1951.

Force » s'esquisserait-elle ? Aucune majorité stable, mais des majorités de rechange négociables point par point : la partie est jouable pour Pleven, sauf incident imprévu.

Le RPF ne résiste pas au plaisir de le provoquer aussitôt en déclenchant la guerre scolaire au Parlement. Au vrai, le feu couvait depuis longtemps et la « vieille démangeaison » qui frotte périodiquement les anticléricaux aux cléricaux démontre à nouveau qu'elle est constitutive de l'histoire politique contemporaine de la France [1]. Les subventions accordées par Vichy à l'enseignement libre avaient été supprimées à l'été 1945 : le retour à la légalité républicaine postulait une laïcité intégrale, bien qu'en 1946 le refus d'introduire le principe de la liberté d'enseignement n'ait été acquis que de justesse au sein des deux Constituantes. L'inflation, par ailleurs, mit les établissements privés en situation financière délicate : meetings, constitution des associations de parents d'élèves de l'enseignement libre, interventions d'évêques surtout dans l'Ouest, soulignent la montée de la gêne. On s'attendait donc à des solutions de compromis raisonnable, quand le pays a tant d'autres problèmes urgents à régler. La nationalisation des écoles des Houillères le 16 mai 1948, contre toute attente, a mis le feu aux poudres : le MRP s'est abstenu, mais les communistes et socialistes ont retrouvé pour un jour le parfum du Front populaire. Un décret d'application signé par Mme Poinso-Chapuis, ministre MRP de la Santé publique, le 23 mai, anodin et visant à venir en aide à des familles nécessiteuses et néanmoins attachées à l'enseignement libre, déclenche une campagne de presse et un scandale au Parlement : malgré l'avis favorable du Conseil d'État, le décret ne sera jamais appliqué. Le mécontentement grandit alors chez les tenants de la liberté : pétitions, interpellations sur les kermesses, la fiscalité ou les subventions accordées par les municipalités sont, il est vrai, des thèmes de combat rendus efficaces par la susceptibilité des laïcs sur ces points mineurs. Alors qu'une trêve s'est installée au temps du premier cabinet Queuille, la querelle rebondit en avril 1950, quand des fidèles soutenus par leurs évêques partent en croisade depuis

---

1. Voir R. Rémond, « Laïcité et question scolaire dans la vie politique française sous la IVe République », dans *la Laïcité*, PUF, 1960, p. 381-400.

l'Ouest et annoncent la grève de l'impôt. Des tractations discrètes, au cours desquelles Rome intervient, font reculer ces téméraires, et une commission ouverte à tous se réunit d'octobre 1950 à mai 1951 pour proposer une solution raisonnable. Ses conclusions fournissent des munitions pour la bataille, alors que l'opinion s'interroge sur cette fébrilité de la classe politique : de 1945 à 1951, la proportion des Français favorables à l'école libre n'est-elle pas passée de 23 à 46 %?

La banderille gaulliste est bien placée : l'affaire a nourri en partie la crise de juin à août 1951, et la constitution d'une « Association parlementaire pour la liberté de l'enseignement» pèse lourd sur les majorités potentielles. L'Assemblée est saisie de deux textes. Le premier, d'origine gouvernementale, qui deviendra la loi Marie, prévoit l'extension du système de bourses d'enseignement secondaire aux établissements privés. Le second, d'initiative parlementaire, formulé par le MRP Barangé, prévoit une subvention (dérisoire : 3 000 francs, à peine 100 francs de 1980) annuelle aux familles ayant des enfants à l'école primaire, quelle qu'elle soit. De fait, un très maigre pactole allait dériver, pour un sixième environ, vers l'enseignement libre. Après un mois de débats passionnés et souvent emphatiques, du 21 août au 21 septembre, les deux lois sont adoptées par le MRP, les modérés, le RPF et une partie des radicaux. Les conséquences financières sont modiques, mais la politique française en sort bouleversée. La SFIO « laïque » s'est coupée du MRP « clérical »; la Troisième Force est atteinte au cœur. Le RPF est entré dans le jeu et démontre qu'il est l'axe d'une nouvelle majorité potentielle de centre droit.

Les élus gaullistes, que Jacques Soustelle croit tenir fermement en main, retournent certes à l'opposition. Mais la pression des électeurs se fait plus forte sur certains, qui ne retirent pas leur confiance à de Gaulle mais souhaitent transformer le régime de l'intérieur. Tous constatent que les majorités de fortune épuisent les énergies : la politique salariale du cabinet Pleven est votée par le PC, la SFIO, le MRP et le RPF; mais rejetée par les radicaux et la droite. Le plan Schuman est ratifié par tous, sauf les communistes et le RPF. Enfin, la SFIO retire brutalement son soutien sur la politique financière et fait tomber Pleven en janvier 1952. Son jeune successeur, Edgar Faure, 43 ans, doit résoudre la quadrature du cercle : faire des économies qui ne mécontentent ni les socialistes ni les modérés. En vain. Après avoir perdu, de son propre aveu, 100 grammes par jour dans ce combat de catch dont on ne se résout pas à modifier les règles, il doit renoncer en février [1].

A l'évidence, la Troisième Force n'est plus capable de sécréter des majorités durables. Paul Reynaud, qui fait un tour de piste à la demande d'Auriol, annonce l'inévitable : puisqu'une majorité de centre gauche avec le soutien de la SFIO est exclue, il faut s'acheminer vers une majorité de centre droit avec le soutien du RPF. L'investiture accordée par surprise à Antoine Pinay le 6 mars 1952 par 324 députés contre 206 et 89 abstentions lui donne raison : 27 députés gaullistes, entraînés par Frédéric-Dupont, lui ont fait miraculeusement franchir la barre de la majorité requise, malgré l'abstention des autres « compagnons ». L'intégration au système d'un RPF en voie de dislocation est amorcée : elle laisse les coudées franches à la droite. Côté cour, de Gaulle recule. Côté jardin, un ancien du Conseil national de Pétain s'élance vers la popularité. Au parterre, des résistants applaudissent, des fondateurs du régime s'apostrophent. La page ouverte en 1944 est tournée.

1. Voir J. Fauvet (17), p. 245.

11

Reconstruction et modernisation

Dès 1946 les pouvoirs publics ont les moyens de mettre en marche, à travers la reconstruction, une « économie concertée » : le secteur public leur permet d'organiser la bataille de la productivité et de l'investissement; les transferts par la Sécurité sociale garantissent au travail une meilleure part du revenu national; l'encadrement des professions assure une discipline collective que la hausse des prix et la médiocrité du pouvoir d'achat dégradent pourtant inévitablement. Seule, croit-on, une bonne coordination d'état-major ajustera les moyens aux volontés, fera plier les intérêts particuliers et allégera les contraintes. Le Plan est né. Il hiérarchise et stimule ces ambitions en posant une rude alternative, qui dépasse l'œuvre de reconstruction : modernisation ou décadence.

Les ambitions du premier Plan.

A l'automne 1945 une minuscule équipe rassemblée par Jean Monnet reçoit l'aval discret de De Gaulle. Elle s'active, consulte, recense, puis son animateur remet le 4 décembre au général une brève note résumant ses propositions[1]. Le 3 janvier 1946 est créé par décret, sans que l'Assemblée ait été consultée, « un premier plan d'ensemble pour la modernisation et l'équipement économique de la métropole et des territoires d'outre-mer ». Ses missions consistent à « développer la production nationale et les échanges extérieurs, en particulier dans les domaines où la position française est la plus favorable; accroître le rendement du travail; assurer

---

1. Texte dans Ch. de Gaulle (68), p. 634-637. Voir aussi J. Monnet (170), chap. 10, et Ph. Mioche, « Aux origines du Plan Monnet », *RH,* n° 538, avril 1981.

le plein-emploi de la main-d'œuvre; élever le niveau de vie de la population et améliorer les conditions de l'habitat et de la vie collective ». Monnet, nommé commissaire au Plan, flanqué d'un Conseil du Plan qui rassemble ministres et personnalités, a carte blanche pour faire des propositions d'ensemble. Délégué permanent du chef du gouvernement auprès des départements ministériels et responsable devant lui seul, « occupant un territoire jusqu'à présent sans nom ni maître », il enquête, coordonne et incite.

Dans un petit hôtel discret de la rue de Martignac il installe une équipe réduite : le Plan n'aura jamais plus de 30 chargés de mission, ses services ne sont que fonctionnels, son art consiste à mobiliser les compétences extérieures et à les aider à formuler des ambitions conformes à ses objectifs généraux. Un ingénieur des Mines qui organisa l'armement et les approvisionnements de la France Libre, Étienne Hirsch, anime les services techniques. Un universitaire brillant, ancien chef de la mission française d'achats aux États-Unis et directeur à l'Économie nationale sous Mendès France, Robert Marjolin, argumente et stimule, avant d'entamer en 1948 une carrière européenne. Un normalien philosophe converti à l'économie, Pierre Uri, se joint à eux et agite inlassablement des idées générales. Jean Vergeot, un solide statisticien de l'équipe Sauvy, aligne des rapports clairs; Paul Delouvrier, directeur du cabinet de Pleven, est chargé d'étudier les financements; Jean-François Gravier se préoccupe des équilibres régionaux; Félix Gaillard dirige le cabinet. Au centre, Jean Monnet, intuitif maître d'œuvre, fait circuler un empirisme simplificateur appris depuis 1914 dans le commerce du cognac, les milieux d'affaires anglo-saxons et les institutions internationales. Spécialiste des comités alliés de répartition des ressources, commissaire à l'armement, à la reconstruction et au ravitaillement du CFLN en 1943, représentant de la France à Washington, il a très pragmatiquement mûri l'idée du Plan sur le modèle des programmes de mobilisation industrielle. Si l'on compare cette équipe aux ingénieurs «planistes» de l'avant-guerre comme Raoul Dautry ou à l'entourage de Lacoste qui rêvent de changer les règles du jeu à la faveur de la lutte contre la crise et la pénurie à coups de plans partiels, il faut convenir que ce sont les moins étatistes qui élaborent le Plan, les moins dirigistes qui organisent l'avenir.

Une des chances du Plan fut que ses experts purent manier sans crainte un outillage statistique neuf. Les comités d'organisation de Vichy avaient élaboré des projets pour l'après-guerre, son Office central de répartition des produits industriels s'était donné des moyens d'action, son Service national des statistiques avait rassemblé un énorme fichier : la gestion de la pénurie imposait de compter au plus juste, et, dès 1943, la notion de « comptabilité nationale » a émergé. L'aiguillon du Plan accélère après la guerre la victoire des comptables nationaux sur les purs statisticiens [1] : la vue est plus large, l'estimation parfois hasardeuse mais toujours riche de sens. A tâtons, un raisonnement global devient possible, la prévision entre dans les habitudes, les hommes politiques s'y intéressent. Dès mars 1950 un comité d'experts coordonne les travaux sur le revenu national, relayé bientôt par le Service des études économiques et financières de la rue de Rivoli que François Bloch-Lainé, directeur du Trésor, confie à Claude Gruson : aidé par Simon Nora et Jean Serisé, ce dernier met en place la future Direction de la prévision. De leur côté, les statisticiens progressent aussi. L'INSEE, créé le 27 avril 1946, d'abord rattaché à l'Économie nationale, reprend l'œuvre du Service national des statistiques. Sous l'impulsion de Francis-Louis Closon, ancien commissaire de la République à Lille, il réalise un fichier des établissements puis se spécialise dans l'analyse de la démographie et de la consommation. Au ministère de l'Industrie, un service central arrache aux professions l'information indispensable. Tous ces efforts sont récompensés par une loi du 7 juin 1951 qui pose enfin « l'obligation, la coordination et le secret en matière de statistiques », mais doit abandonner au CNPF un quasi-monopole dans la collecte auprès des patrons. Pas à pas, avec enthousiasme, la carence de l'information est comblée : au début des années cinquante, un plan comptable

---

1. Voir M. Volle, « Naissance de la statistique industrielle 1930-1950 », dans *Pour une histoire de la statistique*, INSEE, 1977, t. 1, p. 352-361, et « L'organisation des statistiques industrielles françaises dans l'après Deuxième Guerre mondiale », *RHDGM*, 1979, n° 116, p. 1-25. Sur les ambitions et les expérimentations de l'époque, voir F. Perroux, *les Comptes de la nation*, PUF, 1949, et F. Bloch-Lainé (246), chap. 4, et Ch. Fourquet (30 bis).

général de l'économie, élaboré par l'Institut de science économique appliquée (ISEA), est déjà opératoire.

Parallèlement, pour donner à l'économie rénovée une technologie moderne et garantir un jour l'indépendance nationale face à la puissance américaine, la recherche scientifique est relancée[1]. Le CNRS réorganisé le 2 novembre 1945 reçoit mission de compenser des lacunes de la recherche universitaire, de former les chercheurs et de faciliter la confrontation internationale : s'il ne parvient pas à stimuler durablement la recherche appliquée, il sauve la science française d'une lente agonie. En octobre 1945, le Commissariat à l'énergie atomique reçoit la charge d'appliquer les recherches de pointe à la défense nationale et amorce jusqu'en 1951 le programme nucléaire français. Au CNRS comme au CEA, Frédéric Joliot-Curie dirige la levée d'une jeune génération de chercheurs et arrache les premiers succès : le 15 décembre 1948, Zoé, la première pile atomique européenne, est mise en marche; à l'été 1949 commence l'édification du centre d'études de Saclay et, en 1952, est voté le premier plan de développement de l'énergie atomique. De son côté, l'Institut national d'études démographiques, fondé en octobre 1945 et dirigé par Alfred Sauvy, scrute le renouveau démographique et analyse besoins et désirs des Français[2].

Par ailleurs, le secteur public stimule une recherche appliquée encore très déficiente. L'Institut national de la recherche agronomique, définitivement organisé en mars 1946, réfléchit aux méthodes de production de masse, le Centre national d'études des télécommunications du ministère des PTT modernise les transmissions, s'intéresse déjà à l'électronique et à la télévision, l'Office national d'études et de recherches aéronautiques prépare la Caravelle, Louis Armand et Pierre Massé à la SNCF et à l'EDF rajeunissent les équipements et collaborent avec la rue de Martignac. Les résultats sont inégaux, la coordination difficile, mais l'impulsion est donnée. Enfin, promesse pour l'avenir, la formation de hauts

---

1. Voir R. Gilpin, *la Science et l'État en France*, Gallimard, 1970, chap. 6. Et A. Coutrot, « La création du Commissariat à l'énergie atomique », *Revue française de science politique*, avril 1981, p. 343-371.
2. Voir, par exemple, son enquête par sondage (106), et A. Sauvy, « La création de l'INED, 24 octobre 1945 », *Espoir*, 1977, n° 21, p. 18-20.

fonctionnaires capables de perpétuer l'effort de l'après-guerre est remodelée par la création de l'École nationale d'administration le 9 octobre 1945. Fort jacobine, couvée par son parrain Michel Debré, elle vise à démocratiser le recrutement des grands corps, à unifier une administration dynamique, à former au keynésisme des grands commis qui protégeront l'État contre les faiblesses des partis. C'est dire que la politique économique y est massivement enseignée, à côté de disciplines plus générales ou plus ésotériques. Ses premières promotions n'accéderont aux postes de responsabilité qu'au cours des années cinquante, mais tous ses élèves auront alors en mémoire Mendès France détaillant les investissements, Jean Fourastié plaidant pour la croissance et Pierre Uri dissertant sur le Plan.

L'habileté de l'équipe Monnet fut surtout d'associer à la préparation du Plan tous ceux qui auront à l'appliquer. 18 « commissions de modernisation et d'équipement » ne dépassant pas 30 à 50 personnes se réunirent longuement rue de Martignac. Y siègent des patrons classiques et modernes, des syndicalistes communistes ou réformistes, des techniciens, des fonctionnaires qui doivent y oublier les rivalités de leurs services et de leurs ministères bousculés par les chevau-légers du Plan. Près d'un millier de responsables, représentatifs mais renonçant à représenter leurs intérêts corporatifs, y apprennent pour un temps à travailler ensemble, à contourner les difficultés administratives : cette rencontre de la compétence et de l'unanimité nationale donne du muscle aux épures des experts, cette concertation garantit une application sans heurts graves. Dès lors, c'est pratiquement sans débat que le Plan ainsi élaboré fut adopté définitivement par le gouvernement Blum en janvier 1947.

Son constat de départ, exprimé dans les *Données statistiques sur la situation de la France au début de 1946* qu'il publie, puis dans le rapport de Pierre Uri à la Commission du bilan en septembre 1947, se résume en un mot : malthusianisme. Démographiquement, économiquement, la France a accumulé un retard dont les effets nourrissent les déséquilibres de la balance des paiements, entretiennent le bas niveau de vie et les conflits sociaux. Les « insuffisances structurelles » se manifestent par une médiocre efficience du travail, un équipement et des

méthodes de production archaïques, un patronat sans dynamisme[1], un appareil de distribution pléthorique, des charges
administratives démesurées, un protectionnisme frileux. Certes,
depuis la Libération, la France s'est remise au travail. Des
objectifs sectoriels seront atteints, la reconstruction se fera, le
pays retrouvera sa situation d'avant la guerre, légèrement améliorée sans doute. Le pari du Plan consiste à affirmer au contraire
que la reconstruction ne sert à rien sans une modernisation
qui réconciliera la France avec l'avenir. Il suffit de vouloir
et de dévier une partie des objectifs de 1944. Le secteur public
conservant des dimensions raisonnables, les syndicats garantis-
sant que la productivité du travail s'accroîtra, le contrôle et
l'orientation de l'État porteront davantage sur le crédit et
l'investissement que sur les prix, les bienfaits de la compétition seront reconnus et les secours extérieurs recherchés. A
l'égoïsme qui entretient le malthusianisme, le Plan oppose la
concertation et l'incitation. Il renvoie dos à dos les libéraux et les
dirigistes. Il laisse chaque acteur libre des décisions dont il a la
responsabilité. Mais celle-ci lui impose de collaborer à la préparation des objectifs d'ensemble et de discuter avec d'autres partenaires du moyen le plus efficace pour les atteindre[2].

Le plan Monnet fait davantage référence aux continuités qui
relient les années trente aux années cinquante qu'aux ruptures
volontaristes de la Libération. Il pose que, malgré l'importance
du secteur nationalisé, le capitalisme privé ne connaîtra plus de
reculs et que, si l'autoritarisme et l'intervention publique peuvent
se justifier pour vaincre la pénurie, seule l'entente amiable entre
l'État et les professions, organisée à travers les commissions du
Plan, créera une économie harmonieuse. Contre le modèle soviétique, il souhaite que la France affronte sans nationalisme désuet

---

1. Cette idée banale en 1947 est récusée aujourd'hui. Voir M. Lévy-
Leboyer, « Le patronat français a-t-il été malthusien? », *le Mouvement
social*, nᵒ 88, juill.-septembre 1974.
2. Ce large consensus disparaît bien entendu avec la guerre froide et
le triomphe de la Troisième Force. Dès 1948, le Trésor sélectionne ses
aides en faveur des firmes sidérurgiques les plus rentables et la CGT
refuse de siéger dans les commissions de modernisation. L'indifférence
sur les questions de planification s'installe dès lors dans l'opinion.

les mouvements d'échanges mondiaux dominés par les États-Unis, qu'elle se voue à l'exportation, puisque les revenus de ses capitaux placés à l'étranger ou dans l'Union française vont fatalement se tarir : le **Plan** doit être constamment ajusté en fonction de la conjoncture, ses financements surveilleront le cours du dollar. Enfin, dans un pays où les questions du ravitaillement et du logement ne sont pas réglées, il favorise délibérément les équipements lourds, néglige l'analyse de la production agricole et rêve déjà d'une France modernisée capable d'exporter, de produire toujours davantage et assez bon marché pour soutenir la concurrence internationale et dominer une Europe unie[1]. Des mots magiques, production et productivité, équipement et modernisation, croissance et compétition, passent plus souvent dans ses directives que reconstruction et niveau de vie, inflation et consommation : volontairement distrait du quotidien, il tire argument des faiblesses passées pour promettre un meilleur avenir.

Concrètement, il sélectionne les priorités. Prévu pour quatre années, de 1947 à 1950, ajustable à tout moment, il sera de fait prolongé jusqu'en 1952 pour que sa fin corresponde à celle de l'aide Marshall. Il fixe comme objectif de produire et moderniser concurremment. Le but est de rattraper en 1949 le niveau de production de 1929 — la meilleure année de l'avant-guerre — et de le dépasser de 25 % en 1950. Il pose des conditions préalables : livraisons de charbon allemand, encouragements à l'immigration de main-d'œuvre, abaissement des coûts de production et aide financière étrangère (pour obtenir cette dernière, son plan en poche, Jean Monnet court aussitôt rejoindre Blum à Washington et négocie les crédits en mars 1947). Il donne priorité absolue au

---

1. « A l'échelle des techniques modernes, notre vocation géographique est celle d'une grande nation de 70 millions d'habitants qui posséderait la première agriculture et la première métallurgie d'Europe. Voulons-nous construire cette grande nation et redevenir le centre de gravité de ce continent dont nous sommes le pays d'avenir ? Voilà le problème. L'aventure, la vraie, celle des défricheurs et des bâtisseurs, n'est plus au-delà des mers. Elle est sur notre sol », conclut J.-F. Gravier dans *Mise en valeur de la France*, Le Portulan, 1949, p. 378.

DISTRIBUTION DE LA CONTRE-VALEUR
DE L'AIDE MARSHALL DE 1948 A 1951
en % du total

Charbonnages de France	14
EDF : 22,16; GDF : 0,83	22,99
SNCF	5,50
Compagnie nationale du Rhône	1,71
Reconstructions d'habitations	9,16
Constructions d'habitations	3,64
Reconstruction des entreprises agricoles, industrielles et commerciales	5,88
Reconstruction de la flotte de commerce et de pêche	2,05
Prêts à l'agriculture	7,35
Prêts à l'industrie privée	8,34
Sarre	0,99
Algérie : 3,21; Maroc et Tunisie : 2,56	5,77
Autres TOM	1,69
Fabrication d'armements	4,78
Abaissement du plafond des avances provisoires de la Banque de France au Trésor	3,42
Résorption de la dette publique	2,73

Source : *Le Monde*, 4-5 juin 1967.

charbon (la production doit passer de 47 à 65 millions de tonnes), à l'électricité (de 23 à 37 milliards de kWh), à l'acier (de 4 à 10 millions de tonnes), au ciment, aux tracteurs et aux transports, auxquels s'adjoindront les carburants et les engrais azotés. La production, partout ailleurs, devra fortement progresser, les exportations doubler. Dans le secteur public le Plan est impératif, dans les entreprises privées le gouvernement négociera des contrats d'approvisionnement réguliers en matières premières contingentées avec les patrons qui s'engageront à respecter des normes de production et de productivité.

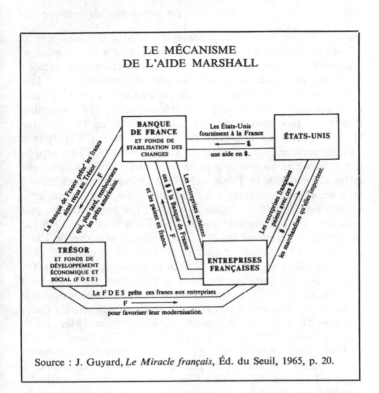

LE MÉCANISME
DE L'AIDE MARSHALL

BANQUE DE FRANCE
ET FONDS DE STABILISATION DES CHANGES

Les États-Unis fournissent à la France
$
une aide en $.

ÉTATS-UNIS

La Banque de France prête les francs ainsi reçus au Trésor
F.

qui, plus tard, remboursera les prêts américains.

ces $ à la Banque de France
et les paient en francs.
F.

Les entreprises achètent

Les entreprises françaises paient avec ces $
les marchandises qu'elles importent.

TRÉSOR
ET FONDS DE DÉVELOPPEMENT ÉCONOMIQUE ET SOCIAL (F D E S)

ENTREPRISES FRANÇAISES

Le F D E S prête ces francs aux entreprises
F
pour favoriser leur modernisation.

Source : J. Guyard, *Le Miracle français*, Éd. du Seuil, 1965, p. 20.

C'est au financement que le bât blesse : à l'évidence, malgré les efforts de Delouvrier, le Plan n'est pas solvable[1]. Car la somme globale des investissements nécessaires est énorme : le quart environ du revenu national. L'habileté de Jean Monnet consistera à contourner l'obstacle, à prouver le mouvement en marchant. Il ne manque jamais de vanter auprès des Américains les

1. Voir F. Bloch-Lainé (246), p. 106-107, qui précise : « On a foncé les yeux fermés. »

mérites de son enfant, il raisonne dans un cadre européen et atlantique, il sélectionne les meilleurs émissaires pour les missions d'achat de matière première ou d'outillage et expédie patrons, hauts fonctionnaires et experts les plus dynamiques aux États-Unis dans le cadre de missions de productivité, voyages d'étude et d'échanges. Mais le climat inflationniste de 1947 assombrit l'horizon : la « providentielle » aide Marshall, on l'a vu, intervient à temps pour sauver le Plan[1]. Parallèlement, l'épargne et l'autofinancement sont systématiquement favorisés, l'État supplée aux défaillances au jour le jour, multiplie les exonérations fiscales et les subventions, le Trésor exhorte les banques nationalisées à faire un effort considérable. Et l'inflation, une fois encore, multiplie à bon compte la masse monétaire. Les ressources les plus immédiatement mobilisables sont ventilées à partir de 1948 par un Fonds de modernisation et d'équipement qui tire de l'aide américaine 53 % de ses ressources en 1948, 72 % en 1949, 53 % en 1950 et 16 % en 1951, soit 48 % en moyenne. Au bilan général, il faut convenir que l'imprévoyance a payé. Bien distribuée (voir les tableaux ci-avant), la contre-valeur de l'aide américaine aide l'État à jouer le premier rôle dans l'exécution financière du Plan : il fournit 51 % des investissements en 1947, 58 % en 1948, près de 62 % en 1949 et 57 % en 1950. Sur environ 3 800 milliards investis de 1947 à 1952 (en francs de 1954), 2 000 proviennent de ressources ou de crédits des entreprises publiques ou privées (autofinancement, prêts bancaires, appels à l'épargne), 240 ont été directement distribués par l'État sous forme de subventions et de remises fiscales, et 1 560 ont été prêtés aux entreprises par le Fonds de modernisation et d'équipement. Bien épaulé par le Trésor et les banques nationales, le Plan a donc pu orienter continûment les investissements stratégiques[2]. Ses experts disposent ainsi d'un atout majeur pour imposer sa réalisation.

1. Voir chap. 9.
2. Voir (12), p. 90. Néanmoins, sur ce sujet encore mal défriché, il faudra certainement nuancer fortement cette affirmation à la suite des recherches en cours de Jean Bouvier.

Les progrès de l'équipement.

Le bilan en 1952 est positif. Malgré un rythme plus chaotique que prévu et une série de réajustements précipités, le Plan a contribué à hisser la production nationale brute en 1953 à un niveau qui dépasse de 39 % celui de 1946 et de 19 % celui de 1938. Le taux moyen de croissance annuelle ne dépasse pas 4,5 % et reste inférieur à celui de la République fédérale allemande ou de l'Italie : le « miracle » français est moins éclatant. Mais la production industrielle progresse de 7 % l'an, sa vitesse de croisière est acquise, même si elle ne dépasse que de 12 % celle de 1929 et n'atteint donc pas les 25 % initialement prévus (voir le tableau I).

I. ESTIMATION DU REVENU NATIONAL ET DE LA PRODUCTION INDUSTRIELLE

	revenu national		production industrielle
	milliards de francs 1938	indice	indice
1929	453	119	133
—	—	—	—
1938	380	100	100
—	—	—	—
1944	191	50	38
1945	207	54	50
1946	315	83	84
1947	341	90	99
1948	366	96	113
1949	414	109	122
1950	448	118	129
1951	477	126	143
1952	490	129	145
1953	505	133	146
—	—	—	—
1958	636	167	213

Source : *Annuaire statistique de la France, rétrospectif*, Imprimerie nationale et PUF, 1961, p. 365, et A. Sauvy, « Rapport sur le revenu national », *JO, Avis et rapports du Conseil économique*, 7 avril 1954.

Non seulement la plaie des années de guerre et de crise est cicatrisée, mais la modernisation est en marche.

Au vrai, c'est l'obstination à atteindre les objectifs prioritaires bien choisis qui a créé le mouvement (voir le tableau II) et nourri les communiqués triomphants. Aux actualités cinématographiques, dans la presse, dans les discours dominicaux des hommes politiques, un lyrisme à jet continu exalte le travail du mineur et du métallo, comptabilise les tonnes de ciment et les kilowatts-heures, s'émeut devant le barrage de Génissiat, l'élégance de nos locomotives et les promesses fabuleuses du gisement de gaz découvert à Lacq.

Industries de base et production de biens d'équipement ont reçu les deux tiers des investissements, le secteur public a orienté vers elles ses efforts, le travail y a été plus rentabilisé qu'ailleurs. La bataille de l'énergie et celle des transports sont donc bien engagées. Pour le charbon, les 65 millions de tonnes prévues n'ont pas été atteints, et, dès 1948, l'objectif avait été rectifié à 60 : le pari, cette fois, est pratiquement tenu. La hausse de la productivité par mineur (1 307 kilos par jour contre 1 229 avant la guerre), une forte mécanisation, un regroupement des meilleurs puits et un début d'utilisation rentable des déchets et dérivés, un avantageux statut du mineur adopté en juin 1946, permettent de surmonter des handicaps plus structurels, profondeur ou faible épaisseur des couches (sauf en Lorraine) et insuffisance de main-d'œuvre. L'EDF est devenu l'entreprise pilote de la planification : les prévisions, modifiées à la hausse en cours de route, sont atteintes à 95 %, un effort gigantesque en matières premières et en crédits est consenti pour l'hydro-électricité, avec 70 chantiers ouverts sur le Rhin et le Rhône, dans les Alpes, les Pyrénées et le Massif central. Il a certes fallu maintenir en service des centrales thermiques vétustes, combler un fort retard de 1950 à 1952, et les besoins pressants de la consommation privée sont négligés au profit des entreprises. Mais, dès 1951 et 1952, deux lois d'investissement anticipent sur le IIe Plan et activent tous les chantiers de barrages ou de centrales. Le raffinage de produits pétroliers, spectaculairement développé, couvre par ailleurs les besoins du pays, même si les approvisionnements restent tributaires quasi exclusivement (92 %) du Moyen-Orient. Au total, l'accroissement

II. LES PRIORITÉS DU PREMIER PLAN

	1929	1938	1944	1945	1946	1947	1948	1949	1950	1951	1952	réalisation du Plan
charbon millions de t.	54,9	47,5	26,5	35	49,2	47,3	45,1	53	52,5	54,9	57,3	96 %
électricité milliards de kWh	15,4	19,9	16	18,3	22,8	25,8	28,8	29,3	33	38,1	40,5	95 %
acier millions de t.	9,7	6,1		1,6	4,4	5,7	7,2	9,1	8,6	9,8	10,8	87 %
ciment millions de t.	4,3	3,7		1,5	3,3	3,8	5,3	6,4	7,2	8,1	8,6	101 %
tracteurs milliers		1,8		0,5	1,9	4,2	12,4	17,3	14,2	16	26,1	85 %
trafic SNCF milliards d'unités kilométriques	70	48,6	24,6	43,9	63,9	68,2	71,9	70,6	65,3	73,5	72,6	—
pétrole brut traité millions de t.	0,8	5,8		0,2	2,3	5	8,2	11,5	14,5	18,4	21,4	105 %
engrais azotés milliers de t.		196			148	176	190	229	259	287	288	127 %

Source : *Annuaire statistique de la France, rétrospectif*, Imprimerie nationale et PUF, 1961, passim.

des disponibilités énergétiques en 1952 a été de 33 % et de 52 % par rapport à 1938 et 1946. Seules ombres au tableau : le déficit à combler par des importations, qui s'élevait à 37 % des besoins avant la guerre, piétine encore à 32 %, et la France est largement dépassée par la République fédérale allemande et la Grande-Bretagne dans les disponibilités par habitant.

Les transports ont été rapidement remis en état. La SNCF assure un trafic qui dépasse celui de 1929, ses convois sont plus lourds et mieux tractés, le réseau est en cours de modernisation et son électrification plus complète démarre. Comme EDF et les Houillères, la société porte haut le drapeau du secteur public, tente de coordonner son action avec la route ou l'eau et, pour prix de son dynamisme, reçoit en août 1951 l'autorisation d'abandonner le barème kilométrique uniforme qui déséquilibrait ses budgets d'exploitation. Symbolisent tout autant la vigueur de la reconstruction la remise en marche des installations portuaires, de la flotte de commerce et les balbutiements d'un projet routier et autoroutier (ouverture de l'autoroute de l'Ouest au départ de Paris) avec la création d'un Fonds spécial d'investissement routier en décembre 1951.

Le bilan est déjà plus nuancé pour la sidérurgie. Jusqu'en 1948, par crainte de la nationalisation et dans un climat social très difficile, le patronat n'a guère investi. Mais les sociétés les plus dynamiques usent à fond des facilités offertes par le Plan. La Société des forges et aciéries du Nord et de l'Est et la Société des hauts fourneaux, forges et aciéries de Denain et Anzin fusionnent en 1948 pour former Usinor et ont commandé dès avril 1947 deux trains de laminage à large bande aux États-Unis, entièrement financés par le Fonds de modernisation et d'équipement. Elles les installent à Denain et à Florange, les complétant par trois trains à froid et des hauts fourneaux modernisés. Ainsi la sidérurgie rattrape son retard sur ses concurrents européens quand la CECA est lancée, mais ne peut se hisser techniquement qu'à la hauteur des États-Unis de 1929. Les objectifs du Plan sont à peu près atteints (10,8 millions de tonnes au lieu de 12,5), les aciers Martin et électriques ont pris de l'avance, mais la consommation de coke reste plus forte que prévu, les rendements sont plus faibles (72 tonnes par an et par ouvrier pour 80 prévues) et les restructurations tardent. Le patronat a habilement joué, empochant les aides et les crédits, se faisant reconnaître en 1951 le droit d'émettre ses propres emprunts et de s'associer dans le cadre de la future CECA, tirant argument d'une demande globale assez faible pour renoncer à intégrer vers l'aval les industries de transformation de produits plats, qui stagnent, et imposer sa politique traditionnelle d'exportation rentable de produits semi-ouvrés. Les experts du Plan, la Commission de modernisation cèdent : dès 1950, 30 % de la production sont exportés, le groupe De Wendel a favorisé à la fin de 1948 la constitution d'une coopérative de production de tôles, la Société lorraine de laminage continu (Sollac), qui évite aux sociétés les plus faibles de se restructurer. Déjà, on renonce aux investissements qui permettraient de porter la capacité de production à 15 millions de tonnes [1].

Les « goulots d'étranglement » majeurs de 1945, le charbon et les transports, ont donc été desserrés. Celui de la main-d'œuvre reste préoccupant, mais l'appel aux immigrés d'Afrique du Nord laisse prévoir une évolution favorable. Le chômage n'existe guère, une population active réduite ne répugne pas à retrousser ses manches, la durée moyenne du travail reste fixée à un peu plus de 45 heures par semaine mais atteint près de 48 heures dans tous les secteurs de production prioritaires. Le Plan a su canaliser l'ardeur. Mais, en contrepartie, il n'a pas pu éviter la formation de nouveaux « goulots d'étranglements » en aval, du côté de la consommation. De 1938 à 1950, la valeur réelle des biens mis à la disposition des ménages n'a guère augmenté que de 2,4 %. Les privations alimentaires disparaissent, mais la consommation de masse n'est pas lancée : la part de ces biens dans la production intérieure passe de 81 à 72 % [2]. Elle est inversement proportionnelle aux progrès de la gestion administrative, de la formation de capital fixe et de l'exportation.

Bien des produits de première nécessité font encore défaut ou sont fournis en quantité tout juste suffisante pour faire oublier

1. Voir M. Freyssenet, *la Sidérurgie française (1945-1979)*, Savelli, 1979, chap. 1.
2. En 1952 (indice 100 en 1938), l'indice de la production industrielle est à 145, celui de l'énergie à 156, celui des biens d'équipement à 164, mais les biens de consommation stagnent à 109.

les heures sombres (voir le tableau III). La métallurgie, le textile, le matériel électrique orientent leur production vers le soutien aux entreprises fabriquant des biens d'équipement. Deux secteurs surtout tournent à un rythme encore trop lent : le bâtiment et l'agriculture. Faute de main-d'œuvre et de crédits (elle n'obtient que 13 % des investissements du Plan), la construction de logements pare au plus pressé dans les zones sinistrées mais ne peut pas éviter qu'une crise chronique ne s'installe : l'attente de logements plus neufs, plus vastes et mieux équipés restera générale. L'agriculture, très négligée par la rue de Martignac (8 % des investissements), ne peut fournir qu'une production de biens alimentaires à peine supérieure à celle de 1938 en moyenne (+ 8 % alors qu'une croissance de 16 % était prévue). L'année 1949, marquée en outre par la terrible sécheresse de l'été qui fait chuter de 20 % les productions, révèle brutalement au monde paysan que les années de pénurie ont entretenu une aisance factice. Les villes sont certes libérées du rationnement et les commerçants refusent avec dédain les derniers tickets. Mais l'inélasticité de la production persiste, les prix de gros baissent, les agriculteurs prennent conscience de leur retard technique au moment précis où la nation, lancée dans la modernisation industrielle, les oublie. Dès 1952, 2 d'entre eux sur 5 ont un revenu inférieur au SMIG; l'exode rural reprend, brutal, au rythme de 100 000 à 150 000 départs par an; les écarts de productivité se creusent avec les pays voisins (de 1 à 1,6 en moyenne) et entre les régions (de 0,4 à 2 entre la Savoie et l'Oise). Le Plan ne fournit que des tracteurs, trop lourds pour la plupart des exploitations, quelques engrais chimiques. Aux sirènes de la modernisation, la majorité des exploitants ne peut présenter que des budgets déséquilibrés par une thésaurisation stérile et l'inflation. Les plus puissants, les mieux défendus par leurs organisations corporatives qui font cavalier seul au sein de la FNSEA et s'érigent en groupes de pression parlementaire, réagissent brutalement dans le sens de la conservation : dès 1948 — alors que les Français manquent de sucre de table —, les betteraviers de Picardie poussent une production de tout repos, puisque près du tiers de la récolte est désormais racheté par l'État et transformé par ses soins en alcool médiocre et souvent brûlé; les grands producteurs de blé du nord de la Loire trustent les

III. PRODUCTION
DE QUELQUES BIENS CONSOMMABLES

	1938	1946	1949	1952
viande millions de tonnes	1,69	1,25	1,86	2,06
lait de vache tonnes	133 000	103 000	132 000	150 000
vin millions d'hectolitres	60,3	36,2	42,9	53,9
sucre raffiné tonnes	723 000	—	632 000	669 000
pommes de terre millions de qx	156,7 (moyenne 1929-1938)	98,8	96,5	110,7
chaussures millions de paires	69,1	40,6	46,5	70,5
textiles **d'habillement** tonnes	50 000	30 100	54 200	41 500
savon de ménage tonnes	229 000	—	137 100	144 200
vaisselle **de faïence** tonnes	51 000	19 000	54 000	51 000
papier-journal tonnes	357 000	122 000	243 000	287 000
paquets de **« Gauloises »** millions	640	792	1 105	1 421
postes de radio **déclarés** millions	4,7	5,6	6,4	7,9
voitures **particulières**	183 000	11 900	115 800	303 600
logements **terminés**	80 000	—	56 000	83 900

Source : *Annuaire statistique de la France, rétrospectif*, Imprimerie nationale et PUF, 1961, *passim*.

subventions et stockent en attendant de meilleurs cours. Des années sombres s'annoncent : celles des indispensables réformes de structure et de la « révolution silencieuse », ponctuées de flambées de colère.

Ce bilan fortement nuancé du Plan ne doit pas omettre l'effort des hommes, l'ardeur des collectivités, et nous le concluons à dessein par un bref tour d'horizon dans deux régions tests de la reconstruction et de la modernisation : la Normandie et la Lorraine.

On sait dans quel état[1] les combats laissent les pays normands. En octobre 1944, l'État a pris ses engagements par l'intermédiaire du ministère de la Reconstruction et de l'Urbanisme : il prend en charge le prix du relèvement des ruines et du remplacement à l'identique des biens perdus, chaque sinistré devenant possesseur de créances sur le Trésor au titre des dommages de guerre, dont l'estimation et le versement se font dans l'ordre et sans inégalité trop choquante. Il favorise le regroupement des sinistrés en coopératives ou groupements de reconstruction, accélère les remembrements ruraux et urbains, soutient les collectivités locales et délègue sur place les meilleurs architectes et urbanistes. En 1948, déblaiements, récupérations de matériaux et déminage sont pratiquement achevés, les plans démarrent. En 1953, 29 % des logements et immeubles sont reconstruits; la remise à neuf, souvent fort réussie au plan architectural, est à peu près terminée dans les villages et les gros bourgs. Mais les très grandes villes sont à la traîne : les plans d'Auguste Perret pour le centre du Havre entrent à peine en application. Rouen étouffe encore sous les baraquements. C'est qu'il a fallu choisir, privilégier les équipements lourds, recruter une forte main-d'œuvre pour le bâtiment, dégager et équiper les ports, rentabiliser l'agriculture. Au début des années cinquante, avec les trois quarts de ses exploitations agricoles modernisées, un port du Havre en pleine activité, une basse vallée de la Seine qui profite de l'expansion du trafic des produits pétroliers, la Normandie a non seulement déjà pansé ses plus douloureuses blessures mais a révélé au passage son visage moderne[2].

1. Voir note p. 33.
2. Voir le chapitre de M.-A. Brier dans *la Normandie de 1900 à nos jours*, Privat, 1978.

La Lorraine, elle, valorise avec succès ses atouts naturels et humains. Des houillères prospères, remises en état à vive allure et dont la production a retrouvé son niveau de l'avant-guerre dès mars 1947 : le Plan les favorise systématiquement. Une mécanisation poussée (haveuses, système de la longue taille, convoyeurs à bande), des veines accessibles, une forte main-d'œuvre algérienne d'appoint après le départ de nombreux Polonais, la mise au point du procédé Carling de cokéfaction, les progrès de la carbochimie, une politique hardie des gestionnaires publics qui s'associent avec les sidérurgistes : au cœur de la future CECA, la Lorraine « noire » bat les records d'Europe à Merlebach ou à Marienau. Une mécanisation tout aussi efficace, avec chargeurs et « jumbos », exploite le plus fort gisement de fer d'Europe, tandis que la sidérurgie, on l'a vu, rattrape son retard. L'usine de la Sollac dans la vallée de la Fensch, entre Hayange et Thionville, avec ses 9 000 ouvriers, est en cours de réalisation en 1952 et symbolise la confiance dans l'avenir. Les industries traditionnelles (faïence, cristaux, brasseries) se maintiennent, les villes gonflent, la natalité explose, sous l'œil attendri des notables locaux, pour la plupart MRP, entraînés par le père de l'Europe, Robert Schuman, élu de la Moselle. L'enthousiasme fébrile ne permet pas de réfléchir à temps aux carences structurelles : faiblesse des industries de transformation, retard dans la construction des cités ouvrières modernes, état sanitaire et culturel des populations très médiocre. Adossée à la Sarre qui n'entre pas encore en concurrence avec elle, pariant sur l'Europe et l'industrie lourde, laborieuse et tranquille, la Lorraine est l'objet d'une admiration générale dans le pays [1].

Le retour des libéraux.

Pénuries, « goulots d'étranglement », rigidités structurelles : le volontarisme du Plan réduit ces contraintes et ces faiblesses majeures, donne l'équipement de base à l'aventure de la modernité. Ses investissements mobilisent tous les acteurs. La concertation qu'il installe et le pragmatisme de ses maîtres d'œuvre rassurent le secteur privé. Les travailleurs engagent la bataille de la pro-

1. Voir *Histoire de la Lorraine de 1900 à nos jours*, Privat, 1979.

ductivité pour peu qu'on leur promette la stabilité et un meilleur
pouvoir d'achat. Mais le paradoxe de la période tient à ce que les
ambitions du Plan, les constats et les comptes qui ont étayé son
élaboration peuvent être sans peine retournés contre le dirigisme
et donner argument aux partisans d'un retour à la liberté économique, prémice de l'abondance[1]. A l'intérieur comme à l'extérieur, avec l'installation de la Troisième Force et l'envol vers des
horizons atlantiques et européens, le contexte politique les y encou-
rage.

Le coup d'envoi à cette inflexion de trajectoire est donné par
le plan de redressement élaboré par René Mayer, ministre des
Finances dans le cabinet Schuman, en décembre 1947 et adopté
en janvier 1948. Ses ambitions sont sans équivoque. La France,
dit-il, vit au-dessus de ses moyens, veut consommer davantage
qu'elle ne peut produire et importer. Pour rééquilibrer les ressources
et les emplois, pour évacuer ainsi définitivement l'inflation galopante, il faut à la fois réduire le pouvoir d'achat et restaurer pro-
gressivement l'économie « réelle », celle où l'équilibre ne dépend
que du libre jeu des lois économiques « naturelles » et où le dirigisme cesse. Sa violente critique encore conjoncturelle de la fixation autoritaire des prix, des subventions, de la fiscalité, dans un
climat social et monétaire dégradé, débouchera sur une analyse
structurelle de l'économie qui apparaît dans les premiers rapports
de la Commission des comptes de la nation analysant en 1953 la
situation des années précédentes. Alimenté par les mêmes idées
qui ont bâti le Plan, le catéchisme de l'avenir est rédigé : délestage
dans les secteurs pléthoriques et rigides, le petit commerce de détail
et l'agriculture; mise en compétition dans les branches industrielles
de toutes les entreprises grandes ou petites sur le seul critère de la
productivité; réanimation partout de l'économie de marché et
de profit contre l'économie « rentière » enkylosée et protégée;
liberté des prix, des salaires et de circulation de la main-d'œuvre;
ponction vigoureuse sur l'épargne reconstituée, appels à l'investissement privé des banques nationales ou internationales plus qu'à

---

1. Nous suivrons ici quelques-unes des remarques sur la politique
économique présentées par F. Caron au colloque de février 1979 organisé
par l'université de Paris-I et le CNRS sur la IVe République, et qu'il
résume (28 bis), p. 208-210.

l'autofinancement; liberté des changes et du commerce avec le monde atlantique et le marché européen. Bref, le « redressement » dans la liberté, le coup d'arrêt aux illusions collectives de la Libération, la concurrence comme prix de l'expansion et du bien-être. Le patronat, aussitôt, reprend confiance [1].

La mise en œuvre de ce plan de stabilisation, dont la logique clôt une période, ne tarde pas. René Mayer, puis Paul Reynaud ou Maurice Petsche qui se succèdent aux Finances, veulent le retour au libéralisme de compétition. Mayer lève un emprunt forcé sous forme de prélèvements exceptionnels sur les bénéfices et les revenus au printemps 1948, ponctionne brutalement le marché pour stopper l'inflation, redonne sa liberté au marché de l'or et des changes, retire les billets de 5 000 francs de la circulation et retarde toute hausse de salaires : à l'été les écarts voyants entre prix agricoles et industriels sont réduits, l'inflation est enrayée, la stabilisation semble acquise au moment où l'aide Marshall se déverse à plein. Pour suppléer aux carences de l'épargne et financer la reconstruction — les fonds américains étant plus volontiers, on l'a dit, dérivés vers l'équipement —, des mesures classiques : réduction des dépenses publiques, un emprunt à succès en janvier 1949, des avances systématiques de la Banque de France et un tour de vis fiscal. A l'automne 1948, sous le ministère Queuille, une réforme des impôts permet de faire passer les recettes des contributions directes de 263 milliards en 1948 à 356 en 1949 et à 554 en 1950, soit une hausse de près de 50 % en francs constants, tandis que les indirectes sont elles aussi alourdies. Ainsi les recettes budgétaires couvrent 64 % des dépenses en 1948 et 77 % en 1950. De janvier 1945 à janvier 1951, la dette, du coup, ne gonfle que de 1 674 à 2 845 milliards; par le jeu des dévaluations et de l'inflation, elle a, en réalité, été allégée de 70 %, et l'équilibre budgétaire redevient possible. La dernière hausse générale des salaires — de 15 % —, négociée sous l'autorité de l'État, intervient en septembre 1948, et le gouvernement peut étouffer le mouvement de grèves d'octobre-novembre sans avoir à les augmenter de nouveau.

Sur fond de rétablissement de l'économie et d'aide américaine s'installe ainsi la tranquillité de janvier 1949 à juin 1950, et la

---

1. Voir H. W. Ehrmann (151), p. 246-249.

stabilisation réussie auréole le visage paisible du maître de l'heure, Henri Queuille. Le rationnement du pain disparaît en janvier, celui du lait, du chocolat, des corps gras, du textile en mars-avril; le 30 novembre 1949 les prix sont libres, le Haut-Commissariat au ravitaillement est supprimé. Le franc doit certes être dévalué [1] dans un contexte international agité par les soubresauts de la livre, mais les exportations reprennent avec vigueur, passant de 1 040 à 1 880 millions de dollars de 1947 à 1950, la balance commerciale se rétablit, son déficit descendant pour la même période de 1 451 à 78 millions de dollars. Et les découverts de la balance des paiements courants et de la balance finale des comptes peuvent être allégrement comblés par l'aide Marshall et des droits de tirage faciles sur le Fonds monétaire international, qui fournissent près de 2 500 millions de dollars : la dépendance face à Washington s'accentue, mais la paix et le dynamisme à l'intérieur ont leur prix. C'est donc dans ce contexte euphorique qu'est négociée sans peine la loi sur les conventions collectives du 11 février 1950. Désormais, les salaires seront librement négociés entre les syndicats ouvriers et patronaux, les mécanismes d'arbitrage prévus depuis 1936 disparaissent pratiquement, et le gouvernement se contente de garantir un salaire minimum interprofessionnel garanti (SMIG) après composition d'un budget type qui, à partir de 1952, sera indexé sur les prix par application d'une « échelle mobile ». De fait, ce retour à la loi de l'offre et de la demande n'est pas remis en cause par les grèves du printemps de 1950 et le retard sera en partie rattrapé l'année suivante par la négociation. Les grandes batailles sociales cessent. L'État, qui maîtrisait les salaires sans pouvoir tenir les prix, passe la main. Dès ce moment, les salariés sont vaincus : entre 1938 et 1950, les prix de détail ont été multipliés par 18 et les salaires par 10.

La guerre de Corée, qui éclate le 25 juin 1950, met fin provisoirement à cet espoir d'expansion libérale dans la stabilité. Car elle crée une forte tension sur la demande mondiale et fait s'envoler les prix des matières premières importées tout en réactivant les

1. A la suite d'une dévaluation « de combat » de la livre, le franc ne vaut plus que 2,54 mg d'or fin le 20 septembre 1949 (soit une dévaluation de 22 %). Mais le cours libre des devises est rétabli en France.

productions d'armements. La France ne peut pas résister : l'expansion est encore trop mal assise, les exportations sont trop faibles pour que les prix et le franc ne se dégradent pas. Les dépenses par anticipation se multiplient avec la menace de guerre généralisée, les balances se détériorent, les capitaux se terrent, la vie politique se déstabilise. L'État, à regret, doit donc intervenir : en 1951 il consacre près du tiers de ses ressources à l'alimentation de l'investissement, le plan Monnet prolongé se voit confirmé dans son rôle de producteur de biens d'équipement. Mais en contrepartie le Trésor doit mendier des avances et, de fait, la « planche à billets » est remise en marche, versant dans l'économie une masse monétaire non gagée[1]. Sans pouvoir enrayer la hausse des prix, qui atteint 45 % pour les prix de gros et 38 % pour les prix de détail à la fin de 1951, tandis que le SMIG enregistre péniblement un « gain » de 15 % et que le pouvoir d'achat général des salaires recule en réalité de 20 %.

La fragilité de la reprise économique et celle de la paix sociale acquises dans le cadre du Plan approfondissent la crise : l'inflation par les coûts relaie désormais celle par la demande et l'offre ; les prix français s'élèvent encore jusqu'en janvier 1952 alors que l'apaisement est revenu sur les marchés mondiaux dès l'automne 1951. Les dépenses alourdies de la guerre d'Indochine neutralisent les tentatives d'assainissement. C'est l'impasse. Un long débat politique s'installe, tous les partis en quête de majorité depuis les élections de 1951 hésitant à consentir une pression trop forte sur la fiscalité, et la gauche livrant une bataille d'arrière-garde pour que le secteur public et la Sécurité sociale ne pâtissent pas trop de l'offensive des libéraux. Antoine Pinay tranchera en réussissant une stabilisation surprise. L'inflation, une fois encore, a révélé l'impuissance des politiques économiques, qu'elles soient dirigistes ou libérales, a brutalement imposé des solutions politiques inattendues. Elle démarque la France du contexte mondial et européen, à l'heure où la CECA et l'OECE entrent en ligne de compte. Elle assombrit donc le bilan final de la première expérience de plani-

---

1. Non sans réticences de la part des « classiques ». Voir la lettre de W. Baumgartner, gouverneur de la Banque de France, du 29 février 1952, à E. Faure dans J. Autin, *20 ans de politique financière*, Éd. du Seuil, 1972, p. 16-17.

fication. Un Plan qui ne peut délivrer le pays du triste record européen de l'inflation est-il si efficace ? N'aurait-il armé l'économie
française que pour mieux la jeter dans une concurrence où un
capitalisme régénéré retrouve l'ivresse du succès ? A l'évidence,
le secret des politiques conjoncturelles efficaces n'est pas encore
connu : l'économie n'ayant pas pris son rythme de croisière vers
la croissance continue, toute relance déchaîne l'inflation, toute
déflation conduit à la récession, tout investissement réduit la
consommation, et réciproquement.

Cette France tressaillant sous chaque vague inflationniste, traversée d'éclairs modernistes sur fond malthusien, où les bons
apôtres de l'économie de marché reprennent avec prudence la
barre, peut pourtant d'un mot balayer bien des déceptions et se
distraire de ses inquiétudes : la vie est revenue, pressante. Ce
peuple qui sait s'épuiser au travail [1] et commence à rêver d'expansion et de bien-être a un talisman : la jeunesse. De janvier 1946 à
janvier 1951, la population est passée de 40,1 à 42,1 millions, son
taux de natalité a dépassé 21 $^o/_{oo}$ en 1947 et se maintient au
deuxième rang en Europe à plus de 19 $^o/_{oo}$. Chaque année,
860 000 nouveau-nés incarnent la confiance dans l'avenir.

---

1. N'oublions pas qu'une population active réduite fournit l'effort
de reconstruction et de modernisation : 19 500 000 actifs environ de
1946 à 1952, contre 20 500 000 en 1931. Le cap des 20 millions ne sera
franchi qu'après 1962.

Conclusion

En mars 1951, un ingénieur père de six enfants écrit en soupirant : « Ah! Si je pouvais avoir ma 2 CV! » Sa lettre retint l'attention des services commerciaux de Citroën qui en firent une joyeuse publicité[1]. C'est elle qu'on est tenté de mettre en exergue au bilan de ces années de reconstruction. Après d'interminables mois de privations, on sent flotter comme un parfum d'aisance : la consommation est pour demain. Depuis 1948, un peu étourdie encore par dix ans de traumatismes variés, la France s'est mise à comptabiliser avec fierté ses locomotives et ses berceaux, elle rêve déjà aux fruits que la croissance soutenue lui apportera. Après la crise, la guerre et les restrictions, la machine économique remise en état rentabilise l'espoir et ouvre de nouveaux horizons. De tous côtés on sent monter l'hymne au marché et à la liberté, l'épargne ouvre les bras à Antoine Pinay, et la sagesse du moindre mal prévaut. Est-ce à dire que les ardeurs purificatrices de 1944 ont été illusoires ou qu'on les a dévoyées?

Nul ne peut nier que les responsables de la politique française ont su prendre acte du terrible constat d'un retard chronique de l'économie, dont l'analyse s'est affinée depuis les années trente et imposée après la guerre : « La modernisation ou la mort! », s'écrie René Pleven. Ni qu'ils aient su laisser carte blanche à des hommes et des équipes réduites, qui purent user hardiment des nouvelles ressources offertes à l'État depuis 1944 pour « doper » un capitalisme de libre concurrence bien paralysé et faire retrousser leurs manches à coups de subventions aux patrons malthusiens : Jean Monnet fut écouté par de Gaulle comme par Schuman et — provisoirement — par Wendel. Les contraintes du moment ont donc validé d'un coup les vieux constats de carence, et le Plan a coordonné la nécessité de sortir au plus tôt de la pénurie tout en réali-

---

1 Voir J. Borgé et N. Viasnoff, *la 2 CV*, Balland, 1977, p. 78-79.

sant son ambition première, la modernisation de la part de l'appareil productif la plus utile pour l'avenir. A cette occasion, jusqu'en 1947, le chant de la lutte de classes a été mis en sourdine : technocrates du secteur public, patrons modernes, syndiqués conscients et partis de gauche majoritaires ont gagné ensemble la bataille de la production et du rajeunissement, les bras des travailleurs n'ayant dans l'ombre jamais fait défaut.

Pourtant, à entendre René Mayer, Maurice Petsche ou les maîtres de la Sollac un peu plus tard, à scruter les mécanismes qui régissent la CECA ou les échanges extérieurs de la France au sein du monde atlantique ou de l'Union française, qui ne pourrait croire à un retour en force du capitalisme? Bien des acteurs d'alors n'en doutent plus aujourd'hui : « récupération » dit François Bloch-Lainé, « restauration » ajoute Claude Bourdet[1]. Fallait-il donc résister et moderniser pour laisser au patronat éternel le soin d'encaisser à son profit les taux de croissance flatteurs des années cinquante? Le dirigisme de la Libération n'aurait-il servi qu'à assurer une transition en douceur vers une libre entreprise ragaillardie au contact de l'oncle Sam[2]? Dans la construction de logements, dans le rachat des journaux pauvres issus de la Résistance, bientôt dans le trafic des piastres et déjà dans quelques scandales, les grands intérêts et les petits malfrats n'ont effectivement pas tardé à mettre les bouchées doubles. Fallait-il sacrifier dans le même temps la consommation populaire pour bâtir un puissant appareil de production, prioritairement pris en charge par le secteur nationalisé, et à l'abri duquel les firmes privées ont rétabli des marges de profit qui leur permettent de reprendre en toute sécurité leurs investissements rentables? Georges Boris constate amèrement : « Ainsi partout où devait s'ouvrir un chantier de démolition du capitalisme et d'édification socialiste, il semble que n'ait pu être construit qu'un mur de défense, un rempart contre l'offensive d'un super-capitalisme monopolisateur, né soudain des cendres de l'ancien capitalisme[3]. » Pleurnichade réformiste,

---

1. F. Bloch-Lainé (246), p. 124, et C. Bourdet, *l'Aventure incertaine, de la Résistance à la Restauration*, Stock, 1975, p. 431 *sq.*
2. Voir F. Caron, dans (64), p. 865.
3. Dans *la Nef*, nº 60-62, déc. 1949-janvier 1950, p. 81.

lui rétorqueront ceux qui estiment aujourd'hui que l'État, en 1945, « préserve les chances futures de la percée du capital financier monopoliste [1] ». Sans les départager, bornons-nous à enregistrer qu'à tout le moins la Libération n'a pas abattu ces trusts qu'elle fustigeait et que le jeune secteur public semble avoir ensuite joué un rôle déterminant dans la sauvegarde et la restructuration du capitalisme. Tant que de sérieuses études sur les transferts du secteur public vers le privé n'auront pas été achevées, que nous ignorerons pratiquement tout sur l'évolution de l'investissement et du profit, branche par branche, non seulement nous ne pourrons pas avancer de conclusions fondées mais nous comprendrons toujours aussi mal les affrontements salariaux et le jeu des groupes sociaux [2].

Car l'évolution précise des revenus est elle aussi mal connue. On peut tout au plus avancer sans risque d'erreur que continûment, de 1944 à 1952, les producteurs et les vendeurs furent avantagés et résistèrent assez bien à l'inflation. Ils ont encore à l'époque, il est vrai, l'avantage du nombre — 13 millions contre un peu moins de 8 millions de salariés —, et satisfaire leur besoin de sécurité a permis à la vie politique de naviguer sur les eaux plus calmes du centrisme. Propriétaires exploitants des régions agricoles bien équipées, artisans, commerçants — il y a bien quelques raisons à la prolifération des petits détaillants —, professions libérales et industrielles ont pu composer plus facilement avec le marché noir, profiter à plein après 1949 du retour à la liberté des prix, éponger une partie de leurs dettes par l'inflation. Les pouvoirs publics prennent garde de les heurter de front, alors que la modernisation conduit déjà à des concentrations qui risquent d'alourdir le climat social chez les petits entrepreneurs. De promesses d'un franc stable en soigneuse mise à l'écart de toute politique fiscale qui les toucherait au vif, tout est fait pour au contraire les contenter. En ce domaine,

---

1. Voir J.-P. Scot, « La restauration de l'État, juin 1944-novembre 1945 », *Cahiers d'histoire de l'institut Maurice-Thorez*, n⁰ 20-21, 1977, p. 207.
2. Voir J. Bouvier, « 1944-1948 : de la Résistance à la Restauration, du malthusianisme à la croissance », *Histoire, économie, sociétés*, Presses universitaires de Lyon, 1978, p. 205-214.

les gouvernements provisoires ne se distinguent guère de tous leurs successeurs.

En face, les salariés sont tout aussi continûment perdants. Ils ont certes arraché de nouvelles et solides garanties à la Libération : hausses substantielles de salaires, grilles indiciaires, un syndicalisme qui peut enfin parler plus haut et surtout la conquête d'une Sécurité sociale largement financée par les employeurs et démocratiquement gérée. Mais joue trop longtemps contre eux la réglementation des salaires quand l'inflation fait s'envoler les prix de détail. Dans cette spirale, les salariés s'épuisent. Le lourd climat social qui persiste jusqu'en 1949 a donc quelques solides causes économiques, même si la politisation des grèves en 1947 et en 1948 n'est pas niable. Tout se passe comme si les forces les plus déterminées de la Résistance avaient perdu sur tous les tableaux. Leur patriotisme de la production jette les travailleurs dans un combat vital pour la collectivité mais dont ils recueillent de faibles avantages, tandis que le secteur privé qui les exploite, lui, se redresse. Leur ardeur à promouvoir une politique sociale accélère l'intégration des syndicats et des travailleurs dans la concertation, voire dans la collaboration de classes à travers les comités d'entreprise, les commissions du Plan et les transferts sociaux. La politique des communistes enfin contribue à restaurer dans un premier temps un État où les forces du travail sont très peu représentées et à isoler après 1947 une part importante de la classe ouvrière de la vie nationale.

Faudrait-il donc ici entonner le lamento banal sur l'échec de la Résistance? Des militants insoupçonnables et des plumes bien trempées ont dès longtemps pratiqué l'exercice : la Résistance se serait « gommée avec application de l'histoire de son temps[1] ». Carence, suicide ou assassinat? On peut broder à l'infini sur ces interrogations, accuser de Gaulle, les communistes, les États-Unis ou le Kremlin, dénoncer les matoiseries du grand capital, la trahison par les appareils ou les naïvetés des héros. Seuls peuvent tenir ce langage ceux qui mettent dans la Résistance plus qu'elle ne pouvait contenir. Ils ont bien sûr quelques excuses, puisque nombre de résistants se firent longtemps quelques illusions et que

1. F. Mitterrand, *Ma part de vérité*, Fayard, 1969, p. 24.

chaque Français, après s'être repu d'héroïsme avec *la Bataille du rail* en 1945, put se reconnaître l'année suivante sous les traits de Noël-Noël dans *le Père tranquille*. Quand d'authentiques combattants persistaient à croire qu'ils avaient été trahis[1] et que le maréchaliste moyen pouvait se décerner à bon compte des brevets de civisme en charentaises, la Résistance était devenue en effet une monnaie trop négociée pour n'être pas très vite dépréciée.

On objectera sans doute que le programme du CNR ne fut pas intégralement appliqué, que le foisonnement culturel laissa des traces, que sans de Gaulle ou sans Staline bien des fleurs se seraient épanouies. Il faut en finir, pensons-nous, avec ce pieux volontarisme. Comment ne pas voir que ce sont des résistants qui régénèrent les partis, mouvements ou rassemblements? Qui reconstruisent une vie politique dans ses cadres anciens? Qui mènent déjà avec des hommes au passé moins glorieux ce « jeu des partis » dont périra la République? Qui conduisent aussi les plus vaillantes équipes de la modernisation? Pourquoi au reste le titre de résistant donnerait-il un infaillible brevet de lucidité politique et d'éternel progressisme? L'exemple de quelques socialistes ou républicains populaires en Indochine ou à Madagascar, avec le recul du temps, laisse sur ce dernier point beaucoup à penser. Des combattants démobilisés ont cru que leur engagement avait une charge idéologique propre : dès que l'unanimisme de l'été 1944 retombe, ils doivent convenir qu'ils ne peuvent porter témoignage que de leur héroïsme, que le pays entre sans rechigner dans l'apaisement et que la Troisième Force trouve son eau de jouvence dans le refus de toute idéologie de combat. *A contrario*, douloureusement, l'après-guerre valide donc une conclusion évidente pour l'historien aujourd'hui : la Résistance fut d'abord un réflexe jacobin, un patriotisme unanimiste[2]. Rien de plus? Sans doute, car ses quelques milliers de combattants ne pouvaient régénérer en profondeur un pays à eux seuls. Rien de moins? Certainement : c'est sa grandeur.

A moins que, si échec il y a, il ne faille l'imputer à l'immense

1. Voir P. Hervé, *la Libération trahie*, Grasset, 1945, et Cl. Bourdet, *op. cit.*
2. Voir J.-P. Azéma (13), p. 354.

majorité des Français. Car, plus qu'une hypothétique défaite de la Résistance, ce qui frappe est l'obstination avec laquelle — on l'a bien senti à travers l'épuration — le pays refuse de s'examiner en face, comme si les trois chocs de 1936, de 1938 et de 1940 avaient brisé quelque ressort intime qui tendait jadis ses ambitions collectives. Aux prophètes que désespère ce déclin des grandes causes, il faut sans relâche rappeler le poids des urgences et des contraintes, si monotone et si fort, dont on a trouvé la trace tout au long de ce livre. La France, répétons-le, est le seul grand pays à recevoir de plein fouet tous les chocs majeurs de l'après-guerre : ruines, crise monétaire, séquelles de guerre civile, difficultés sociales et surtout guerre froide et décolonisation. A chaque étape, les vertus de l'ardeur transforment ces contraintes en impératifs `: .c'est déjà beaucoup. Ainsi, à petits pas, souvent dans l'équivoque, se construisent une planification originale, un embryon d'État-providence, un cadre politique qui ne bafoue pas trop en métropole la démocratie, une vie sociale qui néglige un peu moins les travailleurs. A tâtons, pour le meilleur et pour le pire, des hommes ont pu infléchir le cours des choses : Thorez, Auriol, Monnet, Schuman, Pleven, tant d'autres, obscurs, manches retroussées. De Gaulle enfin, que n'embarrassent guère les doutes et les déchirements de la Résistance intérieure, rassembleur, tendu dans sa volonté de grandeur nationale, qui réinstalle l'État sur ses vieilles bases mais fait lancer la modernisation, tance les Grands mais laisse créer l'irréversible en Indochine, échoue dès qu'il n'est plus chef de guerre mais conserve intacte cette si particulière capacité de dialogue avec les Français aux heures de crise.

Ce pays porté au-delà de lui-même par sa victoire de 1945 n'est pourtant plus capable d'assumer un destin qui se joue désormais en dehors de l'Hexagone : dure vérité, difficile à entendre à temps. Marshall, Jdanov et Hô Chi Minh, chacun à leur façon, dépossèdent ses gouvernements qui se contentent dès lors d'enregistrer l'inévitable. Dans leur incapacité à prendre acte lucidement des bouleversements de l'équilibre outre-mer et dans le monde, ces dirigeants rejoignent ce peuple qui a refusé depuis 1945 de se juger lui-même mais lorgne déjà vers les douceurs de l'expansion. La page est tournée : à quoi bon remâcher le passé? Un dernier doute se lève pourtant avant de prendre congé de l'après-guerre. Aurait-on persisté de 1944 à 1952 dans ce piétinement d'humiliation qui faisait hurler Bernanos depuis Munich? « Cette France de la Libération, lance-t-il à la Noël 1946, a fait faillite comme l'autre. C'est peut-être parce que les deux ne font qu'une[1]. »

1. G. Bernanos (238), p. 226.

Quelques sigles

AMGOT	Allied Military Government for Occupied Territories (Administration militaire alliée des territoires occupés)
CDL	Comité départemental de libération
CECA	Communauté européenne du charbon et de l'acier
CED	Communauté européenne de défense
CFLN	Comité français de libération nationale
CFTC	Confédération française des travailleurs chrétiens
CGA	Confédération générale de l'agriculture
CGC	Confédération générale des cadres
CGPME	Confédération générale des petites et moyennes entreprises
CGT	Confédération générale du travail
CGT-FO	Confédération générale du travail-Force ouvrière
CNR	Conseil national de la Résistance
CNJA	Centre national des jeunes agriculteurs
CNPF	Conseil national du patronat français
COMAC	Commission d'action militaire
FEN	Fédération de l'éducation nationale
FFI	Forces françaises de l'intérieur
FNSEA	Fédération nationale des syndicats d'exploitants agricoles
FTPF	Francs-tireurs et partisans français
GPRF	Gouvernement provisoire de la République française
MDRM	Mouvement démocratique de la rénovation malgache
MLN	Mouvement de libération nationale
MTLD	Mouvement pour le triomphe des libertés démocratiques
MUR	Mouvements unis de résistance
OCM	Organisation civile et militaire
OECE	Organisation européenne de coopération économique
ORA	Organisation de résistance de l'armée
OTAN	Organisation du traité de l'Atlantique-Nord
PANAMA	Parti national malgache
PSF	Parti social français
PPA	Parti populaire algérien
PRL	Parti républicain de la liberté
RGR	Rassemblement des gauches républicaines
SHAPE	Supreme Headquarters of Allied Powers in Europe (Quartier général des forces alliées en Europe)
SSS	Service de sondages et de statistiques
UDMA	Union démocratique du manifeste algérien
UDSR	Union démocratique et socialiste de la Résistance

Chronologie sommaire

On pourra suivre ici le déroulement des principaux faits politiques, économiques, sociaux et internationaux. De nouveaux repères chronologiques sur « l'air du temps » (vie quotidienne et culture) sont proposés pour la période 1944-1958 en annexe dans le volume suivant de cette collection.

1944	2 juin	Le CFLN se transforme en GPRF.
	6 juin	Débarquement allié en Normandie.
	10 juin	Massacre d'Oradour.
	14 juin	De Gaulle à Courseulles.
	26 juin	Prise de Cherbourg.
	1er-22 juillet	Conférence et accords de Bretton-Woods.
	6 juillet	Décret à Alger sur les commissaires de la République et le rétablissement des libertés démocratiques.
	6-10 juillet	De Gaulle aux États-Unis et au Canada.
	11 juillet	Les États-Unis reconnaissent *de facto* l'autorité du GPRF sur les territoires libérés.
	17-23 juillet	Bataille du Vercors.
	27 juillet	Ordonnance annulant la Charte du travail.
	31 juillet	Les Américains ont percé à Avranches.
	1er août	La 2e DB débarque en Normandie.
	5 août	Libération de Rennes.
	9 août	Ordonnance rétablissant la légalité républicaine.
	10 août	Ordonnance sur les milices patriotiques.
	15 août	Débarquement franco-américain en Provence.
	17 août	Dernier Conseil des ministres de Vichy.
	19-25 août	Libération de Paris.
	20 août	Toulouse se libère.
	23 août	Libération d'Aix et de Grenoble.
	26 août	De Gaulle descend les Champs-Élysées.
	29 août	Libération du littoral méditerranéen.
	30 août	Libération de Rouen et de Reims.
	2 septembre	Premier Conseil des ministres du GPRF à Paris.

7 septembre	Départ de Pétain et de Laval en Allemagne.
9 septembre	Formation du ministère d' « unanimité nationale ».
12 septembre	Discours de De Gaulle au palais de Chaillot.
14-18 septembre	Première tournée de De Gaulle en province.
15 septembre	Organisation des cours spéciales de justice.
19-28 septembre	Échec des Britanniques à Arnhem.
23 septembre	Décret incorporant les FFI dans l'armée.
5 octobre	Ordonnance sur le droit de vote aux femmes.
18 octobre	Ordonnance sur les profits illicites.
23 octobre	Les Alliés reconnaissent le GPRF.
23-25 octobre	Congrès des cadres du MLN.
28 octobre	Suppression des milices patriotiques.
3-20 novembre	Emprunt de la Libération.
7 novembre	Réunion de l'Assemblée consultative élargie.
9-12 novembre	Congrès extraordinaire de la SFIO.
21 novembre	Les trains franchissent de nouveau la Loire.
23 novembre	Entrée des troupes de Leclerc à Strasbourg.
26 novembre	Congrès constitutif du MRP.
27 novembre	Retour de Thorez à Paris.
28 novembre	Ordonnance créant les chambres civiques.
8 décembre	Rétablissement de la ligne Paris-Brest.
10 décembre	Signature du pacte franco-soviétique à Moscou.
14 décembre	Ordonnance instituant les Houillères nationales du Nord et du Pas-de-Calais.
15-17 décembre	Réunion nationale des CDL.
18 décembre	Premier numéro du *Monde*.
20 décembre	Comité d'entente PCF/SFIO.
26 décembre	Ordonnance sur l'indignité nationale.
1945 1er-5 janvier	Les Allemands menacent Strasbourg.
3 janvier	Rétablissement de la gratuité dans l'enseignement secondaire.
16 janvier	Ordonnance nationalisant les usines Renault.
21-23 janvier	Comité central du PCF à Ivry.
23 janvier	Recul généralisé des Allemands en Ardenne.

23-28 janvier	Premier Congrès national du MLN.
25 janvier	La France n'est pas conviée à Yalta.
27 janvier	Maurras condamné à la réclusion perpétuelle.
28 janvier	Congrès du Front national.
2 février	Prise de Colmar par de Lattre.
6 février	Exécution de Brasillach.
12 février	Accords de Yalta.
14 février	Bombardement de Dresde.
	Ordonnance sur les Associations familiales.
21 février	De Gaulle refuse de rencontrer Roosevelt.
22 février	Ordonnance sur les comités d'entreprise.
	Premiers navires américains apportant du ravitaillement à usage civil.
28 février	Signature des accords de prêt-bail à Washington.
2 mars	Discours de De Gaulle sur la reconstruction.
4 mars	Les Alliés atteignent le Rhin.
9 mars	Coup de force japonais en Indochine.
11 mars	Proclamation de l'indépendance du Vietnam et du Cambodge.
13-18 mars	Premier procès devant la Haute Cour de justice.
5 avril	Démission de Mendès France.
9 avril	Nationalisation de Gnome et Rhône et d'Air France.
12 avril	Truman succède à Roosevelt.
13 avril	Ordonnance sur le statut municipal de Paris.
25 avril	Jonction sur l'Elbe des troupes américaines et soviétiques.
26 avril	Retour de Pétain en France.
	Ouverture de la conférence de San Francisco.
29 avril et 13 mai	Élections municipales.
8 mai	Capitulation allemande.
8-12 mai	Insurrection et répression en Petite Kabylie.
10-30 mai	Retour massif des déportés et prisonniers.
16 mai	La France membre permanent du Conseil de sécurité de l'ONU.
30 mai	Cessez-le-feu en Syrie.
4-15 juin	Échange des billets de banque.

5 juin	La France obtient une zone d'occupation en Allemagne.
7-25 juin	Éclatement du MLN et création de l'UDSR.
12 juin	Suppression de la censure de presse. Texte de Duclos dans *l'Humanité* sur l'unité organique.
22 juin	Réforme de la fonction publique; création de l'ENA.
26 juin	Fin de la conférence de San Francisco et Charte des Nations unies.
26-30 juin	Xe Congrès du PCF.
28 juin	Ordonnance sur les loyers.
30 juin	Ordonnance sur le blocage des prix.
10-14 juillet	États généraux de la Renaissance française.
21 juillet	Discours de Thorez à Waziers.
23 juillet-15 août	Procès et condamnation du maréchal Pétain.
2 août	Fin de la Conférence de Potsdam.
6 août	Bombe atomique américaine sur Hiroshima.
8 août	L'URSS déclare la guerre au Japon.
9 août	Bombe atomique américaine sur Nagasaki.
12-15 août	37e Congrès de la SFIO.
15 août	Capitulation du Japon. Lancement de l'impôt de solidarité nationale.
16 août	Hô Chi Minh appelle à l'insurrection générale.
17 août	Ordonnance sur les élections d'octobre.
20 août	Proclamation de la République du Vietnam.
23 août	Fin des opérations de prêt-bail.
5 septembre	Frachon secrétaire général de la CGT.
11-20 septembre	Échec de la Conférence de Londres.
23 et 30 septembre	Élections cantonales.
4-15 octobre	Procès et exécution de Laval.
4 et 19 octobre	Ordonnances sur la Sécurité sociale.
5 octobre	Leclerc et un corps expéditionnaire débarquent à Saïgon.
11 octobre	Ordonnance sur la crise du logement.
17 octobre	Ordonnance sur le statut du fermage.
21 octobre	Référendum et élections législatives.
30 octobre	Création de la Fédération syndicale mondiale.

	2 novembre	Ordonnance sur les conditions de séjour des étrangers.
	7 novembre	Programme de la délégation des gauches.
	8 novembre	Gouin président de l'Assemblée constituante.
	20 novembre	Ouverture du procès de Nuremberg.
	21 novembre	Formation du gouvernement de Gaulle.
	2 décembre	Nationalisation de la Banque de France et des grandes banques de crédit.
	12 décembre	Grève des fonctionnaires.
	13-16 décembre	2e Congrès du MRP.
	21 décembre	Création du Commissariat général au Plan.
	22 décembre	Création du PRL.
	26 décembre	Ratification des accords de Bretton-Woods; dévaluation du franc.
	28 décembre	Rétablissement de la carte de pain.
	31 décembre	Difficile vote des crédits militaires à l'Assemblée.
		Loi rendant libre l'ouverture de nouveaux fonds de commerce.
1946	10 janvier	Première Assemblée générale de l'ONU.
	20 janvier	Démission du général de Gaulle.
	24 janvier	Protocole d'accord MRP-SFIO-PCF.
	26-29 janvier	Gouvernement Gouin.
	26 janvier-1er février	Grève dans la presse parisienne.
	31 janvier	Auriol président de l'Assemblée constituante.
	21 février	Rétablissement de la loi des 40 heures.
	22 février	Accords avec la Chine sur l'Indochine.
	5 mars	Discours de Churchill à Fulton.
	6 mars	Accords Sainteny-Hô Chi Minh.
	16-19 mars	Première réunion du Conseil du Plan.
	26 mars	Suppression des commissaires de la République.
	6 avril	Loi sur la proportionnelle aux élections législatives.
	8 avril	Nationalisation du gaz et de l'électricité.
	8-14 avril	26e Congrès de la CGT.
	13 avril	Loi Marthe Richard.
	16 avril	Loi sur les délégués du personnel.
	19 avril	Vote du projet constitutionnel par l'Assemblée.
	25 avril	Nationalisation des grandes compagnies d'assurances.

30 avril	Loi créant le FIDES.
5 mai	Victoire du « non » au référendum.
16 mai	Loi sur les comités d'entreprise.
17 mai	Loi créant les Charbonnages de France.
28 mai	Accords Blum-Byrnes.
29 mai	La CGT demande une hausse générale des salaires.
2 juin	Élections à la deuxième Assemblée constituante.
12 juin	Création du CNPF.
16 juin	Discours de De Gaulle à Bayeux.
23-26 juin	Gouvernement Bidault.
25 juillet	Conférence de Dalat.
27 juillet	Conférence du Palais-Royal.
30 juillet-3 août	Grève des postiers.
6 août	Loi sur les prestations familiales.
29 août	38e Congrès de la SFIO.
4 septembre	Mollet secrétaire général de la SFIO.
12 septembre	Loi sur l'assurance-vieillesse.
14 septembre	Fin de la Conférence de Fontainebleau.
19 septembre	Discours de Churchill à Zurich.
22 septembre	Discours de De Gaulle à Épinal.
29 septembre	L'Assemblée constituante adopte le nouveau projet constitutionnel.
13 octobre	Référendum sur la Constitution.
15 octobre	Fin de la Conférence de Paris.
19 octobre	Loi sur le statut de la fonction publique.
23 octobre	L'épiscopat exprime ses craintes devant une nouvelle guerre laïque.
29 octobre	Loi sur l'indemnisation des dommages de guerre.
octobre	Succès de la 4 CV Renault au Salon de l'Auto.
octobre	Scandales des vins et du textile.
10 novembre	Élections législatives.
18 novembre	Interview de Thorez au *Times*.
23 novembre	Bombardement d'Haiphong.
24 novembre et 8 décembre	Élections au Conseil de la République.
27 novembre	Adoption du plan Monnet.
3 décembre	Auriol président de l'Assemblée nationale.
16 décembre	Formation du gouvernement Blum.
19 décembre	Insurrection à Hanoi. Annexion économique de la Sarre à la France.
23 décembre	Loi sur les conventions collectives.

1947	1er janvier	Entrée en vigueur du plan de Sécurité sociale.
	2 janvier	Décret décidant une baisse des prix de 5 %.
	8-15 janvier	Grève de la presse parisienne.
	8-9 janvier	Moutet et le général Leclerc quittent l'Indochine.
	16 janvier	Auriol élu président de la République. Démission du gouvernement Blum.
	21 janvier	Herriot élu président de l'Assemblée nationale.
	24 janvier	Plan français sur le statut de l'Allemagne.
	28 janvier	Gouvernement Ramadier.
	1er février	Formation du syndicat autonome du métro parisien.
	5 février	Grèves dans les ports.
	10 février	Signature à Paris du traité de paix avec la Finlande, la Bulgarie, la Hongrie, la Roumanie et l'Italie.
	11 février-17 mars	Grève de la presse parisienne.
	24 février	Seconde baisse autoritaire des prix de 5 %.
	4 mars	Traité d'alliance franco-britannique.
	5 mars	Bollaert haut-commissaire en Indochine.
	10 mars	Conférence de Moscou sur l'Allemagne. Meeting de la CGPME.
	12 mars	Discours de Truman au Congrès sur l'aide américaine.
	18 mars	Monnerville président du Conseil de la République. Le PCF refuse la politique indochinoise de Ramadier.
	22 mars	Vote des crédits militaires pour l'Indochine.
	30 mars	Discours de De Gaulle à Bruneval. Début de l'insurrection à Madagascar.
	31 mars	Entrevue de Gaulle-Ramadier. Création du salaire minimum vital.
	2-12 avril	Répression à Madagascar.
	7 avril	Fondation du RPF.
	9 avril	Le sultan à Tanger dénonce le protectorat.
	21 avril	Accord franco-anglo-américain sur la Ruhr.
	24 avril	Élections aux caisses primaires de la Sécurité sociale et des Allocations familiales.

	Échec de la Conférence de Moscou.
25 avril	Grève chez Renault.
29 avril	La CGT « coiffe » la grève chez Renault.
1er mai	La ration de pain à 250 g par jour.
	Manifestations à Paris pour le 1er Mai.
4 mai	Révocation des ministres communistes.
6 mai	La SFIO maintient sa confiance au gouvernement Ramadier.
10-21 mai	Incidents à Lyon et à Dijon.
13 mai	Le général Juin résident général au Maroc.
14 mai	Campagne pour la collecte du blé (début).
16 mai	Reprise du travail chez Renault.
25 mai	Réquisition du personnel d'EDF-GDF.
4 juin	Ramadier dénonce le « chef d'orchestre clandestin ».
5 juin	Discours de Marshall à Harvard.
	Meeting des élus d'Outre-Mer au Vel' d'Hiv'.
6 juin	Grève des transports.
	Levée de l'immunité parlementaire des députés malgaches.
10 juin	Début d'une vague de grèves.
17 juin	La France et la Grande-Bretagne acceptent l'aide Marshall.
25 juin	XIe Congrès du PCF à Strasbourg.
2 juillet	Échec de la conférence des Trois.
	L'URSS refuse l'aide Marshall.
9-12 juillet	Volte-face tchèque sur l'aide Marshall.
16 juillet	Accord CGT-CNPF sur une hausse des salaires de 11 %.
27 juillet	De Gaulle dénonce les communistes « séparatistes ».
1er août	Nouvel accord CGT-CNPF sur les salaires.
6 août	Le gouvernement rejette l'accord CGT-CNPF.
13 août	Loi sur les élections municipales.
14 août	Congrès de la SFIO à Lyon.
15 août	Indépendance de l'Inde et du Pakistan.
27 août	Adoption du Statut de l'Algérie.
	La ration de pain à 200 g.
28 août	Nouvel accord CGT-CNPF.
29 août	Suspension temporaire des importations payables en dollars.
	Grèves dans l'automobile.
septembre	Vague de grèves, émaillée d'incidents.

10 septembre	Discours de Bollaert à Hadong.
18 septembre	Proclamation de Bao-Daï au peuple vietnamien.
25 septembre	Conférence des PC à Szklarska-Poreba.
2 octobre	Discours de Thorez contre le « parti américain ».
5 octobre	Naissance du Kominform.
13-21 octobre	Grèves des transports.
16 octobre	Discours de Blum sur la « Troisième Force ».
19 et 26 octobre	Élections municipales.
27 octobre	De Gaulle demande la dissolution de l'Assemblée et la révision de la Constitution.
29-30 octobre	Autocritique de Thorez devant le Comité central.
novembre	Vague de grèves et de manifestations.
12 novembre	Le MRP préconise une « Troisième Force ». Incidents à Marseille.
15 novembre	Grève générale dans les mines.
19 novembre	Démission du gouvernement Ramadier.
22 novembre	Gouvernement Schuman.
26 novembre	Création d'un « comité central de grève ».
28 novembre	Mort du général Leclerc.
29 novembre	Vote des textes « de défense républicaine ».
30 novembre	Échec des négociations gouvernement-CGT.
1er décembre	Expulsion du député Calas de l'Assemblée nationale.
4 décembre	Voyage de Dulles à Paris. Loi sur la liberté du travail; rappel des réservistes.
6 décembre	Entrevue Bollaert-Bao-Daï en baie d'Along.
7 décembre	Entrevue D. Mayer-CGT.
9 décembre	Reprise du travail.
10 décembre	Séance inaugurale de l'Assemblée de l'Union française.
15 décembre	Échec de la conférence des Quatre sur l'Allemagne.
18 décembre	Vote de la loi sur les loyers.
19 décembre	La conférence nationale « Force ouvrière » quitte la CGT.
29 décembre	Vote de l'ONU sur la Palestine.
31 décembre	Vote d'une réforme fiscale.

1948	2 janvier	Accord franco-américain sur l'aide intérimaire.
	3 janvier	La France reconnaît l'autonomie de la Sarre.
	4 janvier	De Gaulle lance à Saint-Étienne l'association capital-travail.
	5 janvier	Adoption du plan Mayer contre l'inflation.
	7 janvier	Création du Fonds de modernisation et d'équipement.
		Entretiens Bao-Daï-Bollaert à Genève.
	19 janvier	Inauguration du barrage de Génissiat.
	25-30 janvier	Dévaluation du franc, blocage des billets, retour à la liberté de détention pour l'or.
	28 janvier	Accord occidental sur le charbon sarrois.
	5 février	Réouverture de la frontière espagnole.
	7 février	Premier congrès de l'Alliance démocratique.
		Reclassement des fonctionnaires.
	9 février	Bizone anglo-américaine en Allemagne.
	11 février	Naegelen nommé gouverneur général en Algérie.
	20-27 février	Coup de force communiste à Prague.
	23 février	Ouverture de la conférence de Londres.
	28 février	Création du RDR.
	7 mars	A Compiègne, de Gaulle se dit prêt à assurer le pouvoir.
	10 mars	Le Laos entre dans l'Union française.
	17 mars	Signature du pacte de Bruxelles.
	20 mars	Accord économique franco-italien.
	23 mars	Fondation de la FEN.
	3 avril	Le Congrès américain adopte le plan Marshall.
	4 et 11 avril	Élections en Algérie.
	7 avril	Désignation des premiers « super-préfets ».
	12 avril	Congrès constitutif de la CGT-FO.
	13 avril	Grève de la métallurgie parisienne.
	14 avril	Comité central du PCF à Gennevilliers.
	16 avril	Premier congrès du RPF à Marseille.
		Conférence des Seize à Paris : naissance de l'OECE.
	22 avril	Grève des mineurs du Nord-Pas-de-Calais.
	7-10 mai	Congrès de La Haye sur l'Europe.

14 mai	Proclamation de l'État d'Israël.
15 mai	Vote de la loi Deixonne.
20 mai	Le général Xuan président du gouvernement vietnamien.
21 mai	Création des IGAMES.
22 mai	Décret Poinsot-Chapuis sur l'aide à l'école libre.
1er juin	La ration de pain à 250 g.
	Accord de Londres sur le statut de l'Allemagne.
13-14 juin	Incidents à Nevers et à Clermont-Ferrand.
19 juin	La CGT appelle à la grève.
22 juin	Début du blocus de Berlin.
24 juin	Vote de la loi sur les loyers.
26 juin	Pont aérien pour débloquer Berlin.
28 juin	Accords franco-américain sur l'aide Marshall.
	Le Kominform condamne Tito.
6-13 juillet	Grèves des fonctionnaires.
19 juillet	Démission du gouvernement Schuman.
24-27 juillet	Gouvernement Marie.
1er août	La zone française d'occupation en Allemagne rattachée économiquement à la bizone.
25-28 août	Congrès de Wroclaw : naissance du Mouvement de la paix.
27 août	Démission du gouvernement Marie.
	Grèves dans la métallurgie.
31 août	Investiture de Schuman.
1er septembre	Loi sur les loyers.
11 septembre	Investiture de Queuille.
15 septembre	Grèves dans la métallurgie et l'aéronautique.
18 septembre	Incidents à Grenoble.
20 septembre	Loi sur le renouvellement du Conseil de la République.
25 septembre	Report des élections cantonales.
26 septembre	L'affaire de Berlin devant l'ONU.
1er-15 octobre	Vague de grèves.
4 octobre	Création du comité militaire permanent de l'Union occidentale.
7 octobre	Grève des mineurs.
9 octobre	Queuille dénonce le « caractère insurrectionnel » des grèves.
11 octobre	Rappel des réservistes.

	2 novembre	Les puits de mine sont dégagés par la troupe.
		Élection du Président Truman.
	7 novembre	Élections au Conseil de la République.
	13 novembre	Grève générale dans la région parisienne.
	17-24 novembre	Débat parlementaire sur les activités communistes.
	29 novembre	Fin des grèves.
	10 décembre	Déclaration universelle des Droits de l'homme.
	15 décembre	Mise en route de Zoé, première pile atomique française.
	16 décembre	Les conseillers de la République prennent le titre de sénateur.
	29 décembre	Premier projet de pacte Atlantique.
1949	12 janvier	Blocage des prix.
	22 janvier	Entrée des troupes communistes à Pékin.
	24 janvier	Émission de l'emprunt pour la reconstruction.
		Première audience du procès de Kravchenko.
	29 janvier	Les Cinq créent un Conseil de l'Europe.
	8 février	Condamnation du cardinal Mindszenty.
	22 février	Entretiens Bao-Daï-Queuille-Coste-Floret.
	22-23 février	Thorez : « La France ne fera jamais la guerre à l'URSS. »
	2 mars	Débat parlementaire sur l'école.
	4 mars	Vychinski succède à Molotov.
	8 mars	Signature des accords franco-vietnamiens.
	24 mars	La *Colombe de la paix* de Picasso.
	31 mars	L'essence en vente libre.
	2 avril	Mission d'enquête du général Revers en Indochine.
	4 avril	Signature du pacte Atlantique à Washington.
	8 avril	Accord des Trois sur l'Allemagne.
	20-25 avril	Congrès mondial de la Paix à Paris.
	27 avril	Dévaluation du franc.
	28 avril	Accords de Londres sur la Ruhr.
	5 mai	Vote à Londres du statut du Conseil de l'Europe.
	8 mai	Constitution de l'Allemagne fédérale.
	12 mai	Levée du blocus de Berlin.
	23 mai	Débat parlementaire sur les projets économiques et financiers de Reynaud.

30 mai		Constitution pour la RDA.
3 juin		Vote d'un statut pour la Cochinchine.
13 juin		Entrée de Bao-Daï à Saïgon.
27 juin		Réouverture du marché à terme de la Bourse de Paris.
6 juillet		Suppression des cours de justice.
13 juillet		Le Saint-Office condamne le communisme.
20 juillet		Le Laos, État associé dans l'Union française.
27 juillet		Ratification du pacte Atlantique.
8 août		Première session de l'Assemblée de Strasbourg.
15 août		Mgr Feltin archevêque de Paris.
20 août		Début des incendies dans les Landes.
24 août		Entrée en vigueur du pacte Atlantique.
29 août		Première explosion atomique soviétique.
septembre		Offensive syndicale sur les salaires et les prix.
septembre		Affaire des généraux.
8 septembre		Les cardinaux français précisent la portée du décret du Saint-Office.
15 septembre		Adenauer chancelier d'Allemagne fédérale.
19 septembre		Dévaluations de la livre et du franc.
21 septembre		Naissance de la République populaire de Chine.
22 septembre		Condamnation de Rajk en Hongrie.
6 octobre		Démission du gouvernement Queuille.
7 octobre		Proclamation de la RDA.
16 octobre		Fin de la guerre civile en Grèce.
27-29 octobre		Gouvernement Bidault.
8 novembre		Accords franco-cambodgiens.
11 novembre		Les Trois intègrent la RFA dans le bloc occidental.
30 novembre		Suppression du Haut-Commissariat au ravitaillement.
7 décembre		Le général Revers est destitué.
14 décembre		Condamnation à mort de Kostov.
30 décembre		Accords franco-vietnamiens.
1950	17 janvier	Débat parlementaire sur l'affaire des généraux.
	19 et 31 janvier	La Chine et l'URSS reconnaissent le gouvernement d'Hô Chi Minh.
	27 janvier	Ratification des accords indochinois.
	4 février	Démission des ministres socialistes.

7 février	Remaniement ministériel.
11 février	Loi rendant libre la fixation des salaires. Adoption du SMIG.
21 février	Grève dans la métallurgie.
3-20 mars	Vague de grèves.
3 mars	Convention générale sur la Sarre.
18 mars	Appel de Stockholm.
27 mars	Grève des dockers de Marseille.
30 mars	Mort de Blum.
2-6 avril	XIIe Congrès du PCF à Gennevilliers.
11 avril	Marche des métallurgistes de Saint-Nazaire sur Nantes.
13 avril	Arrivée en France de matériel de guerre américain.
23 avril	Mgr Cazaux préconise la grève de l'impôt.
28 avril	Révocation de P. Joliot-Curie.
7 mai	Discours du général Clay sur l'armée européenne.
9 mai	Déclaration de Schuman sur le pool charbon-acier.
27 mai	Bataille de Dong-Khé.
8 juin	Élections aux caisses primaires de la Sécurité sociale et des Allocations familiales.
24 juin	Démission du gouvernement Bidault.
25 juin	Début de la guerre de Corée.
30 juin	Première livraison de matériel de guerre américain en Indochine. Investiture de Queuille.
1er juillet	Intervention américaine en Corée.
4 juillet	Démission de Queuille.
7 juillet	Création de l'Union européenne des paiements.
13 juillet	La RFA entre au Conseil de l'Europe. Gouvernement Pleven.
21 juillet	Loi sur la construction.
12 août	Encyclique *Humani generis*.
17 août	La France emprunte 225 millions de dollars à la Banque internationale.
23 août	Envoi d'un bataillon français en Corée.
9 septembre	Expulsion de communistes étrangers.
12 septembre	J.-P. David présente « Paix et liberté ».
14-18 septembre	Réunion des Douze à Washington.
19 septembre	L'ONU refuse d'admettre la Chine populaire.
29 septembre	MacArthur contre-attaque en Corée.

3-8 octobre	Défaite française à Cao-Bang.
8 octobre	Début du voyage en France du sultan du Maroc.
18 octobre	Évacuation de Langson.
26 octobre	Projet Pleven sur l'armée européenne.
27 octobre	Loi portant la durée du service militaire de 12 à 18 mois.
	Création du SHAPE.
3 novembre	Débat parlementaire sur l'amnistie et l'épuration.
4 novembre	Signature de la Convention européenne des Droits de l'homme.
28 novembre	Auriol refuse la démission du gouvernement Pleven.
29 novembre	Des troupes chinoises en Corée du Nord.
6 décembre	De Lattre haut-commissaire en Indochine.
10 décembre	Discours de De Gaulle à Lille.
19 décembre	Eisenhower commandant du SHAPE.
27 décembre	Les États-Unis reconnaissent l'Espagne de Franco.
1951 1er-4 janvier	Offensive sino-coréenne vers la Corée du Sud.
5-26 janvier	Crise au Maroc entre le sultan et Juin.
9 janvier	Manifestations contre Eisenhower à Paris.
11 janvier	Loi Deixonne sur l'enseignement des langues régionales.
12 janvier	Offensive du Viet-minh au nord du Tonkin.
18 janvier	Premier numéro de *Rivarol*.
8 février	Accords franco-tunisiens.
15 février	Fondation du Centre national des indépendants et paysans.
19 février	Le SHAPE s'installe à Rocquencourt.
22 février	Contre-offensive américaine en Corée.
26 février	Grève des transports parisiens.
28 février	Démission du gouvernement Pleven.
9-13 mars	Gouvernement Queuille.
9 mars	Démission de Naegelen, gouverneur général en Algérie.
15 mars	De Lattre demande de nouveaux renforts pour l'Indochine.
23-30 mars	Hausse générale des salaires et des prix.
4 avril	Fin de la grève des transports parisiens.
	Léonard gouverneur général en Algérie.

5-28 avril	Débat parlementaire sur la réforme électorale.
18 avril	Traité de Paris : naissance de la CECA.
7 mai	Adoption de la loi électorale.
12 mai	Première explosion d'une bombe H américaine.
16 mai	Manifestation du Comité d'action pour la liberté scolaire.
17 juin	Élections législatives.
	Offensive franco-vietnamienne en Indochine.
20 juin	Mossadegh nationalise le pétrole iranien.
8 juillet	Ouverture des négociations d'armistice en Corée.
10 juillet	Démission du gouvernement Queuille.
16 juillet	Mort de Pétain à l'île d'Yeu.
19 juillet	Condamnation d'Henri Martin.
8 août	Gouvernement Pleven.
28 août	Le général Guillaume remplace Juin au Maroc.
8 septembre	Traité de paix avec le Japon à San Francisco.
13-24 septembre	Voyage de De Lattre à Washington.
18 septembre	Grève des examinateurs au baccalauréat.
20 septembre	Adoption de l'échelle mobile des salaires.
21 septembre	Lois Marie et Barangé.
7-14 octobre	Élections cantonales.
25 octobre	Fin de la grève des enseignants.
	Victoire des conservateurs en Grande-Bretagne.
1er-16 novembre	Vague de hausses des prix.
14 novembre	Prise de Hoa-Binh.
15 novembre	Grève des mineurs.
16 novembre	R. Mayer présente son plan d'austérité.
26 novembre	Emprunt « bons-kilomètres » de la SNCF.
27 novembre	Accord sur le cessez-le-feu en Corée.
12 décembre	Décret sur le Plan de modernisation et d'équipement.
13 décembre	Ratification parlementaire du plan Schuman.
19 décembre	Le gaz jaillit à Lacq.
28-29 décembre	Conférence des Six sur l'armée européenne.

1952
7 janvier	Chute du gouvernement Pleven.
11 janvier	Mort du général de Lattre.

17-22 janvier	Gouvernement E. Faure.
18 janvier	Ratissage du cap Bon.
7 février	Grève des mineurs des Cévennes.
19 février	Vote de confiance à l'Assemblée sur l'armée européenne.
24 février	Évacuation de Hoa-Binh.
29 février	Démission du gouvernement E. Faure.
6 mars	Investiture de Pinay.

Orientation bibliographique

Cette orientation bibliographique ne vise pas à l'exhaustivité : le gigantisme de la production imprimée sur la période comme les dimensions de cet ouvrage lui interdisent cette prétention. Elle tente simplement d'être utile à ceux qui désirent prolonger la lecture de ce livre. Ses critères de choix (influencés, comme toujours, par la sensibilité de son auteur) ont donc été l'accessibilité (ouvrages en français, récemment parus de préférence) et l'utilité (mises au point, témoignages essentiels, instruments de travail). La plupart des livres cités contiennent une bibliographie complémentaire — et l'on trouvera d'autres références dans nos notes de bas de page; sauf exception mentionnée, leur lieu d'édition est Paris. La matière traitée dans la section 2 correspond au contenu des chapitres du livre. C'est dire que de nombreux aspects sociaux, culturels ou religieux ne figurent que dans le volume suivant de cette collection.

1. Généralités

1. *Quelques instruments de travail.*

1. *Atlas historique de la France contemporaine (1800-1965)*, dirigé par R. Rémond, Colin, 1966.
2. *La France contemporaine, guide bibliographique et thématique*, sous la direction de R. Lasserre, Tübingen, Niemeyer/PUF, 1978.
3. *Bibliographie annuelle de l'histoire de France*, Éd. du CNRS. [RECENSE DEPUIS 1975 OUVRAGES ET ARTICLES PARUS SUR LA PÉRIODE 1944-1958.]

● Des faits

4. *L'Année politique*, Éd. du Grand Siècle, puis PUF. [POUR CHAQUE ANNÉE DEPUIS 1944-1945, LA « REVUE CHRONOLOGIQUE DES PRINCIPAUX FAITS POLITIQUES, DIPLOMATIQUES, ÉCONOMIQUES ET SOCIAUX DE LA FRANCE ET DE L'UNION FRANÇAISE », PRÉFACÉE PAR A. SIEGFRIED : LE BRÉVIAIRE.]
5. *Le Monde : index analytique*, Saint-Julien-du-Sault, Éd. F.-P. Lobies et Le Monde, en cours de publication. [CLASSEMENT ANNUEL DEPUIS 1944 DE TOUS LES SUJETS TRAITÉS DANS LE PLUS GRAND QUOTIDIEN FRANÇAIS : INÉPUISABLE.]
6. G. Vincent, *Les Français 1945-1975, chronologie et structure*, Masson, 1977. [LES FAITS SAILLANTS, DES TABLEAUX, DES COMMENTAIRES AIGUS.]

7. M. Belloc *et al.*, *Chronologies 1946-1973*, Hachette, 1974.
   [COMMODE.]

8. V. Auriol, *Journal du septennat (1947-1953)*, Colin.
   1947, édité par P. Nora, 1970.
   1948, édité par J.-P. Azéma, 1974.
   1949, édité par P. Kerleroux, 1977.
   1950, édité par A.-M. Bellec, 1980.
   1951, édité par L. Theis, 1975.
   1952, édité par D. Boché, 1978.
   1953-1954, édité par J. Ozouf, 1971.
   [LE TEXTE LUI-MÊME RELÈVE, BIEN ENTENDU, DES RUBRIQUES SUIVANTES.
   MAIS LA MASSE ET LA QUALITÉ DE L'APPAREIL CRITIQUE QUI L'ENTOURE FONT
   DE CES VOLUMES UN TRÈS SÛR INSTRUMENT DE TRAVAIL.]

   • **Des chiffres et des références officielles**

9. *Annuaire statistique de la France, rétrospectif*, Imprimerie nationale et
   PUF, 1966.

10. *Les Institutions sociales de la France*, La Documentation française, 1963.

11. *Mouvement économique en France de 1938 à 1948*, Imprimerie nationale
    et PUF, 1950.

12. *Mouvement économique en France de 1948 à 1957*, Imprimerie nationale
    et PUF, 1958.
    [INDISPENSABLE.]

   • **Des publications périodiques**

   Bulletin d'information de l'IFOP, puis, à partir de septembre 1945, *Sondages*.

   Études et conjoncture (revue de L'INSEE).

   Notes et études Documentaires, La Documentation française.

   Population, PUF (revue de l'INED).

   Revue d'histoire de la Deuxième Guerre mondiale (RHDGM), PUF.

   Revue française de science politique, Colin, puis Presses de la Fondation
   nationale des sciences politiques.

2. *Ouvrages sur la France de 1944 à 1958.*

   • **Le poids des années noires**

13. J.-P. Azéma, *De Munich à la Libération (1938-1944)*, Éd. du Seuil,
    « Nouvelle histoire de la France contemporaine », t. 14, 1979.
    [MINUTIEUX ET LIMPIDE.]

   • **Premier survol**

14. P. Courtier, *La Quatrième République*, PUF, 1975.
    [UN « QUE SAIS-JE ? » ESSENTIELLEMENT POLITIQUE.]

15. G. Dupeux, *La France de 1945 à 1965*, Colin, 1969.
    [REMARQUABLE RECUEIL DE DOCUMENTS COMMENTÉS.]

● **Des livres de base qui traitent par priorité**
les questions politiques

16. A. Werth, *La France depuis la guerre (1944-1957)*, Gallimard, 1957.
[À CHAUD, L'OPINION D'UN GRAND JOURNALISTE BRITANNIQUE : DÉPASSÉ MAIS TOUJOURS VIF.]

17. J. Fauvet, *La IVᵉ République*, Fayard, 1959, et Le Livre de poche, 1971.
[INDISPENSABLE POUR L'ANALYSE DE LA VIE PARLEMENTAIRE.]

18. J. Barsalou, *La Mal-aimée, histoire de la IVᵉ République*, Plon, 1964.
[LA BIEN-AIMÉE DE L'ÉDITORIALISTE DE *la Dépêche du Midi*.]

19. G. Elgey, *La République des illusions (1945-1951)*, Fayard, 1965.

20. G. Elgey, *La République des contradictions (1951-1954)*, Fayard, 1968.
[VIVANT ET FOUILLÉ, AVEC DES DOCUMENTS INÉDITS : UN LIVRE DE RÉFÉRENCE.]

20 bis. F. Goguel, *Chroniques électorales. La Quatrième République*, Presses de la Fondation nationale des sciences politiques, 1981.
[REPREND SES ARTICLES PUBLIÉS ALORS DANS *Esprit*.]

21. J. Julliard, *La IVᵉ République (1947-1958)*, Calmann-Lévy, 1968, et « Pluriel », 1980.
[FÉROCE ET SÛR : LE MEILLEUR TRAVAIL D'HISTORIEN. REMARQUABLE BIBLIOGRAPHIE.]

22. Ph. Williams, *La Vie politique sous la IVᵉ République*, Colin, 1971.
[DE LOIN LA MEILLEURE SYNTHÈSE SUR LE SUJET.]

23. H. Claude *et al.*, *La IVᵉ République*, Éditions sociales, 1972.
[PARTIEL, RAPIDE ET TRÈS ORIENTÉ.]

24. P. Limagne, *L'Éphémère IVᵉ République*, France-Empire, 1977.
[UNE CHRONIQUE, PAR L'ÉDITORIALISTE DE *la Croix*.]

25. *La Quatrième République*, Librairie générale de droit et de jurisprudence, 1978.
[POLITOLOGUES ET JURISTES FONT LE POINT TRENTE ANS APRÈS : ESSENTIEL POUR LA VIE POLITIQUE ET LA DÉCOLONISATION.]

26. P.-M. de La Gorce, *L'Après-guerre (1944-1952)*, Grasset, 1978.

27. P.-M. de La Gorce, *Apogée et mort de la IVᵉ République*, Grasset, 1979.
[GAULLIENNE ET ÉRUDITE, UNE SOMME TOUFFUE SUR LA « NAISSANCE DE LA FRANCE MODERNE ».]

28. J. Chapsal, *La Vie politique en France de 1940 à 1958*, PUF, 1984.

● **Des livres de base sur l'économie et la société**

28 bis. F. Caron, *Histoire économique de la France, XIXᵉ-XXᵉ siècle*, A. Colin, 1981.
[UNE HISTOIRE SUBTILE DU LIBÉRALISME FACE À LA TRADITION ÉTATIQUE.]

29. *La Civilisation quotidienne*, sous la direction de P. Breton, t. XIV de l'*Encyclopédie française*, Société nouvelle de l'Encyclopédie française, 1954.
[UN DOCUMENT ET UNE SYNTHÈSE À LA FOIS.]

30. P. Delouvrier et R. Nathan, *Politique économique de la France*, Les Cours de droit, 1958.
[UN GRAND COURS PROFESSÉ À SCIENCES PO : INDISPENSABLE.]

30 bis. F. Fourquet, *Les Comptes de la puissance. Histoire de la Comptabilité nationale et du Plan*, Encres/Recherches, 1980.
[CONFESSION DE 26 HAUTS RESPONSABLES.]

31. H. Bonin, *Histoire économique de la IIIᵉ République*, Economica, 1986.
[FOUILLÉ.]

32. J.-M. Jeanneney, *Forces et faiblesses de l'économie française (1945-1959)*, Colin, 1959.
[SUBTIL ET SAVANT.]

33. P. Laroque, *Succès et faiblesses de l'effort social français*, Colin, 1961.
[LA SEULE SYNTHÈSE SUR LE SUJET.]

34. *Histoire des Français XIX-XXᵉ siècles*, sous la direction d'Y. Lequin, Colin, 1983 et 1985, 3 vol.
[UNE MINE DE RENSEIGNEMENTS.]

35. J. Guyard, *Le Miracle français*, Éd. du Seuil, 1965.
[RICHE ET CLAIR RACCOURCI.]

36. *Tendances et volontés de la société française*, sous la direction de J.-D. Reynaud, SEDEIS, 1966.
[COMPORTEMENTS ET ATTITUDES FACE AU CHANGEMENT : UNE MÉDITATION DES SOCIOLOGUES.]

37. F. Bloch-Laîné et J. Bouvier, *La France restaurée (1944-1954)*, Fayard, 1986.
[SUPERBE DIALOGUE ENTRE UN DÉCIDEUR ET UN HISTORIEN.]

38. M. Parodi, *L'Économie et la Société française de 1945 à 1970*, Colin, 1981.
[SYSTÉMATIQUE MAIS TRÈS RICHE ET FORT PÉDAGOGIQUE.]

39. J.-J. Carré, P. Dubois et E. Malinvaud, *La Croissance française, un essai d'analyse économique causale de l'après-guerre*, Éd. du Seuil, 1972.
[MONUMENTAL : À VISITER ASSIDÛMENT.]

40. R. Delorme et C. André, *L'État et l'Économie*, Éd. du Seuil, 1983.
[POUR COMPRENDRE L'ÉVOLUTION DES DÉPENSES PUBLIQUES.]

41. M. Gervais, M. Jollivet et Y. Tavernier, *La Fin de la France rurale de 1914 à nos jours*, t. 4 de l'*Histoire de la France rurale*, Éd. du Seuil, 1976.
[PLAN A-HISTORIQUE, MAIS LA SEULE SYNTHÈSE.]

41 bis. *Histoire de la France urbaine*, sous la direction de G. Duby, t. 4 et 5, Éd. du Seuil, 1983 et 1985.
[DES DÉCOMBRES AUX BARRES ET AUX TOURS : UN PANORAMA EXHAUSTIF.]

42. *Histoire économique et sociale de la France*, t. IV, vol. 2 (1914-vers 1950), PUF, 1980.
[INDISPENSABLE.]

● **Des livres indispensables sur la France dans le monde**

43. A. Grosser, *Les Occidentaux; les pays d'Europe et les États-Unis depuis la guerre*, Fayard, 1978.
[AIGU ET SYNTHÉTIQUE.]

44. A. Grosser, *La IVᵉ République et sa politique extérieure*, Colin, 1967.
[DÉPASSE SON TITRE UN PEU ÉTROIT : FONDAMENTAL.]

45. G. de Carmoy, *Les Politiques étrangères de la France (1944-1966)*, La Table ronde, 1967.
[UTILE MAIS N'ÉGALE PAS LE PRÉCÉDENT.]

46. J.-B. Duroselle, *Histoire diplomatique de 1919 à nos jours*, Dalloz, 1978.
[UN MANUEL COMPLET.]

● **Pour prendre « l'air du temps »**
G. Guilleminault, *Le Roman vrai de la IVᵉ République :*

47. *Les lendemains qui ne chantaient pas (1944-1947)*, Denoël, 1969, et Le Livre de poche, 1970.

48. *La France de Vincent Auriol (1947-1953)*, Denoël, 1970, et Le Livre de poche, 1970.

49. *De Bardot à de Gaulle (1954-1958)*, Denoël, 1972.
[LE TRÈS PETIT BOUT DE LA LORGNETTE : ANECDOTIQUE MAIS INSTRUCTIF. SE MÉFIER DES CHRONOLOGIES.]

● **Quelques essais**

50. R. Aron, *Espoir et peur du siècle*, Calmann-Lévy, 1957.

51. R. Aron, *Immuable et changeante*, Calmann-Lévy, 1959.
[À LA MANIÈRE DE TOCQUEVILLE.]

52. A. Siegfried, *De la IIIᵉ à la IVᵉ République*, Grasset, 1956.

53. A. Siegfried, *De la IVᵉ à la Vᵉ République*, Grasset, 1958.
[LIMPIDE.]

54. S. Hoffmann et al., *A la recherche de la France*, Éd. du Seuil, 1963.

55. S. Hoffmann, *Essais sur la France, déclin ou renouveau?*, Éd. du Seuil, 1974.
[L'ŒIL VIF D'UN MAÎTRE DE HARVARD. FONDAMENTAL.]

56. S. Hoffmann, *Sur la France*, Éd. du Seuil, 1976.
[COMMODE RÉSUMÉ DES PRÉCÉDENTS.]

57. J. Fauvet, *La France déchirée*, Fayard, 1957.

58. Sirius, *Le Suicide de la IVᵉ République*, Éd. du Cerf, 1958.
[LE PESSIMISME ACTIF DE DEUX DIRECTEURS DU *Monde*.]

59. D. Schœnbrun, *Ainsi va la France*, Julliard, 1957.
[UN AMÉRICAIN AU CHEVET DE « L'ÉTOILE BLESSÉE ».]

60. H. Lüthy, *A l'heure de son clocher, essai sur la France*, Calmann-Lévy, 1955.
[LA MODERNITÉ SERAIT-ELLE FRANÇAISE? LES INGÉNUITÉS D'UN JOURNALISTE SUISSE.]

61. F. Fonvieille-Alquier, *Plaidoyer pour la IVᵉ République*, Laffont, 1965.
[UNE TENTATIVE DE RÉHABILITATION.]

62. M. Winock, *La République se meurt, chronique 1956-1958*, Éd. du Seuil, 1978, et « Folio », Gallimard, 1985.
[LE MOT DE LA FIN.]

2. Au fil des chapitres

1. *La Libération et ses lendemains : ouvrages généraux.*

63. C. Lévy, *La Libération, remise en ordre ou révolution ?*, PUF, 1974.
[SOLIDE INTRODUCTION, SUR UN CHOIX DE DOCUMENTS.]

64. *La Libération de la France*, Éd. du CNRS, 1976.
[ACTES D'UN COPIEUX COLLOQUE DE 1974. EXHAUSTIF.]

65. Ch.-L. Foulon, *Le Pouvoir en province à la Libération*, Presses de la Fondation nationale des sciences politiques, 1975.
[L'ACTION DES COMMISSAIRES DE LA RÉPUBLIQUE. INDISPENSABLE.]

66. G. Madjarian, *Conflit, pouvoirs et société à la Libération*, Union générale d'édition, 1980.
[VOLONTARISTE MAIS ÉTAYÉ SUR DES SOURCES PRÉFECTORALES INÉDITES.]

67. F. Kupferman, *Les Premiers Beaux Jours (1944-1946)*, Calmann-Lévy, 1985.
[L'ATTENTE, LA FÊTE, LE CHANTIER : UN BEAU PANORAMA.]

68. Ch. de Gaulle, *Mémoires de guerre*, t. 3, *Le Salut (1944-1946)*, Plon, 1959 (éd. à laquelle renvoient nos notes), et Le Livre de poche, 1961.
[HORS DE PAIR.]

69. Ch. de Gaulle, *Discours et messages*, t. 1, *Pendant la guerre (1940-1946)*, Plon, 1970, et Le Livre de poche, 1974.
[TOUS LES GRANDS TEXTES, PRÉSENTÉS PAR F. GOGUEL.]

2. *La Libération et ses lendemains : études régionales.*

70. M. Baudot, *Libération de la Normandie*, Hachette, 1974.

71. M. Baudot, *Libération de la Bretagne*, Hachette, 1973.
[SÛRS.]

72. Y. Durand et R. Vivier, *Libération des pays de la Loire*, Hachette, 1974.
[EXCELLENT.]

73. P. Bécamps, *Libération de Bordeaux*, Hachette, 1974.
[CLAIR ET BIEN VENU. DANS LA PRÉFACE, J. CHABAN-DELMAS EST PEU LOQUACE.]

74. P. Bertaux, *Libération de Toulouse et de sa région*, Hachette, 1973.
[SUR UNE RÉGION « CHAUDE », LE TÉMOIGNAGE — FORT DISCUTÉ LORS DE SA PARUTION — DE L'ANCIEN COMMISSAIRE DE LA RÉPUBLIQUE.]

75. G. Guingouin, *Quatre ans de lutte sur le sol limousin*, Hachette, 1974.
[AUTRE RÉGION « CHAUDE », MAIS CE TÉMOIN CAPITAL RESTE ÉTRANGEMENT MUET SUR LES LENDEMAINS DE LA LIBÉRATION DE LIMOGES.]

76. H. Ingrand, *Libération de l'Auvergne*, Hachette, 1974.
[VUE PAR LE COMMISSAIRE DE LA RÉPUBLIQUE.]

77. R. Bourderon, *Libération du Languedoc méditerranéen*, Hachette, 1974.
[BONNE MISE AU POINT. MÊME SI LES SOCIALISTES DE L'AUDE N'APPARAISSENT GUÈRE.]

78. J. Bounin, *Beaucoup d'imprudence*, Stock, 1974.
[LE COMMISSAIRE DE MONTPELLIER AVAIT DE L'HUMOUR ET DU SANG-FROID.]

79. P. Guiral, *Libération de Marseille*, Hachette, 1974.
[FORT CLAIR SUR UN MILIEU CONFUS. LONGUE PRÉFACE DE G. DEFFERRE.]

80. M. Agulhon et F. Barral, *CRS à Marseille (1944-1947)*, Colin, 1971.
[REMARQUABLE COLLABORATION D'UN HISTORIEN ET D'UN TÉMOIN DE CHOIX. INDISPENSABLE SUR LES MILICES PATRIOTIQUES ET SUR 1947.]

81. « La Libération des Alpes-Maritimes », *Cahiers de la Méditerranée*, nº 12, juin 1976.
[ACTES D'UN COLLOQUE TENU A NICE EN 1974.]

82. H. Romans-Petit, *Les Maquis de l'Ain*, Hachette, 1974.
[PAR LEUR CHEF, QUI S'ATTARDE PEU SUR L'APRÈS-LIBÉRATION.]

83. F. Rude, *Libération de Lyon et de sa région*, Hachette, 1974.
[L'ANCIEN SOUS-PRÉFET DE VIENNE N'OUBLIE PAS QU'IL EST HISTORIEN.]

84. F. L'Huillier, *Libération de l'Alsace*, Hachette, 1975.
[EXCELLENT.]

85. G. Grandval et A.-J. Colin, *Libération de l'Est de la France*, Hachette, 1974.
[CLAIR.]

86. E. Dejonghe et D. Laurent, *Libération du Nord et du Pas-de-Calais*, Hachette, 1974.
[EXEMPLAIRE.]

87. « La Libération du Nord-Pas-de-Calais (1944-1947) », *Revue du Nord*, nº 226, 1975.
[ACTES D'UN EXCELLENT COLLOQUE DE 1974.]

88. F.-L. Closon, *Commissaire de la République du général de Gaulle, Lille, septembre 1944-mars 1945*, Julliard, 1980.
[SUPERBE.]

3. La victoire militaire.

89. H. Michel, *La Seconde Guerre mondiale (1939-1945)*, PUF, 1968, t. 2.
[UN MANUEL.]

90. L. Hart, *Histoire de la Seconde Guerre mondiale*, Fayard, 1970.
[VIGOUREUX ET NON CONFORMISTE.]

91. P. Miquel, *La Seconde Guerre mondiale*, Fayard, 1986.
[LA DERNIÈRE SYNTHÈSE.]

92. *8 Mai 1945 : la Victoire en Europe*, sous la direction de M. Vaïsse, La Manufacture, 1985.
[EXCELLENTES MISES AU POINT.]

93. « L'armée française à la fin de la guerre », *Revue d'histoire de la Deuxième Guerre mondiale*, n° 110, avril 1978.
[UTILE MISE AU POINT.]

93 bis. *De Gaulle et la Nation face aux problèmes de défense (1945-1946)*, Plon, 1983.
[ACTES D'UN COLLOQUE QUI FAIT LE POINT.]

94. J. Planchais, *Une histoire politique de l'armée*, t. 2, *1940-1967*, Éd. du Seuil, 1967.
[PAR UN JOURNALISTE SPÉCIALISÉ QUI AIME L'HISTOIRE.]

95. J. de Lattre de Tassigny, *Histoire de la Ire armée française*, Plon, 1949, et Presses de la Cité, 1971.
[APOLOGÉTIQUE.]

96. E. de Larminat, *Chroniques irrévérencieuses*, Plon, 1962.
[LE GÉNÉRAL « PAS COMME LES AUTRES » DES SOLDATS DES POCHES DE L'ATLANTIQUE.]

97. R. Nimier, *Le Hussard bleu*, Gallimard, 1950.
[LE ROMAN PEU TRICOLORE DE « CETTE GÉNÉRATION HEUREUSE QUI AURA EU VINGT ANS POUR LA FIN DU MONDE CIVILISÉ ».]

4. Pénurie et inflation.

98. I. Boussard, « État de l'agriculture française aux lendemains de l'Occupation (1944-1948) », *Revue d'histoire de la Deuxième Guerre mondiale*, n° 116, octobre 1979, p. 69-95.
[EXCELLENTE MISE AU POINT, SUIVIE D'UNE UTILE BIBLIOGRAPHIE.]

99. M. Cépède, *Agriculture et alimentation en France durant la Deuxième Guerre mondiale*, Génin, 1961.
[PRÉCIS. CONDUIT EN FAIT JUSQU'EN 1951.]

100. S. P. Kramer, « La crise économique de la Libération », *Revue d'histoire de la Deuxième Guerre mondiale*, n° 111, juillet 1978, p. 25-44.
[CLAIR ET BIEN ÉTAYÉ SUR LES RAPPORTS DE COMMISSAIRES DE LA RÉPUBLIQUE.]

101. J.-P. Mockers, *L'Inflation en France (1945-1975)*, Cujas, 1976.
[POUR S'INITIER AUX MÉCANISMES.]

102. J. Le Bourva, *L'Inflation française d'après-guerre (1944-1949)*, Colin, 1952.
[LA SEULE ÉTUDE DISPONIBLE SUR LE SUJET.]

103. R. Sédillot, *Histoire du franc*, Sirey, 1979.
[CLAIR. UTILES TABLEAUX DE CONCORDANCE EN ANNEXE.]

104. M. Rist, *La Federal Reserve et les Difficultés monétaires d'après-guerre (1945-1950)*, Colin, 1952.
[POUR COMPRENDRE LE « DOLLAR-GAP ».]

105. J.-L. Guglielmi et M. Perrot, *Salaires et revendications sociales en France (1944-1952)*, Colin, 1953.
[INDISPENSABLE.]

106. *Désirs des Français en matière d'habitation urbaine*, PUF, 1947.
[UNE DES PREMIÈRES ENQUÊTES DE L'INED EN 1945 : LE RÊVE INDIVIDUALISTE ET INACCESSIBLE D'UNE MAJORITÉ DE FRANÇAIS.]

● **Quatre bilans de l'époque**

107. Ch. Bettelheim, *Bilan de l'économie française (1919-1946)*, PUF, 1947.

108. P. George, *Géographie économique et sociale de la France*, Éd. Hier et Aujourd'hui, 1946.

109. J. Chardonnet, *Les Conséquences économiques de la guerre (1939-1946)*, Hachette, 1947.

110. J.-F. Gravier, *Paris et le désert français*, Le Portulan, 1947.
[A CRÉÉ UN CHOC. COMPARER LES ÉDITIONS SUCCESSIVES : FLAMMARION, 1953, ET FLAMMARION, 1972.]

5. *L'épuration.*

111. P. Novick, *L'Épuration française (1944-1949)*, Balland, 1985.
[FONDAMENTAL.]

112. R. Aron, *Histoire de l'épuration*, Fayard.
1. *De l'indulgence aux massacres (nov. 1942-sept. 1944)*, 1967.
2. *Des prisons clandestines aux tribunaux d'exception (sept. 1944-juin 1949)*, 1969.
3. Vol. 1. *Le Monde des affaires (1944-1953)*, 1974.
3. Vol. 2, *Le Monde de la presse, des arts et des lettres... (1944-1953)*, 1975.
[À MANIER AVEC PRÉCAUTION.]

113. M. Baudot, « La Résistance française face aux problèmes de répression et d'épuration », *Revue d'histoire de la Deuxième Guerre mondiale*, n° 81, janvier 1971, p. 23-47.
[LA MEILLEURE MISE AU POINT FRANÇAISE. À COMPLÉTER PAR SON RAPPORT IN (64), P. 759-813.]

114. L. Noguères, *La Haute Cour de la Libération (1944-1949)*, Éd. de Minuit, 1965.
[TÉMOIGNAGE DE SON PRÉSIDENT.]

115. A. Latreille, *De Gaulle, la Libération et l'Église catholique*, Éd. du Cerf, 1978.
[UN HISTORIEN POUR UN TEMPS DIRECTEUR DES CULTES : SUR L'ÉPURATION DU CLERGÉ ET LA HANTISE DE LA LAÏCITÉ, UN GRAND LIVRE.]

6. *La vie politique sous les gouvernements provisoires.*

116. F. Goguel, *Géographie des élections françaises sous la Troisième et la Quatrième République*, Colin, 1970.
[DES CARTES FINEMENT COMMENTÉES.]

117. C. Leleu, *Géographie des élections françaises depuis 1936*, PUF, 1971.
[OUVRAGE DE RÉFÉRENCE.]

118. J. Fauvet, *Les Partis politiques dans la France actuelle*, Le Monde, 1947.
[UTILE VADE-MECUM.]

119. « *L'Entourage* » *et de Gaulle*, Plon, 1979.
[ACTES D'UN COLLOQUE DE L'INSTITUT CHARLES-DE-GAULLE SUR LES MÉTHODES DE TRAVAIL ET LA PRISE DE DÉCISION DU GÉNÉRAL DE 1940 À 1969.]

120. J. Touchard, *Le Gaullisme (1940-1969)*, Éd. du Seuil, 1978.
[CLAIR, SUBTIL, INDISPENSABLE.]

121. J. Fauvet et A. Duhamel, *Histoire du parti communiste français*, Fayard, 1977.
[LE MEILLEUR OUVRAGE GÉNÉRAL, À CE JOUR.]

122. Ph. Robrieux, *Maurice Thorez, vie secrète et vie publique*, Fayard, 1975.
[PORTRAIT FOUILLÉ D'UN GRAND MINISTRE D'ÉTAT.]

123. F. Billoux, *Quand nous étions ministres*, Éditions sociales, 1972.
[NOSTALGIE OU AUTOSATISFACTION?]

124. Ch. Tillon, *On chantait rouge*, Laffont, 1977.
[LE CHEF DES FTPF DEVENU MINISTRE DE L'AIR; LUCIDE ET DÉSENCHANTÉ.]

125. R. Quilliot, *La SFIO et l'Exercice du pouvoir (1944-1958)*, Fayard, 1972.
[INDISPENSABLE.]

126. B. D. Graham, *The French Socialists and Tripartism, 1944-1947*, Londres, Weidenfeld and Nicolson, 1965.
[EXHAUSTIF.]

127. *L'Œuvre de Léon Blum*, t. VI *1945-1947*, Albin Michel, 1958.
[TOUS LES TEXTES IMPORTANTS DU « SAGE » DE LA SFIO.]

128. D. Blume *et al.*, *Histoire du réformisme en France depuis 1920*, Éditions sociales, 1976, 2 vol.
[UN EFFORT DATÉ D'HISTORIENS COMMUNISTES POUR NOMMER « RÉFORMISTES » LES « SOCIAUX-TRAÎTRES » D'HIER.]

129. J. Vaudiaux, *Le Progressisme en France sous la IVᵉ République*, Cujas, 1968.
[UTILE SUR LE « RÊVE TRAVAILLISTE ».]

130. E.-F. Callot, *Le Mouvement républicain populaire*, Rivière, 1978.
[LA SEULE SYNTHÈSE ACCESSIBLE.]

● **Sur la bataille de l'information**

131. *Histoire générale de la presse française*, t. IV, *De 1940 à 1958*, sous la direction de C. Bellanger *et al.*, PUF, 1975.
[VOLUMINEUX.]

132. J.-N. Jeanneney et J. Julliard, « *Le Monde* » *de Beuve-Méry ou le Métier d'Alceste*, Éd. du Seuil, 1979.
[INDISPENSABLE.]

133. J. Thibau, « *Le Monde* », *histoire d'un journal, un journal dans l'histoire*, Simoën, 1978.
[PLUS CHRONOLOGIQUE QUE LE PRÉCÉDENT, QU'IL COMPLÈTE.]

134. A. Chatelain, « *Le Monde* » *et ses lecteurs sous la IVᵉ République*, Colin, 1962.
[UNE UTILE SOCIOLOGIE.]

135. P. Miquel, *Histoire de la radio et de la télévision*, Perrin, 1984.
[TRÈS GÉNÉRAL, MAIS LE PREMIER EFFORT DE SYNTHÈSE.]

136. R. Duval, *Histoire de la radio en France*, Alain Moreau, 1979.
[UN CHAPITRE V CONFUS MAIS UTILE.]

7. *Nationalisations et politique sociale.*

137. B. Chenot, *Organisation économique de l'État*, Dalloz, 1965.
138. B. Chenot, *Les Entreprises nationalisées*, PUF, 1956.
[L'AVIS CLAIR ET AUTORISÉ DE L'ANCIEN SECRÉTAIRE GÉNÉRAL DES HOUIL-
LÈRES DU NORD-PAS-DE-CALAIS.]
139. Ph. Brachet, *L'État-Patron, théories et réalités*, Syros, 1973.
[BONNE INTRODUCTION AUX COMPARAISONS DE LONGUE DURÉE.]
140. *Nationalisations et formes nouvelles de participation des ouvriers à la Libération (1944-1951)*, Université de Paris-I, 1984, multigr., à paraître.
[UN COLLOQUE EXHAUSTIF.]
141. G. Bouthillier, *La Nationalisation du gaz et de l'électricité en France*, Microéditions universitaires AUDIR-Hachette, 1973.
[UNE NATIONALISATION QUI SE DISTINGUE MAL DE L'ÉTATISATION : EXCEL-
LENT EXEMPLE.]
142. R. Gaudy, *Et la lumière fut nationalisée : naissance d'EDF-GDF*, Éditions sociales, 1978.
[UN TÉMOIGNAGE UTILE.]
143. O. Hardy-Hemery, « Permanences et mouvements dans un pôle indus-
triel. Le Valenciennois de septembre 1944 à 1947 », *Revue d'histoire de la Deuxième Guerre mondiale*, n° 102, avril 1976, p. 83-108.
[EXCELLENT EXEMPLE RÉGIONAL.]
144. J. Bouvier, *Un siècle de banque française*, Hachette, 1973.
[TRÈS CLAIR SUR UNE NATIONALISATION MANQUÉE.]
145. J.-J. Dupeyroux, *Droit de la sécurité sociale*, Dalloz, 1975.
[MINUTIEUX.]
146. H.-C. Galant, *Histoire politique de la Sécurité sociale française (1945-1952)*, Colin, 1955.
[FONDAMENTAL.]
146 bis. A. Lacroix, *CGT et revendications ouvrières face à l'État, de la Libération aux débuts du plan Marshall (sept. 1944-déc. 1947)*, thèse, Université de Paris I, multigr.
[MINUTIEUX.]
147. M. Montuclard, *La Dynamique des comités d'entreprise*, Éd. du CNRS, 1963.
[PEU HISTORIQUE, MAIS LE SEUL OUVRAGE SOLIDE.]
148. M. Combe, *L'Alibi, vingt ans d'un comité d'entreprise*, Gallimard, 1969.
[TÉMOIGNAGE D'UN PRÊTRE-OUVRIER DANS LA SIDÉRURGIE STÉPHANOISE.]
149. G. Lefranc, *Les Expériences syndicales en France de 1939 à 1950*, Aubier-Montaigne, 1950.
[UTILE.]
150. A. Bockel, *La Participation des syndicats ouvriers aux fonctions économi-*

ques et sociales de l'État, Librairie générale de droit et de jurisprudence, 1965.
[ÉTUDE APPLIQUÉE DE SON ESSOR PUIS DE SON RECUL APRÈS 1948.]

151. H. W. Ehrmann, *La Politique du patronat français (1936-1955)*, Colin, 1959.
[FONDAMENTAL.]

152. G. Lefranc, *Les Organisations patronales en France*, Payot, 1976.
[ÉNUMÉRATIF.]

153. B. Brizay, *Le Patronat. Histoire, structure, stratégie du CNPF*, Éd. du Seuil, 1975.
[UTILE.]

154. A. Tiano, *Les Traitements des fonctionnaires et leur détermination (1930-1957)*, Génin, 1957.
[TECHNIQUE, MAIS MONTRE L'ENTRÉE EN FORCE DE LA FONCTION PUBLIQUE DANS LA LUTTE SOCIALE.]

8. *Crises de 1947 et guerre froide.*

155. D. Yergin, *La Paix saccagée, les Origines de la guerre froide et la Division de l'Europe*, Balland/France Adel, 1980.
[UNE DOCUMENTATION FOUILLÉE, UNE PLUME ALERTE : EXCELLENT.]

156. C. Delmas, *Armements nucléaires et guerre froide*, Flammarion, 1971.
[PRÉCIS ET SYNTHÉTIQUE.]

157. A. Fontaine, *Histoire de la guerre froide*, « Points Histoire », Éd. du Seuil, 2 vol., 1983.
[UNE CONCEPTION ÉLASTIQUE DE LA NOTION DE GUERRE FROIDE. FROIDE.]

158. F. Fonvieille-Alquier, *La Grande Peur de l'après-guerre (1946-1953)*, Laffont, 1973.
[UN BON RÉCIT.]

159. D. Desanti, *L'année où le monde a tremblé, 1947*, Albin Michel, 1976.
[JOURNALISTIQUE.]

160. R. Aron, *Le Grand Schisme*, Gallimard, 1948.
[BELLE MÉDITATION « À CHAUD ».]

161. G. Lefranc, *Le Mouvement syndical de la Libération aux événements de mai-juin 1968*, Payot, 1969.
[BON RÉCIT DE LA RUPTURE CGT/FO.]

162. J. Bruhat et M. Piolot, *Esquisse d'une histoire de la CGT*, CGT, 1966.
[LA VERSION OFFICIELLE.]

163. A. Bergounioux, *Force ouvrière*, Éd. du Seuil, 1975.
[UNE BONNE MISE AU POINT.]

164. É. Depreux, *Souvenirs d'un militant*, Fayard, 1972.

165. J. Moch, *Une si longue vie*, Laffont, 1976.
[LES DEUX MINISTRES DE L'INTÉRIEUR SE JUSTIFIENT.]

9. *Atlantisme et construction européenne.*

166. P. Mélandri, *L'Alliance atlantique*, Gallimard/Julliard, 1979.
[INDISPENSABLE. FORT UTILES ANNEXES BIBLIOGRAPHIQUES ET CHRONOLO-GIQUES.]

166 bis. P. Melandri, *Les États-Unis face à l'unification de l'Europe (1945-1954)*, Pedone, 1980.
[INDISPENSABLE POUR CONNAÎTRE LE POINT DE VUE DE WASHINGTON.]

167. C. Delmas, *L'OTAN*, PUF, 1960.
[UTILE.]

168. M. Marantz, *Le Plan Marshall, succès ou faillite ?*, Rivière, 1980.

169. F. Perroux, *Le Plan Marshall, ou l'Europe nécessaire au monde*, Librairie de Médicis, 1948.
[DEUX RÉACTIONS DES CONTEMPORAINS.]

170. J. Monnet, *Mémoires*, Fayard, 1976.
[LECTURE OBLIGATOIRE POUR COMPRENDRE LA PÉRIODE.]

171. P. Gerbet, *La construction de l'Europe*, Imprimerie nationale, 1984.

172. *La France et les Communautés européennes*, sous la direction de J. Rideau et al., Librairie générale de droit et de jurisprudence, 1975.
[PEU SYNTHÉTIQUE, MAIS RICHE EN RENSEIGNEMENTS PRÉCIS.]

173. J. Freymond, *La Sarre (1945-1955)*, Bruxelles, Institut de sociologie Solvay, 1959.
[REMARQUABLE ÉTUDE DE CAS.]

174. J. de Soto, *La CECA*, PUF, 1958.
[UN « QUE SAIS-JE ? » COMMODE.]

175. *La Querelle de la CED*, sous la direction de R. Aron et de D. Lerner, Colin, 1956.
[FONDAMENTAL.]

176. Ph. Pondaven, *Le Parlement et la Politique extérieure sous la IVe République*, PUF, 1973.
[UTILE MISE AU POINT.]

• **Quatre diplomates, quatre analyses différentes**

177. A. Bérard, *Un ambassadeur se souvient, Washington et Bonn (1945-1955)*, Plon, 1978.
[MINUTIEUX.]

178. J. Chauvel, *Commentaire, d'Alger à Berne (1944-1952)*, Fayard, 1972.
[AMUSÉ ET EFFICACE.]

179. J. Dumaine, *Quai d'Orsay (1945-1951)*, Julliard, 1955.
[DANS L'OMBRE D'AURIOL.]

180. R. Massigli, *Une comédie des erreurs (1943-1956)*, Plon, 1978.
[PLAIDOYER POUR UNE EUROPE CONFÉDÉRALE.]

10. *L'Union française.*

• **Le cadre général**

181. H. Grimal, *La Décolonisation (1919-1963)*, Colin, 1965.
[UN MANUEL.]

182. X. Yacono, *Les Étapes de la décolonisation française*, PUF, 1971.
[UN UTILE « QUE SAIS-JE ? ».]

183. Ch.-R. Ageron, *France coloniale ou parti colonial?*, PUF, 1968.
[SUR LA PÉRENNITÉ DES QUESTIONS DE FOND, UN LIVRE IMPORTANT.]

184. F. Borella, *Évolution juridique et politique de l'Union française depuis 1946*, Librairie générale de droit et de jurisprudence, 1958.
[FONDAMENTAL.]

185. P. Mus, *Le Destin de l'Union française, de l'Indochine à l'Afrique*, Éd. du Seuil, 1954.
[SENSIBILITÉ ET INQUIÉTUDES D'UN TÉMOIN PARTICULIÈREMENT BIEN INFORMÉ.]

186. J. Lacouture, *Cinq hommes et la France*, Éd. du Seuil, 1961.
[L'AVENIR SUR LES VISAGES DE HÔ CHI MINH, BOURGUIBA, MOHAMMED V, F. 'ABBÀS ET S. TOURÉ.]

187. *Les Chemins de la décolonisation de l'empire colonial français,* sous la direction de Ch.-R. Ageron, IHTP/Éd. du CNRS, 1986.
[UN INDISPENSABLE COLLOQUE DE MISE AU POINT.]

● **Afrique du Nord**

188. Ch.-A. Julien, *L'Afrique du Nord en marche, nationalisme musulman et souveraineté française*, Julliard, 1972.
[TRÈS GRAND LIVRE D'UN HISTORIEN QUI SUT ÊTRE UN MILITANT.]

189. L. Chevalier, *Le Problème démographique nord-africain*, PUF, 1947.
[ENQUÊTE DE L'INED.]

190. R. Le Tourneau, *Évolution politique de l'Afrique du Nord musulmane (1920-1961)*, Colin, 1962.
[UN CLASSIQUE.]

191. Ch.-R. Ageron, *Histoire de l'Algérie contemporaine*, t. 2, *1871-1954*, PUF, 1979.
[FONDAMENTAL.]

192. R. Aron *et al.*, *Les Origines de la guerre d'Algérie*, Fayard, 1962.
[UN BON DOSSIER.]

193. A. Nouschi, *La Naissance du nationalisme algérien (1914-1954)*, Éd. de Minuit, 1962.
[DES DOCUMENTS.]

194. Ch.-A. Julien, *Le Maroc face aux impérialismes (1415-1956)*, Éd. Jeune Afrique, 1978.
[UNE SOMME.]

● **Afrique noire**

195. R. Cornevin, *Histoire de l'Afrique contemporaine, de la Deuxième Guerre mondiale à nos jours*, Payot, 1972.
[MANUEL DE BASE.]

196. J. Suret-Canale, *Afrique noire, de la colonisation aux indépendances (1945-1960)*, Éditions sociales, 1972, t. 1.
[ANALYSE MARXISTE DE L'EXPLOITATION ÉCONOMIQUE.]

197. H. Deschamps, *Histoire de Madagascar*, Berger-Levrault, 1972.
[LE CADRE GÉNÉRAL.]

198. J. Tronchon, *L'Insurrection malgache de 1947*, Maspero, 1974.
[FOUILLÉ.]

● **Indochine**

199. Ph. Devillers, *Histoire du Viet-Nam de 1940 à 1952*, Éd. du Seuil, 1952.
[FONDAMENTAL.]

200. Y. Gras, *Histoire de la guerre d'Indochine*, Plon, 1979.
[ENLISÉ DANS LE DÉTAIL DES OPÉRATIONS MILITAIRES.]

201. L. Bodard, *La Guerre d'Indochine* (5 vol.), Gallimard, 1963-1967, et Gallimard, « Folio », 1973.
[UN REPORTAGE FOISONNANT.]

202. J. Lacouture, *Hô Chi Minh*, Éd. du Seuil, 1967.
[BIOGRAPHIE SENSIBLE ET SÛRE.]

203. J. Doyon, *Les Soldats blancs d'Hô Chi Minh*, Fayard, 1973.
[D'ANCIENS FTP AUX COTÉS DE GIAP.]

204. J. Sainteny, *Histoire d'une paix manquée, Indochine 1945-1947*, Amiot-Dumont, 1953.
[UN ACTEUR CAPITAL.]

11. *Première législature de la IVᵉ République.*

● **Le système**

205. P. Miquel, *La IVᵉ République, hommes et pouvoirs*, Bordas, 1972.
[PETIT PRÉCIS.]

206. F. Goguel, *Le Régime politique français*, Éd. du Seuil, 1955.
[DENSE ET LIMPIDE.]

207. F. Muselier, *Regards neufs sur le Parlement*, Éd. du Seuil, 1956.
[DE L'EXCELLENTE VULGARISATION.]

208. D. Macrae, *Parliament, Parties and Society in France (1946-1958)*, Londres, Mac Millan, 1967.
[SAVANT, SOPHISTIQUÉ MÊME. À TRAVERS LES SONDAGES ET LES SCRUTINS, LA VICTOIRE DES NOTABLES SUR LES IDÉOLOGUES.]

209. J. Théry, *Le Gouvernement de la IVᵉ République*, Librairie générale de droit et de jurisprudence, 1950.
[AUSTÈRE MAIS REND BIEN L'ACTUALITÉ.]

210. S. Arné, *Le Président du Conseil des ministres sous la IVᵉ République*, Librairie générale de droit et de jurisprudence, 1962.
[TRÈS DÉTAILLÉ.]

211. G. Lavau, *Partis politiques et réalités sociales*, Colin, 1953.

212. *Partis politiques et classes sociales en France*, sous la direction de M. Duverger, Colin, 1955.
[DEUX ÉTUDES INDISPENSABLES.]

213. B. Gournay, « Technocratie et administration », *Revue française de science politique*, oct.-déc. 1960, p. 881 *sq.*
[SUR LES POUVOIRS DE L'ADMINISTRATION.]

● **Hommes et partis au pouvoir**

214. F.-G. Dreyfus, *Histoire des gauches en France (1940-1974)*, Grasset, 1975.
[POSE DE RUDES QUESTIONS.]

215. R. Rémond, *Les Droites en France, Aubier, 1982.*
[UN CLASSIQUE.]

216. « Tableau politique de la France », *La Nef*, avr.-mai 1951.

217. « Pouvoir politique et pouvoir économique », *Esprit*, juin 1953.
[STIMULANTS.]

218. F. de Tarr, *The French Radical Party from Herriot to Mendès France*, Londres, Oxford University Press, 1961.
[LE SEUL OUVRAGE SUR LA PÉRIODE.]

219. J.-Th. Nordmann, *Histoire des radicaux (1820-1973)*, La Table ronde, 1974.
[UN MANUEL.]

220. V. Auriol, *Mon septennat (1947-1954)*, Gallimard, 1970.
[UN *digest* DE L'ÉDITION SAVANTE (8) : TOUT À FAIT INDISPENSBALE.]

221. P.-O. Lapie, *De Léon Blum à de Gaulle, le caractère et le pouvoir*, Fayard, 1971.
[SOUVENIRS BIEN ENLEVÉS D'UN MINISTRE SOCIALISTE.]

● **Les oppositions**

222. Ch. Purtschet, *Le Rassemblement du peuple français*, Cujas, 1965.
[LE PREMIER OUVRAGE D'ENSEMBLE]

222 bis. J. Charlot, *Le Gaullisme d'opposition (1946-1958)*, Fayard, 1983.
[LA MEILLEURE SYNTHÈSE.]

223. Ch. de Gaulle, *Discours et messages*, t. 2, *Dans l'attente (1946-1958)*, Plon, 1970, et Le Livre de poche, 1974.
[DISCOURS DOMINICAUX DU COMMANDEUR.]

224. J. Lacouture, *De Gaulle*, t. 2. *Le politique (1946-1959)*, Éd. du Seuil, 1985.
[LA MEILLEURE BIOGRAPHIE.]

225. J. Soustelle, *Vingt-huit ans de gaullisme*, La Table ronde, 1968.

225 bis. L. Terrenoire, *De Gaulle 1947-1954*, Plon, 1981.
[SOUVENIRS ET CARNETS DES DEUX SECRÉTAIRES GÉNÉRAUX DU RPF.]

226. A. Astoux, *L'Oubli, de Gaulle, 1946-1958*, J.-Cl. Lattès, 1974.
[PAR UN ANCIEN DÉLÉGUÉ DU RPF DANS LE NORD-EST.]

227. A. Kriegel, *Les Communistes français dans leur premier demi-siècle (1920-1970)*, Éd. du Seuil, 1985.
[DESCRIPTION DE LA CONTRE-SOCIÉTÉ COMMUNISTE.]

228. J. Duclos, *Mémoires*, t. IV, *1945-1952*, Fayard, 1971.
[UNE DÉFENSE INCONDITIONNELLE DE « LA LIGNE ».]

229. D. Desanti, *Les Staliniens (1944-1956), une expérience politique*, Fayard, 1975.
[AUTOCRITIQUE D'UNE ANCIENNE JOURNALISTE COMMUNISTE.]

230. E. Morin, *Autocritique*, Éd. du Seuil, 1970 et 1975.
[LES MÉCANISMES DE L'EXCLUSION EN 1951.]

230 bis. N. Dioujeva. et F. George dir., *Staline à Paris*, Ramsay, 1982.
[UTILES RÉVÉLATIONS A POSTERIORI.]

231. P. Daix, *J'ai cru au matin*, Laffont, 1976.
[PAR LE SECOND D'ARAGON AUX *Lettres françaises*.]

232. R. Pannequin, *Adieu, camarades*, Le Sagittaire, 1977.
[CHRONIQUE DE LA BUREAUCRATIE ET REMARQUABLE DESCRIPTION DES GRÈVES DU NORD.]

232 bis. Ph. Robrieux, *Histoire intérieure du parti communiste*, t. 2, *1945-1972*, Fayard, 1981.
[LA FACE IMMERGÉE DE L'ICEBERG.]

• **L'engagement des intellectuels**

233. J. Verdès-Leroux, *Au service du Parti. Le parti communiste, les intellectuels et la culture (1944-1956)*, Fayard/Éd. de Minuit, 1983.
[L'OUVRAGE DE BASE.]

234. R. Aron, *L'Opium des intellectuels*, Calmann-Lévy, 1955.
[CONTRE LES « COMPAGNONS DE ROUTE ».]

235. M.-A. Burnier, *Les Existentialistes et la Politique*, Gallimard, 1966.
[REMARQUABLE.]

236. M. Winock, *Histoire politique de la revue « Esprit » (1930-1950)*, Éd. du Seuil, 1975.
[RÉVOLUTION AVORTÉE ET GUERRE FROIDE AUTOUR DE MOUNIER : INDISPENSABLE.]

237. S. de Beauvoir, *Les Mandarins*, Gallimard, 1954, et Gallimard, « Folio », 1972.

238. G. Bernanos, *Français, si vous saviez*, Gallimard, 1961.

239. A. Camus, *Actuelles, chroniques 1944-1948*, Gallimard, 1950.

240. F. Mauriac, *Mémoires politiques*, Grasset, 1967.

241. M. Merleau-Ponty, *Les Aventures de la dialectique*, Gallimard, 1955, et Gallimard, « Idées », 1977.

242. E. Mounier, *Les Certitudes difficiles*, Éd. du Seuil, 1951.

243. J.-P. Sartre, *Qu'est-ce que la littérature?*, Gallimard, 1948, et Gallimard, « Idées », 1964.
[LISTE VOLONTAIREMENT RÉDUITE A UN TITRE PAR AUTEUR.]

12. *Planification et modernisation.*

244. P. Massé, *Le Plan ou l'Anti-Hasard*, Gallimard, 1965.

245. C. Gruson, *Origines et espoirs de la planification française*, Dunod, 1968.

246. F. Bloch-Lainé, *Profession : fonctionnaire*, Éd. du Seuil, 1976.
[TROIS MÉDITATIONS QUI COMPLÈTENT LE TÉMOIGNAGE DE J. MONNET.]

247. P. Bauchet, *L'Expérience française de planification*, Éd. du Seuil, 1958 et 1966.
[TRÈS ACCESSIBLE.]

248. *De Monnet à Macé*, sous la direction de H. Rousso, IHTP/CNRS, 1986.
[ENJEUX POLITIQUES ET OBJECTIFS ÉCONOMIQUES DES PREMIERS PLANS : LA PREMIÈRE SYNTHÈSE D'HISTOIRE.]

249. J. Lecerf, *La Percée de l'économie française*, Arthaud, 1963.
[PEU CENTRÉ SUR NOTRE PÉRIODE, MAIS INDISPENSABLE.]

250. J. Mac Arthur, R. B. Scott et A. T. Sproat, *L'Industrie française face aux plans, Harvard ausculte la France*, Les Éditions d'organisation, 1970.
[MÊME REMARQUE QUE POUR LE PRÉCÉDENT.]

251. M.-C. Kessler, *La Politique de la haute fonction publique*, Presses de la Fondation nationale des sciences politiques, 1978.
[UNE BONNE HISTOIRE DE L'ENA.]

252. P. Corbel, *Le Parlement français et la Planification*, Cujas, 1969.
[HISTOIRE DE LA REVANCHE PARLEMENTAIRE APRÈS 1947.]

253. G. Friedmann, *Où va le travail humain?*, Gallimard, 1950.
[L'IRRUPTION DU MODÈLE AMÉRICAIN.]

254. R. Dumont, *Voyages en France d'un agronome*, Génin, 1951 et 1956.
[SUR LE TERRAIN : STAGNATION OU MODERNISATION?]

255. « Paysans d'hier, agriculteurs de demain », *Économie et humanisme*, cahier n⁰ 1, 1951.
[BON DOCUMENT D'ÉPOQUE.]

256. A. Armengaud, *La Population française au XXᵉ siècle*, PUF, 1970.

257. J. Beaujeu-Garnier, *La Population française*, Colin, 1969.
[DEUX PETITS GUIDES SÛRS.]

258. A. Sauvy, *La Montée des jeunes*, Calmann-Lévy, 1959.
[LES ENFANTS DU RENOUVEAU.]

13. *Panorama.*

259. *La France en voie de modernisation (1944-1952)*, Colloque de la Fondation nationale des sciences politiques, décembre 1981, multigr.
[UN BILAN DES RECHERCHES EN COURS, EN 42 COMMUNICATIONS. INDISPENSABLE SUR TOUS LES SUJETS.]

Index

Cet index recense les noms de personnes cités dans le texte et les notes, à l'exception des auteurs et des acteurs signalés dans l'orientation bibliographique et la chronologie sommaire.

Table

2. La République du moindre mal
(1946-1952)

COMPOSITION : FIRMIN-DIDOT S.A. AU MESNIL
IMPRESSION : HÉRISSEY A ÉVREUX (2-87)
D.L. 4ᵉ TRIM. 1980. Nº 5659-4 (41790)

Collection Points

SÉRIE HISTOIRE

Collection Points

Nouvelle histoire de la France contemporaine